Psikolog TÜLAY KÖK

TERAPİ ODASI KONULARI

Bir Terapistin Odasında
En Çok Konuşulanlar

okuyan us

Yazar Hakkında

1976 yılında İzmir'de doğan ve 1997 yılında Ege Üniversitesi'ni bitirdikten sonra Antalya'ya yerleşerek aktif çalışma hayatına başlayan Tülay Kök, 1996 yılından bu yana hipnoz başta olmak üzere Değiştirilmiş Bilinç Halleri üzerinde çalışmalarını yoğunlaştırdı. Elli bin saatin üzerindeki mesleki tecrübesi ve üniversitelerde ve kamu kurumlarında hipnoz konusunda verdiği eğitimlerle Türkiye'de bu alanın bilimsel bir yöntem olarak eğitim ve psikolojide kullanılmasına öncülük etti.

Stresle baş etme, iletişim, aile ilişkileri konusunda eğitimler vermeye devam eden ve Psikolojik İlk Yardım kitabıyla geniş bir kitleye ulaşan Psikolog Tülay Kök, şimdilerde podcast'ler ve YouTube videoları ile milyonlarca dinleyiciye ulaşıyor.

İçindekiler

Bu kitabın ortaya çıkmasını sağlayan
herkese teşekkürlerimi sunarım:

Eşim, oğlum, annem, babam, kardeşim, teyzem,
dostlarım ve terapi odasında hayatlarımızın
kesiştiği tüm insanlara…

GİRİŞ

Terapi odası can sıkıntısıyla laf olsun diye gelinen bir yer değildir. Sıkışmış ve çaresiz hisseden insanın can acısıyla, hatta can havliyle kendini attığı bir yerdir.

Hayatta bir şeyler yolunda gitmediğinde, sorunlar üst üste geldiğinde ve çözülemediğinde insan kendisini hemencecik sıkışmış hissetmez. Önce canı sıkılır, bunalır, can sıkıntısını gidermek için bir şeyler dener, hayatında değişiklikler yapar. İş değiştirmek, sevgiliyi terk etmek, yeni bir eve taşınmak, sağlık sigortası yaptırmak, seyahat etmek, para biriktirmek, bir kursa yazılmak, akraba gününe katılmak ve hatta falcılara gitmek, kurşun döktürmek, muska yazdırmak da dahil rahatlama sağlayacak pek çok yol dener.

Şarkılar da böyle söyler. "Yeni bir aşk, yeni bir iş, yine gülecek bir neden lazım, yeni bir hayat, gerisi bayat" diye sürüp giden eğlenceli şarkıda, bu sefer olmasa da bir sonraki sefere yeni şeyler deneyerek istediğimize kavuşacağımıza dair umut vardır. Şarkı yeni bir aşk, yeni bir iş, yeni bir dokunuş ve yeni bir hayat denedikten sonra tam olarak ne olacağıyla ilgili bir şeyden bahsetmiyor haliyle. Sadece değiştirmek ve yeni şeyler denemek lazım olduğunu umutlu bir havayla anlatıyor.

Hayat denen bu oyunda, aynı düzlemde kalıp da sıkılmamak mümkün değildir. İnsan sıkılır. Dünyanın en güzel yerleri bile olsa hep aynı yerlerde gezmekten, dünyanın en iyi dostlarına sahip olsa bile hep aynı insanları görmekten, çok sevdiği bir işle uğraşsa bile her gün aynı işi yapmaktan sıkılır. Sıkıntı hissetmek insanın doğasında vardır. Sahip olduğumuz her şey tatmin edilmiş bir arzu sonucu bize geçmiştir. Tüm arzular tatmin edildiğinde, yatay düzlemde gidecek bir yer kalmaz. Can sıkıntımız yerini sıkışmışlık duygusuna bırakır.

Sıkışmak, sıkılma halinden farklı bir duygudur. Sıkışmışlık hissi işte tüm bu yenilikler denendikten, faaliyetler yapıp bitirildikten, üstüne defalarca kez tekrar edildikten sonra oluşan çıldırma halidir. Sıkışmış hissetmek hayatı tek boyutlu yatay bir düzlem olarak görmenin, üçüncü boyutu gözden kaçırmanın kaçınılmaz sonucudur.

Zaman geçtikçe, can sıkıntımızı gidermek adına yaptığımız her bir eylemin altında ezilmeye başlarız. Çok şey yapmış, çok şey denemiş ve çok fazla hayal kırıklığı biriktirmişizdir. Ne yaparsak yapalım bir şeylerin eksik olduğu duygusu peşimizi bırakmaz. İçimizdeki kocaman boşluğa rağmen dışarıda gidecek yer kalmamıştır. İçimizdeki sonsuz boşlukla kabımıza dar gelirken, alıp başımızı gitmek isteriz. Gidemeyiz, gitmeye cesaret edemeyiz.

İnsanlar kendilerine acı veren ve bir türlü çözülemeyen sorunları olduğunda son çare olarak terapiste giderler. Hayatında her şey yolunda giderken böyle arayışlara girmezler. Terapi odası bir anlamda son duraktır.

Bu kitap bir terapi kitabı değil, terapi nedir anlatmıyor. Terapist seanslarda akıl vermez, önerilerde bulunmaz, kişisel fikirlerini ortaya koymaz. Ancak fikirlerinden ve önerilerinden oluşan bir kitap yazabilir. Ben de bu kitapta insanları terapiye getiren başlıca konulardan bahsederken, sizlere de bazı önerilerde bulunuyorum; yani başvuru formundaki "başvuru nedeni" bölümünde yazılanlara beraberce bakıyoruz. Bakalım insanlar en çok nelerden şikayetçi? Hangi sorunlarla başa çıkamadıkları için bir terapistin kapısını çalıyorlar?

Terapi odasında en çok konuşulan konuları dört temel başlıkta topladım. Birinci bölüm kişisel konuları, ikinci bölüm ilişkileri, üçüncü bölüm çocukları ele alıyor. Kadın konusunu son bölümde ayrıca ele alacağız.

Keyifli okumalar dilerim.

1. BÖLÜM

KİŞİSEL KONULAR

MASUMİYETİN KAYBI

Resim yapmayı çok seviyorum, keza yazı yazmayı da öyle. Olmadı mı yırtıp atıyorsun, silip karalıyorsun.

Peki ya hayat öyle mi, kalemin ucundaki dünya gibi mi? Belki bir süreliğine.

Hayat insana her zaman şans verir. Çoğu zaman ikinci şansı da verir, bazen üçüncü şansı da. Her yaptığınız hatadan sonra yeniden başlamanız için temiz bir sayfa açılır önünüze.

Verilen şansların kıymetini bilmek gerek. Hangisi son fırsat, bilinmez. Kalemin ucundaki dünyaya benzemez bu hayat, sonsuz kere başa dönemezsin, yırtıp atamazsın, silip karalayamazsın.

Hatalardan ders almadan anlık heveslerle günü kurtarmaya çalışırsanız, bir de bakmışsınız defterde sayfa kalmamış. "Son pişmanlık fayda etmez" dedikleri yer burasıdır. Bundan sonra ancak eskilere çizik atıp, sayfanın kalan yerlerini kullanırsınız.

Bir yerden sonra, en güzel şeyleri de yapsanız, temiz sayfada durduğu gibi durmaz yapılanlar, kirli görünürsünüz. Masumiyetin kaybedilmesi böyle bir şeydir.

İşte bu yüzden "Hesapsız yaşa, sen bir bireysin, boş ver gitsin, takma kafana, mutlu olduğun şekilde yaşa" diyenlere kanmayın. Hayat bir keredir ve boş verilemeyecek kadar değerlidir.

İyi düşünün, ne istediğinizi bilin, dik durun. Bu hayat yolculuğunda bir daha aynı yollardan geçer misiniz? Bilinmez. Geçtiğiniz yollarda insanlığa yakışır izler bırakın.

İnsan elbet hata yapar. Ama insan bir hatayı kaç kere yapar?

Bu dünyaya sadece hata yapmak için gelmedik. Yaptığımız hatalardan ders almak için geldik.

HAYAT DENEN OYUN

> "Hiçbir insan her zaman kazanamaz, her zaman yaratamaz. Hiç kimse çabalarında sürekli olarak başarılı olamaz. Fakat doğru yöne gitmek başarmış olmak değil başarıyor olmak, hana varmak değil hana doğru yürümek, başarılarla yetinmek değil başarılara doğru ilerlemek, yeteneklerini en çarpıcı, en üretken şekilde yaratıcı kullanıma vermektir."
> — Irvin Yalom

Hayat sadece kendi hamlelerimizden sorumlu olduğumuz bir oyun. Herkes oyununu istediği gibi oynar. Kimsenin hamlesine karışma hakkımız yoktur ama karışmak isteriz. Bizi en çok diğerlerinin oyun oynama şekli üzer.

Unuttuğumuz şey şudur. Herkes oyununu istediği gibi oynayabiliyorsa bu demektir ki biz de oyunumuzu istediğimiz gibi oynayabiliriz. Ama çoğu zaman odağımız diğerlerinin yapıp ettikleri olduğu için kendi oyunumuzu oynamakta yeterince ustalaşamayız.

Kendi yanlışlarımızı görmez, kendi sorunlarımız karşısında çaresiz hissederken başkalarının yanlışlarını hemen fark eder ve onlara neyi nerede yanlış yaptıklarını ve ne yaparlarsa durumu toparlayabileceklerini hemencecik söyleyebiliriz.

Gelin görün ki bizi dinlemezler, çünkü inandırıcılığımız yoktur. "Kelin ilacı olsa başına sürer" diye konuşurlar arkamızdan. Bazen daha acımasız sözlerle yaralayabilirler.

O halde hayat oyununda doğru hamle konusunda ustalaşmalıyız ve bunun için kendi oyunumuza odaklanmalıyız. Hayat zamanla ve yaş aldıkça ustalaştığımız bir oyun. Yaş alıp da çıraklıktan çıkamayan bir oyuncu olmak istemiyorsak kendi işimize bakmalıyız.

Ve bunun için de şu cümleleri bir kenara bırakmalı, rafa kaldırmalıyız:

"Bana bunu nasıl yapar?"

"Bana bunu nasıl söyler?"

"Ben bunları hak edecek ne yaptım?"

Size yalan söyleyen, aldatan bir sevgili bu oyun içinde hamlesini yapmıştır. Oyunun kuralını hatırlayın. ***"Diğerinin hamlesine karışamazsınız."*** Zaten sıra size geçmiştir. Söylenmeyi bırakın, hamlenizi yapın, oyununuzu oynayın. Diğerinin, hamlesini geri almasını ya da yeni bir hamle daha yapmasını beklemeyin.

Hayat oyununda ustalık kazanana kadar yanlış hamleler yapacaksınız. Hatalı hamleleri en aza indirmek için beğendiğiniz insanların oyun tarzlarına bakın, bunları örnek alın. Hata yapmaktan korkmayın. Düşe kalka kendi yolunuzu bulacak, kendi stilinizi geliştireceksiniz. Eninde sonunda siz de iyi bir oyuncu olacaksınız, yeter ki hamle yapmaktan çekinmeyin.

Söz dinlemeyen çocuk, aldatan sevgili, dedikoducu komşu, ispiyoncu iş arkadaşı... Emin olun bunların hepsiyle ilgili yapabileceğiniz bir şeyler var. Eğer ne yapabileceğinizi bilmiyorsanız öğrenin, artık her işin bir uzmanı var. Örneğin, ödevini yapmayan çocuğunuzla ilgili ne yapabilirsiniz? Araştırma yapın, konuyla ilgili kitaplar okuyun, çocuğu ödevlerini yapan arkadaşınıza sorun, psikoloğa gidin.

Zamanın hiçbir döneminde bilgiye ulaşmak bu kadar ucuz ve kolay olmamıştı. Sormaktan, öğrenmekten çekinmeyin, egolarınıza yenik düşmeyin. Her zaman hatırlayın: "Çok bilen çok yanılır."

"Ben her şeyi biliyorum."

"Benim kocamın huyu bu."

"Herkesin çocuğu farklı, onun çocuğu çalışkan."

"İyi yerlerde tanıdıkları var."

"İyi öğretmene düştü."

"Bazıları doğuştan şanslı."

"Onun iş ortamı iyi."

"Benim etrafımdakiler sorunlu."

Yukarıdaki gibi cümleler kuruyorsanız kendi işinize bakmak için gerekli cesareti toplayamaz, harekete geçemezsiniz. Şans diye bir şey yoktur, sayısal loto dışında. İnsan şansını kendi yaratır. Açık ve kabullenici olun. Sebepleri dışarıda aramayı bırakın. Hayat oyununda ustalaşmaya bakın. Size sürekli şah çekiyorlarsa, oyun tarzınızı gözden geçirin. Hile yapan mızıkçı insanlarla oynamayın, onlarla ilişkinizi kesin.

GÖZYAŞLARI

İçimizde iyi ve kötü duygular taşırız. Sevinç, üzüntü, keder, öfke...

İnsan mutluluktan ağlar, üzüntüden ağlar, sinirden ağlar.

Bir duygu, içimizde tutamayacağımız kadar çoğalınca gözyaşlarıyla kendini dışarı atar.

Gözyaşları taşan duyguları anlatır. İnsanın en doğal ifade şekillerinden biridir. Ama sürdüğümüz yaşam biçimi, doğal olan pek çok şeye zarar verdiği gibi gözyaşlarımızın doğallığıyla da oynadı.

Çok ağlar ya da hiç ağlamaz olduk.

Neden hiç ağlamayız, ağlayamayız? Çünkü duygularımızdan korkarız, hissetmekten kaçarız.

Neden çok ağlarız? Hissettiğimiz duygularla ne yapacağımızı bilemediğimizde, duygularımızla baş edebilmek için kendi gücümüze güvenemediğimizde çok ağlarız, her yerde ağlarız, gözyaşlarımız dinmez olur. Olur olmadık yerde gözlerimizden akan yaşlar bizi zor durumda bırakır, acizliğimize kızar, daha çok ağlarız.

Oysa duygularınızı akışına bırakırsanız, gerektiğinde gözyaşlarınıza izin verirseniz kendinizi daha güçlü hissedersiniz.

Gözyaşlarından korkmayın. Gözyaşları acizlik ya da zaaf değildir. İnsan olduğunuzun ve hissedebildiğinizin göstergesidir.

BÜYÜMEK

Büyümek, acılı ve acıklı bir süreç. Keşke hep çocuk kalsak, hiç büyümesek. Her daim bizden sorumlu biri olsa mesela. Hata yaptığımızda velimizi çağırsalar, "Ne biçim çocuk yetiştiriyorsunuz" diyerek faturayı onlara kesseler. Sorumlu olmamak çocuk olmanın en güzel tarafıdır herhalde.

Büyümek çok acılıdır gerçekten. Hızlı büyüyenler bilir. Bacaklarda ağrılar olur. Büyümek iz bırakır bedenimizde. Vücudumuz açılır, derimiz çatlar.

Büyürsünüz ve büyümek ağrılı bir olaydır. Büyürken bedeninizde olanlar, esas büyüme sancılarının yanında hiçbir şeydir.

Gerçek anlamda büyümek, gölgesine sığındıklarınızdan uzaklaşmakla başlar. Büyüdükçe sıcak kanatların altına sığamaz olursunuz, sığsanız da komik durursunuz.

Büyümek ne zormuş! Büyüdüm mü sahiden? Büyümek "Bu benim hayatım" diyebilmek, hayatınla ilgili tüm kararları verebilmek, bir iş yaparken kimseden izin almak zorunda olmamak, kimseye hesap vermemek, özgür olmak demek...

Ve yine büyümek, işler yolunda gitmediğinde kimseye suçu atamamak, "Ama sana sormuştum, sen izin vermiştin" diyebilecek kimseyi bulamamak, aldığın kararların, yaptığın işlerin sonuçlarına tek başına katlanmak, "Ben sana demiştim" cümlesini duymamak için omzunda ağlayabileceğin sevdiklerinden kendini mahrum bırakmak demek.

Nihayetinde büyümek, yaşadığın hayatın tek sorumlusu olduğunu öğrenmek ve bu sorumluluğun paylaşılamayacağını idrak etmek demek.

BAŞIMA GELENLER BENİM SUÇUM DEĞİLSE NE YAPMALIYIM?

Bir sorunu çözmeye çalışırken kişilere odaklandığımızda en önemli noktaları gözden kaçırırız. *"İlk taşı atan, pimi çeken, her şeyi başlatan biri vardır. Eğer sorunu çözmek gerekiyorsa, ilk önce bu kişiyi bulmak ve cezasını vermek gerekir"* düşüncesi doğru soruları sormamıza ve çözümü görmemize engel olur.

Sorunlar döngüseldir; yani tavuk mu yumurtadan çıkar, yumurta mı tavuktan belli değildir. Kimin başlattığının bir önemi yoktur. Sorunu kişilerde aradığımızda fatura bir kişiye çıkarılır ve işlerin yoluna girmesi için o kişinin düzelmesi beklenir. Oysa esas sorun ilişkinin dinamiğindedir. Örneğin *"Yalan söyleyen, içki içen, çok para harcayan, eşini döven, sorumsuz olan taraf hatalı davranmaktadır"* dediğimizde, aynı zamanda *"Dayak atan kişi baş belası ve toplumdan ayıklanması gereken kişi, dayak yiyen eş zavallı bir kurbandır"* demek istemiş oluruz. Bu görüşe göre kurban kişi başına gelenlerle ilgili herhangi bir sorumluluğa sahip değildir. Ortada bir zalim ve bir de kurban varsa, kurban olan taraf hayat karşısında giderek daha edilgen bir hale gelir.

> Her insan yaşadıklarının ve başına gelenlerin sorumluluğunu almak zorundadır. Başınıza gelenlerle ilgili en ufak bir kusurunuz olmayabilir. Durakta otobüs beklerken bir araba gelip çarpabilir, bacaklarınız kırılabilir. Burada iyileşme sorumluluğu size aittir, size çarpan sürücüye değil. "Ben mağdurum, otobüs beklemek dışında hiçbir suçum yok" diyerek tedaviyi reddetmezsiniz. Yeniden ayağa kalkmak için ne gerekiyorsa yaparsınız.

Başımıza gelenlerden dolayı diğerini suçlamaya devam ettiğimiz sürece iyileşmek için bir şeyler yapacak enerjimiz kalmaz. Bunun anlamı diğerinin suçunu görmezden gelmek değil, kendi sorumluluğumuzu gözden kaçırmamaktır. Zira mağduriyet üzerine kurulu bir yaşamda büyüyebilmek mümkün değildir. Suçumuz yoksa da sorumluluklarımız vardır. Yetişkin olmak başımıza gelen her şeyin sorumluluğunu alabilmektir.

HAZ VE MUTLULUK

Heyecan ve haz sizin için en yüksek değerler haline gelmiş olabilir mi? Kadınlara haz peşinde koşmayı telkin eden reklam filmlerinden tutun da "Sen her şeyin en iyisini hak ediyorsun, mutlu olmalısın" telkinlerini içeren kitaplara kadar, bu değerin dayatıldığı bir zamanda yaşıyoruz.

Haz ve mutluluk birbirinden ayrı kavramlardır. Hazzı ertelemeyi öğrenmeden gerçek anlamda mutlu ve huzurlu olamayız. Bunu yapabilmek içinse güçlü bir iç disipline ve iradeye ihtiyacımız vardır. Yemek, alışveriş, seks, gece hayatı, alkol ve bunun gibi haz kaynakları kolay ulaşılabilirdir ve iyi hissetmemizi sağlarlar.

Hissettiğimiz kısa süreli hazlar bizi acı çekmekten, geçmişimizle hesaplaşmaktan, hatalarımızla yüzleşmekten, gerçek sorunlarımızın ortaya dökülmesinden korur. Ama iyi hissetmek, hayatta her şey demek değildir. Sürekli iyi hissedemeyiz, her gece deliksiz uyuyamayız, her gün sohbet edecek birilerini bulamayız. Kendimizi yalnız hissedebiliriz, canımız çok sıkılabilir.

Acı çekmekten kaçmak için sürekli bir çaba içinde olmak, kısa vadeli hazlara odaklı yaşamak değer yitimiyle sonuçlanır. Hazzı yaşamak arzusu değerlerimizi korumanın önüne geçtiğinde, kişisel bütünlüğümüzü korumamız olanaksızlaşır.

Sevgi, güven, destek gibi duygular insanın bir merkez oluşturmasına yardımcı olur. Heyecan, haz, zevk gibi duyguların peşinde bir hayat sürmekse insan ruhunda fırtınalar koparır. Artık huzur istiyorum deseniz de içinizdeki gürültü patırtıdan kurtulamazsınız. Kendinizi bulmak adına hafta sonları sessiz sakin bir yerlere kaçmak istersiniz. Denize bakıp kumlara oturarak, ağaca sarılıp yosun koklayarak kendinizi bulmaya çalışır, içinizdeki karmaşaya bu yolla bir son vereceğinizi umarsınız. Mevcut düzenin, rutinlerinizin dışına çıkarak kendinizi bulmanız mümkün olmasa bile -kısa bir süre için de olsa- rahatlarsınız.

DEĞERLERİNİZİ KİM KORUYACAK?

Esin için bekaret önemli bir konuydu. Ona göre cinsellik evlendikten sonra yaşanmalıydı. Derken bir gün arkadaş ortamında Mehmet'le tanıştı. Aralarında giderek artan duygusallık, ilişkilerini farklı bir noktaya taşımıştı. Mehmet, Esin'le cinsel olarak da yakınlaşmak istiyordu. Esin erkek arkadaşıyla açık açık konuştu, bu konuda çok hassas olduğunu, daha önce böyle bir şey yaşamadığını, bundan sonra da evlenmeden cinsellik yaşamayacağını söyledi, hem de defalarca. Ama erkek arkadaşı ısrarcıydı, Esin'i sıkıştırıyordu. Esin, Mehmet'i çok seviyordu ve kaybetmek istemiyordu. Yavaş yavaş sınırlarını geri çekmeye başladı. Her buluşmalarında biraz daha yakınlaşıyorlardı. Esin bir taraftan değer yargılarını çiğnediği için üzülüyor, diğer taraftan sevgilisine hayır diyerek onu kızdırmaktan korkuyordu.

Yine öyle yakınlaştıkları bir gün, "Babamın yüzüne bakamıyorum, çok utanıyorum" dedi sevgilisine. Sevgilisi onu eski kafalı olmakla suçluyordu. "Yaşın otuza geliyor, sevdiğin biriyle cinselliği yaşaman çok normal" diyordu. Esin'e bunların hiçbiri normal gelmese de, sevgilisinin gözünde eski kafalı biri gibi görünmekten korktuğu için isteklerine boyun eğiyordu. Esin bir taraftan da sevgilisine "Amacın eğer sadece cinsellikse, böyle şeyleri kafasına takmadan seninle yaşayacak kadınlar var ama ben böyle biri değilim, böyle şeyler benim için çok önemli, evlenmeden cinsel bir şeyler yaşamak bana göre değil" demekten geri durmuyordu.

Bu durum böylece iki yıl kadar sürdü. Evlilik lafı aralarında hiç açılmadı. Son zamanlarda ilişkileri kötü gidiyordu, sevgilisi Esin'den uzaklaşıyordu. Mesajlarına cevap gelmez, telefonları açılmaz olmuştu. Mehmet ilişkiyi de bitirmiyordu, keşke bitirseydi, net bir şey söyleseydi ama yapmıyordu. İki üç haftada bir görüşür olmuşlardı. O da sadece kapalı ortamlarda, hedefi cinsellik olan kısa görüşmelerdi.

Esin sevgilisinin başka kızlarla da görüştüğünü düşünüyordu, aslında bunu biliyordu, kulağına geliyordu. Duydukları karşısında deliye dönüyor ama bunları yok saymaktan başka çare bulamıyordu. Bir gün olup biteni daha fazla inkar edemez hale gelmişti. Sosyal medyadan sevgilisinin nişanlandığını öğrenmişti. Aslında çok uzun zamandır sevgili olmadıklarını o an fark etti. Çünkü hiçbir yere gitmiyorlar, dışarıda görünmüyorlardı. Dört duvar arasına hapsolmuş bir ilişkiye ilişki denemezdi elbet.

Esin kendine bir gerçeği itiraf etmek zorunda kalmıştı. Meğerse ilişkilerinin ilk altı ayından sonrası hep böyle devam etmişti; kapalı kapılar arkasında. Çok büyük bir çöküntü yaşıyordu ve bu arada artık eski sevgilisi olan Mehmet'e ulaşamadığı için cep telefonundan sayısını bilmediği kadar mesaj atıyordu. *"Bana bir açıklama yap, bana bunu neden yaptın, madem amacın sadece seksti neden beni kullandın?"* Ama cevap alamadı, Mehmet avukatı aracılığıyla Esin'le bağlantıya geçti ve mesajlar devam ederse hakkında dava açacağını iletti.

Kullanılıp atılmıştı ve şimdi de eski sevgilisi olacak bu adam ona mutluluğunu bozmaya çalışan bir pislik gibi davranıyordu. Sosyal medyadan sürekli Mehmet ve sevgilisinin fotoğraflarına bakıyordu. Bunu yapmak ona çok büyük acı verse de boş bulduğu her fırsatta onları takip ediyordu. Aynı zamanda Mehmet'in çok pişman olacağı, o kızın ne mal olduğunu anlayacağı, en kısa zamanda koşa koşa ayaklarına kapanıp af dileyeceği hayalini kuruyordu. Ama hayal ettiği gibi olmadı. Dört ay sonra Mehmet ve nişanlısı evlenip başka bir şehre taşındılar. Bu zaman içinde çalışamadı Esin. Borçları birikti, işleri dağıldı. Çok zayıfladı. Kendini toplaması, nerede hata yaptığını bulması, neden bunların onun başına geldiğini anlaması gerekiyordu. Bir taraftan ölmek isterken, diğer taraftan yaşayıp çok mutlu olmak ve Mehmet'ten intikam almak istiyordu.

Şimdi size soruyorum: "Esin şerefsiz adamın tekine denk gelmiş, çok mağdur bir genç kız mıdır?" Cevabınız evet ise muhtemelen şöyle düşünüyorsunuz: "Kız ona en başında bu ilişkiye evlilik amacıyla başladığını söylemiş, *'Evlenmeyi düşünmüyorsan benden uzak dur, bu beni yaralar'* demiş."

Evet doğru. Esin başta her şeyi söylemişti, açık olmuştu. Ancak *"Benim için önemli"* dediği şeye, çok önemli bir şey gibi davranmamıştı. Ağzından çıkan sözlerle davranışları tutarlı değildi ki. İnsanlar söylediklerimize değil, yaptıklarımıza bakarak hakkımızda karar verirler. Bu durumda muhtemelen sevgilisi Esin'e inanmamıştı, çünkü Esin çok kısa sürede sınırlarından vazgeçmişti. Madem cinsel konularda sınırları bu kadar önemliydi, o zaman neden vazgeçmişti? Vazgeçtiğine göre demek ki söylediği kadar önemli değildi. Her şeyden önce Esin kendi hakkını kendisi yemiş, kendi değerlerini çiğnemişti.

* * *

Değerlerinizi iyi belirleyin ve kendinize sık sık hatırlatın. Sonra da hayat onları sınadığında her şeye rağmen değerlerinizi koruyun. Önemli olduğunu düşündüğünüz şeylerin arkasında önce siz durun. Sizin tarafınızdan sahiplenilmeyen değerlerinize bir başkasının sahip çıkmasını beklemeyin. Nasıl ki hiç kimse sizin hor kullandığınız eşyaya sizden daha çok özen göstermezse, hor kullandığınız ruhunuz, kişiliğiniz için de aynısı geçerlidir. Bize ait değerli şeyleri korumak bizim sorumluluğumuzdur.

Sözleriniz ve davranışlarınız da birbiriyle tutarlı olsun. Davranışlarınızın insanlar üzerinde en büyük etkiyi yaptığını unutmayın. Siz kendi içinizde tutarlı olamazken, insanların size karşı tutarlı davranmasını beklemeyin.

Hikayemize dönersek; Esin kendi değerlerini çiğnemişti ve bunu Mehmet'i sevdiği için yapmıştı. Sevdiği adamın onayına öylesine ihtiyaç duyuyordu ki, bu uğurda kendisini kaybetmişti. İlişkinin sürmesi isteğini değerlerinin önüne koymuştu.

Böyle davrandığımızda karşımızdaki kişiye bilinçaltı düzeyde şöyle bir mesaj göndeririz: *"Bu ilişkinin sürmesine ihtiyacım var. Muhtaç durumdayım. Bu ilişkinin sürmesi için her şeyi yapabilirim. Bu ilişki en önemli değerlerimden daha önemli. Aslında ben ve beni ben yapan her şey bir hiç, ben bir hiçim ve ancak bu ilişki içinde var olabiliyorum."* Oysa hiçbir ilişki bizi biz yapan çekirdek değerlerden önemli olamaz, olmamalıdır.

Biz böyle bir frekansla yayın yaptığımızda diğeri de bize yokmuşuz, hiçmişiz gibi davranır. Aslında diğeri sadece bir yansımadır, kendimizi konumlandırdığımız yerin bir yansıması.

Esin, sevgilisine her seferinde taviz vermişti. Konu sadece cinsellik de değildi. Bu ilişki başladığından beri Esin'in işiyle, arkadaşlarıyla, ailesiyle arası bozulmuştu. Sevgililik dışındaki hiçbir ilişkisini gözetmez olmuştu. Sevgilisi *"İşten erken çık, buluşalım"* dediğinde ne kadar işi olursa olsun, kim ona ne derse desin bırakıp çıkıyordu, *"Eve geç gidiver"* dediğinde geç gidiyordu, tüm hayatını sevgilisine göre programlıyordu. Patron kızarmış, işten atarmış, annesi üzülürmüş, babası sinirlenirmiş, arkadaşları küsermiş, umurunda bile değildi. Sevgilisi aradığında Esin için dünya duruyordu.

Varoluşumuzu sadece bir ilişkiye bağlayıp mutluluğumuzu da bu ilişkiden alacağımız onaya indirgediğimizde kendi ellerimizle kendimizi cehennem ateşlerine atmış oluruz. Sevgilimizin bizden en ufak uzaklaşması, ilgisizliği, mesafe koyması, mesajımıza cevap vermemesi bile karnımıza ağrılar sokar, nefesimiz kesilir, panik oluruz. O saatten sonra ne hayattan keyif alabilir ne de elimizdeki işe konsantre olabiliriz. Çünkü istediği şeyi alamayınca surat asan insanlarla baş etmeyi öğrenmemişizdir.

Bizden Gidenler

Esin ne zaman ve nasıl bu hale gelmişti, bu kadar muhtaç duruma hangi ara düşmüştü anlayamıyordu. Artık kendine ait bir dünyası yoktu, kendini bu dünyada yersiz yurtsuz ve çok çaresiz hissediyordu.

Esin için mutluluğun anlamı Mehmet'ten gelecek bir telefon, mesaj ya da ayda bir yapacakları kısa buluşma olmuştu. Artık bunların hiçbiri olmadığı için kendisini ışığını kaybetmiş, karanlık dehlizlerde kaybolmuş gibi hissediyordu. Sanki tutunacak tek bir dalı vardı ve o dal da kırılmıştı. Tüm hayatını, mutluluğunu ondan gelecek bir habere indirgemişti.

Oysaki sevgilisinin başka birini bulması ve hayatından tamamen çıkması, artık onu aramaması ışığını kaybetmesi değil, Esin için Allah'ın bir lütfuydu. Sevgilisinin onu ayda bir bile olsa araması, bu ilişkinin bu haliyle iki yıl değil yirmi iki yıl sürmesine, Esin'in hayatının bitmesine sebep olabilirdi. Çünkü o telefonlar ve buluşmalar Esin'i esir almış, adeta bu ilişkinin kölesi yapmıştı. Sevgilisi onu azat etmediği sürece de bundan kurtulamazdı.

Geriye bakıp düşünüyordu: *"Acaba arada derede yapılan kaçamak buluşmalar, telefon görüşmeleri beni gerçekten mutlu ediyor muydu? Yoksa bir eroin bağımlısı gibi sadece rahatlıyor muydum?"* Kendi yarattığı bir bağımlılığının ilacı tayin etmişti sevgilisini. İyi gittiğini sandığı her görüşmeden sonra biraz daha silikleşip söndüğünü, ilişki devam ettiği sürece görememişti.

Biten ilişkinin ardından kendini yavaş yavaş toparlamaya başlarken, ilişkilerinin başladığı ilk zamanları düşündü. Aslında ilk başlarda hiç beğenmemişti bu adamı. Ne tipi, ne kariyeri ne de aile yapıları uygundu. Adam Esin'in peşinde çok koşmuştu ve Esin zor razı olmuştu bu ilişkiye. Sonra nasıl olmuştu da rüzgar böyle tersten esmişti, aklı almıyordu bir türlü. Bu kadar çok sevilirken, nasıl olup da bu adamın kölesi haline gelmişti, inanılır gibi değildi.

İşte bağımlılık böyle bir şeydir. İhtiyaç duymadığın, talep etmediğin şeyler sana verildiğinde, senin kendi başına yapabileceğin şeyleri biri hallettiğinde bağımlılık başlar. Hayat öylesine giderken kendi halinde, hayatına biri girer ve ayaklarını yerden keser. Her gün arar, sorar, ilgilenir. Hediyeler alır, sürprizler yapar ve seni önemser. Sanki ağzından çıkan her şey, senin için kanun olmuştur. Her sözünün, her hareketinin önemsendiğini gördüğünde gerçekten bu hayatta önemli ve değerli olduğunu hisseder, varlığının ve yokluğunun bir şeyleri etkilediğini düşünürsün.

Bağımlılık, ihtiyacın olmayan bir şeye alışmak ve sonra ondan vazgeçememektir. Başlangıçta sana bedelsiz sunulanlar için ağır bedeller ödemek, çok acı çekmektir.

Sonuçta bağımlılıklarınız yüzünden bir şeye sürekli olarak gereğinden ve ederinden fazla bedel öderseniz, fakirleşmeye başlarsınız. Örneğin, çok özel olduğu söylenen bir fincan kahveye merak ve deneme arzusuyla yüz lira ödediniz. Ne olursa olsun, bir fincan kahvenin değerinin yüz lira olmadığını bilirsiniz. Bunu hayatınıza yayıp, keyif yapmak için içtiğiniz her bir fincan kahveye sürekli yüz lira ödemezsiniz.

Bazı şeyler hayatta sadece bir kere olur, bazı şeylerse bedellerinin yüksek oluşundan dolayı bir kere dahi olmaz. Bir fincan kahve, ayakkabı, elbise, araba gibi maddi şeylere gereksiz paralar harcamak ekonomik yönden bizi fakirleştirirken, bir buluşma, bir telefon görüşmesi, bir gülücük, bir tatlı söz için ödediğimiz yüksek bedeller de ruhumuzu fakirleştirir. Yaşadığımız ya da bize yaşatılan hiçbir mutlu anın değeri bizden fazla olamaz. Biri bize güzel bir söz söylediyse, bizi özlediyse, arayıp sorduysa, bizi görmek istediyse buna değer olduğumuz içindir. Böyle şeyler için bedel ödememiz gerekmez. Hele de bu bedel kendi benliğimizi ortadan silmek gibi bir bedelse asla ödenmez. Ancak mutlu olma fikriyle aklımız başımızdan uçtuğunda kendi varlığımızın üstünde bedeller ödemeye razı oluruz.

HATA

Değerlerimize uyumlu davranmadığımızda kendimizi hata yapmış hissederiz. Bu nedenledir ki bir toplumda hata sayılan bir davranış başka bir toplumda yüceltilebilir, hatta özendirilebilir. Hata yaptığımızı hissettiğimizde içine düştüğümüz ilk duygu yoğun bir pişmanlıktır. Hatamızdan dönmek ve tövbe etmek için pişman olmak gerekir. Pişmanlık duygusu zaman içinde ilerler ve yerini derin bir suçluluk duygusuna bırakır. Suçluluk duygusu acı verir, katlanması zordur. Suçluluk duygusunun doğurduğu acıyı hissetmek istemeyiz, hızlıca kaçıp acıdan kurtulmak isteriz.

Pek çok insan pişmanlığın acısına katlanmak zor geldiği için aynı hataları tekrarlamaya devam eder. O zaman da hataları hakkında akılcı yorumlar yapmaya başlar. Örneğin, İslam dininde haram olan domuz etini yediniz. Burada iki seçeneğiniz vardır: Birincisi, hissettiğiniz suçluluk duygusundan kurtulmak için inanç sisteminizi sorgulamak ve değiştirmektir. "Eskiden domuz pisti ama şimdi çiftlikte yetişiyor, bu yüzden yenebilir. Bugünün koşulları bin beş yüz yıl öncesiyle aynı değil" gibi rasyonel bir açıklamayla aklınızı kullanmış olur ve pişmanlık hissetmezsiniz. İkinci seçenek, inanç sisteminizi çiğnediğiniz için hata yaptığınızı kabul etmektir. Hatanızı kabul ettikten sonra hissettiğiniz pişmanlık ve suçluluk duygusuna katlanır ve bir daha bu davranışı tekrar etmeyeceğinize dair kendinize söz verirsiniz.

Yaratılmışlar arasında bir lütuf olarak insana verilen akıl, hatalarımızla yüzleşmekten kaçındığımızda nefsin hizmetinde kullanılır. Bu, "Bizim dinimiz mantık dini" gibi akılcı açıklamalarla herkesin kendi işine geldiği gibi yorumlar yaptığı, bizlerin de işimize gelen bir alimi takip edip içimizi rahatlattığımız, son yıllarda sıklıkla gözlemlediğimiz bir gerçek haline geldi.

Hatalı olduğumuzu kabullenmek, nefsin en büyük düşmanı olan egomuzu en çok yaralayan şeydir. Hata yaptığımızı görmemek, haksız duruma düşmemek için aslında ne kadar çok şeyi feda ettiğimizi göremeyiz. "Ben hata yaptım" dememek için inandığımız şeyleri yıkabilir, sevdiğimiz insanları kırabilir, en sağlam ilişkileri bozabiliriz.

Bir inanç sistemine ait olmak ve önemli konularda o sistemin çizdiği sınırların dışına taşmamak ruhsal olarak sağlıklı kalmamızı ve her daim iç huzuru içinde yaşamamızı sağlar. Bunun yanında, varlığımızın ileriye gitmesi, yükselmesi için sağlam bir zemin hazırlar. Sonuçta yükselmek için kaya gibi sağlam bir zemine ihtiyaç vardır.

Bataklığın üzerine kimse yerleşmeye çalışmaz. Sağlam bir kişilik, sağlam bir temel üzerinde yükselir. Benliğimizin ekseninden geçen değerleri iyi oturtmak, sağlam ve sağlıklı bir kişilik için en önemli şeydir. Benim size önerim değerlerinize aykırı bir davranışta bulunduğunuzda, yani hata yaptığınızda hatanızı kabul edin ve suçluluk duygusundan kaçmayın. Acınızı dibine kadar yaşayın. "Hatasız kul olmaz, hatamla seviyorum kendimi" demeyi de ihmal etmeyin.

Değerler Hiç Değişmeyecek mi?

Değer sistemi elbette değişebilir ama bu hızla değil. Aslında çoğu zaman değerlerimizi değiştirmemiz gerekmiyordur. İradi olarak değerlerimize uymakta zorluk çektiğimizde, suçluluk duyup kendimizi üzmemek için bunu yaparız. Çünkü insan kendisini sürekli hata yapan, iradesiz bir varlık olarak görmek istemez.

Kendimize koyduğumuz ya da bize konulan kuralları her çiğnediğimizde pişmanlık yaşamamak, suçluluk duymamak için "Amma da saçma şeyler bunlar, hangi çağda yaşıyoruz, örümcek beyinleri temizlemek lazım" gibi kulağa çok da mantıklı gelen yorumlara sarıldığımızda yolumuzu kaybetmemiz çok kolaydır. Emin olun, "Çok fazla hata yapıyorum ve iradem kuvvetli değil. Ama aynı hatayı bir kere daha yapmamak için kendime söz veriyorum. Şu ana kadar yaptıklarım için pişmanım ve af diliyorum" demek uyamadığımız kuralları sorgulamaktan ve değiştirmekten daha iyi gelecektir ruhumuza.

EVE DÖNÜŞ ZAMANI

İnsanın bu hayattaki en büyük sorumluluğu kendisine karşıdır. Bize emanet edilen bu canı, her anlamda en değerli hazinemiz olarak görüp korumalıyız. Sahip olduğumuz maddi ve manevi nitelikler ne olursa olsun değerliyiz. İyi bakılmayı, iyi davranılmayı ve korunmayı hak ediyoruz. Elbette ilk olarak kendi kendimizden sorumluyuz. Kendimizi koruma çabası, içimizde korunmaya değer bir şeyler olduğuna inanmakla olur. İnsan değersiz şeyleri korumaya gerek duymaz.

Hatalar yapmış olabiliriz, geçmişimizde kötü şeyler olabilir. İnsanız ve hata yapmaya mahkum, hata yapma hakkına sahip olan bir varlığız. Geçmişimizle ve hatalarımızla yüzleşip, pişmanlıkla tövbe edip, kendimizi gerçekten kabul etmeyi öğrenmediğimiz sürece, içimizde gömülü suçluluk duyguları kendimizi değersiz hissetmemize ve böylelikle ikili ilişkilerimizde karşımıza çıkan insanların bizi çiğneyip tükürmelerine neden olacaktır.

Kabul edip yüzleşmediğimiz her hata, içimizde çürüme benzeri bir enerji yaratır. İçin için hatalı olduğumuzu biliriz ve aslında bunu saklayamayız. Bir terapistin telkiniyle "Kendimi seviyorum ve affediyorum" derken, bu sözün gerçek manasını kavrayamayız. Kendimize karşı her yönümüzle derin bir kabul ediş içinde değilsek, dışımızda ne kadar güçlü, özgüvenli, sağlam durmaya çalışsak da "Ben değersizim, çünkü çok fazla hata yaptım" şeklindeki enerji, ruhumuzdaki çatlaklardan diğerine doğru sızar. Bu enerji kaçağına engel olamayız. Bizim yüzleşip kabul edemediğimiz hatalar diğerleri tarafından zaten kabul edilmez.

Yolumuzu ancak buraya gelirken kaybettiklerimizi, düşürdüklerimizi takip ederek, acıdan kaçmadan pişmanlık duyarak bulabiliriz. Yüzleşmek acı gelse de her bir kaybımızı fark etmeli ve onların yasını tutmalıyız. Eve dönüş yolunu dağlarda yürüyerek, denizi seyrederek, alışveriş merkezlerine koşarak, sevdiğimizin koynuna sığınarak, arabaya atlayıp müziği açarak bulamayız. Eve dönüş yolunda acı vardır. Geçmişimize dönüp her bir hatamızın pişmanlığını ve utancını sonuna kadar yüreğimizde hissetmeden ne yaparsak yapalım yine yerimizde sayarız. Ama insan acı çekmekten o kadar korkar ki, sistem tarafından sunulan ve mutluluğu vadeden çözümlere inanmayı ve böylece avunmayı seçer.

Bazıları ışığını bulma umuduyla kişisel gelişim kurslarına sarılır. Kimisi başarıya odaklanır, kimisi alışverişe koşar. Daha genç görünürse, daha zayıf olursa, gece dışarı çıkarsa, alkol alırsa, haftada bir gün eğlenmeye giderse daha mutlu olacağına inanır. Aslında mutluluğun ne olduğunu çoktan unutmuştur. Çünkü mutluluk, iç huzuru gibi duyguları hissetmek için lazım olan sağlam bir merkezden yoksundur. Bu durumda merkezini kaybetmiş bir insanın elinden oyuncaklarını almak da doğru değildir. Çünkü insan artık sadece bu haz oyunlarıyla mutlu olur. O artık bir bağımlıdır. Gerçekten iyileşene kadar bir süre daha uyuşturucularına ihtiyacı vardır.

Geri dönmek çok zor değildir. Ama nefsimiz buna izin vermez. "Ben hata yaptım" demek egomuza ters gelir; "Ben burada şu hataları yaptım, şöyle kayıplar yaşadım" demek istemez.

Televizyonda ya da gazetede röportaj veren ünlülere de sık sık sorulan bir soru vardır. Bu soru sorulduğunda hemen herkes ağız birliği etmiş gibi aynı cevabı verir. Soru şöyle gelir: "Hayatınızdaki en büyük pişmanlığınız nedir?" En sık verilen cevapsa yaklaşık şöyle: "Çok şükür ki benim öyle büyük pişmanlıklarım yok. Bugüne kadar yaptığım hiçbir şeyden pişman olmadım. 'Keşke'leri olan bir insan değilim, 'iyi ki'lerim var ve anı yaşıyorum." İnsanın pişmanlıkları nasıl olmaz, benim aklım orasını hiç almıyor. O zaman bu insanlar ya hayatları boyunca hep çok doğru davrandılar, hiç hata yapmadılar -ki bu mümkün değil, çünkü insan hata yapan bir varlık- ya da hiçbir hatalarından ders almadan yerlerinde sayıyorlar.

Aslında aklımızı başımıza toplayıp kendimizle yüzleşmek ve kayıplarımızın yasını tutmak; kendi değerini bilen, her daim dik durabilen, haklarını yedirmeyen bir insan gibi davranabilmek için atılması gereken ilk ve en büyük adımdır. Ama bunun için sağlam bir yüreğe, cesarete ve bu süreçte her daim bize destek olacak bir yol arkadaşına ihtiyacımız vardır.

Cesaret ve acıya dayanacak bir yürek için manevi duygularımızla temasa geçmek, inancımıza sarılmak, dua etmek bize iyi gelir. Yol arkadaşı olarak aklı başında bir dost ya da aileden biri seçilebileceği gibi, bir psikoterapistten de destek alınabilir. Bir rehberle çıkılan yolda hem daha hızlı ilerleriz hem de acılarımız daha dayanılır olur. Ama acı her şekilde vardır.

Son zamanlarda, insanlar terapiye geliyor ve şöyle söylüyor: "Artık suçluluk duymak istemiyorum. Lütfen beni bu suçluluktan kurtarın." Kişisel gelişim sistemi de suçluluklarımızdan arınıp kendimizi sevip affetmek üzerine kurulu. Oysaki suçluluk duygusu kurtarılması değil, katlanılması gereken bir duygudur. Suçluluk duygusunun yarattığı acıdan kurtulmanın tek yolu kendimizi unutmaktır. Bunun sonucu da hayatta kaybolmuş bir insan olmaktır ve biz bunu istemeyiz. Bu duyguyu başımızdan savmaya çalışmazsak ve verdiği acıya katlanırsak kendimizi bulabiliriz. Sürekli arzu duymaktan ve tatmin ettiğimiz her arzudan sonra yeni bir arzu doğurmaktan ancak böyle kurtulabiliriz.

Yeni moda sözde kişisel gelişim akımları ve sözde uzmanlar insanların hatalarının bedelini ödemesine izin vermiyor. İnsanlar hatalarıyla yüzleşip pişmanlıkla tövbe etmiyorlar. Sadece kendilerini seviyor ve affediyorlar ve böylelikle özgürleşeceklerine inandırılıyorlar. Sadece kişisel değişim değil, psikoloji bilimi de çok yazıktır ki artık bu oyunun bir parçası haline gelmiş durumda (işini çok iyi yapan kişisel gelişim uzmanlarını ve psikoterapistleri tenzih ediyorum).

İki çeşit danışan tipi var:

1.Nerede yanlış yaptığını öğrenip, hatalarıyla yüzleşip terapinin ortaya çıkardığı acılara katlananlar -ki bunların sayısı çok az,

2. Yaptığı her şeyi, attığı her adımı onaylatıp, anlattığı olaylarda haklı olduğunu teyit ettirip vicdanlarını rahatlatmak isteyenler.

Buna karşılık iki çeşit terapist tipi var:

1. Sabırla danışanın iyileşmesi için çabalayanlar, zor yolda danışanın yanında yürüyenler,

2. Danışanın her yanlışını onaylayıp, her yaptığına hak verip, duymak istediklerini söyleyerek egolarını daha da şişirenler.

İnsanlar psikoloğa ya da psikiyatriste çok para veriyorlar ve bunun karşılığında hızlıca rahatlamak istiyorlar. Oysa gerçek anlamda bir değişim sürecini başlatmak, rahatlatıcı olmak bir yana çok da huzursuz edici bir iştir. Şu zamanlarda kimselerin kendisiyle yüzleşmeye cesareti yok. İyi hissetmediği yerde iki dakikadan fazla durmayan çok insan var. Herkes bir şeylerden kaçmak istiyor ve müşterisine duymak istediklerini söyleyip en iyi kaçış planını sunan uzman da alanındaki en iyi uzman olarak görülüyor.

Bize haz veren şeyleri mutluluk sanma alışkanlığının sonucu, bizi pışpışlayıp teselli eden terapistlere ya da yaşam koçlarına bağımlı olmaktır. Gerçek anlamdaki özgürlüğü ancak birinci gruptaki danışan tipi ile birinci gruptaki terapist tipi bir araya geldiğinde yakalayabilir.

Psikoterapinin en temel görevi, acı denizinde boğulmadan karşı kıyıya geçmemizi sağlamaktır. Acı denizinde boğulmadan acıdan geçmek gerekir yoksa kendimizi acıya boğdurmak da acıdan kaçmakla aynı amaca hizmet eder; kendine acıma, acındırma, kendini sefil etme yoluyla diğerlerinin desteğini alma çabası bizi ve yaşamımızı işlevsiz hale getirir. Kendimizi dağıtmadan, alabora olmadan acı denizinin içinden geçmek zorundayız.

Bazen çok acı çektiğimizi, acıdan gebereceğimizi zannederiz ama söylendiği gibi acılar bizi olgunlaştırıp büyütmüyordur; sanki sürekli bizden bir şey eksiltiyordur. O zaman bu yaşadığımız duygu gerçek acı değil, acıdan kaçmak için bilinçdışından yarattığımız sentetik acılardır. Yaşamımızı engelleyen bu boğucu, uydurulmuş acılar kendilerini daha ziyade takıntılarla, saplantılı davranışlarla ve aynı kişilere yönelik olumsuz duygularla gösterirler. Yıllar boyu çekilseler de bir arpa boyu yol almamıza yardım edemezler.

> Gerçek acı seyirci istemez, vitrinde
> yaşanmaz, öyle içten ve derindir ki
> kimse sizin ne yaşadığınızı bilmez.
> Çoğu zaman yaşamla uyumu bozmaz,
> sizi içeriden güçlendirirken seyredenler
> ne yaşadığınızı anlamaz.

DUYGULAR HAKKINDA

Duygularımızı seçemeyiz. Kızgın, hüzünlü, mutsuz ya da neşeli olmak hiçbirimiz için tercih değildir. Öyle olsaydı iyi hissetmeyi seçer, içimizi kemiren duygulara bir tekme atardık. Tüm duygular gelip geçicidir. Hiçbiri bizimle uzun süre kalmaz. Gelirler ve giderler. Her şey geçer. "Bu da geçer, daha öncekiler gibi" diyor bir şarkıda. Bütün duygular normaldir ve kabul edilmelidir. Duygular, düşüncelerimiz sonucu ortaya çıkmış saf enerjilerdir. Kontrol edilmesi zor, ifade edilmesi kolaydır. Kontrol edemediğimiz duyguları hissetmekten kaçarız. Oysa duygularımızla ilgilenmek ve onları serbest bırakmayı öğrenmek için biraz çaba harcamak yeterlidir.

Düşüncelerimiz sonucu oluşan duyguları davranışlarımız takip eder. Örneğin, kırgınlık bir duygudur ama surat asmak bir davranıştır. Öfkelenmek bir duygudur ama elimizdeki telefonu yere atıp kırmak bir davranıştır. Aşk bir duygudur, evlenmek ise bir karardır. İşte bu nedenle bir duyguyu hisseder hissetmez harekete geçerseniz, tepkisel bir insan olursunuz. Her ne hissediyorsanız korkmayın, bekleyin. Birazdan geçecek ve geçtiğinde çok daha mantıklı davranacaksınız, dürtülerinizin esiri olmayacaksınız.

Duygularınız çok yoğunsa karar almayın ve harekete geçmeyin. İyi ya da kötü bir duygunun yoğunluğuyla verilen kararlar sağlıklı olmaz. İyi hissederken çevrenizdekilere vaatlerde bulunursunuz. Sonrasında çok mutluyken verdiğiniz sözleri tutmak zor gelebilir.

Çok kızgınken yeminler etmeyin, "Bir daha asla bu kapıdan giremez" demeyin.

Çok aşıkken evlenmeye kalkmayın.

Çok üzgün ve çaresiz hissederken bir şeylerinizi satmaya kalkmayın. Elinizdekiler çok ucuza gidebilir.

Hissetmek için kendinize izin verin. Kabul edin. İfade edin. Onlar zaten gidecekler.

Özetle, çok yoğun hissederken hiçbir şey yapmayın.

Duygular hakkında kısa kısa...

*İyi hissetmek, iyi hissetmeye alışkın olmayanlar için korkutucu olabilir.

*Tüm duygular saf enerjidir, ruhunuzdan geçip gitmelerine izin verirseniz daha dengeli olursunuz.

*Duygularınızla başa çıkmak için profesyonel yardıma ihtiyaç duyduğunuz zamanlar olabilir.

*Duygularınız düşüncelerinizi takip eder.

*Duygularınızın farkında olmak başka, davranışlarınızı yönetmelerine izin vermek başka bir şeydir.

*Duygularınızdan korktuğunuz zaman hissetmekten kaçarsınız.

*Uzun süre bastırılmış duygular, hasta olmanıza neden olur.

*Reddedilen duygular, siz onların farkına varıncaya dek kapınızı çalmaya devam eder.

NE HİSSETTİĞİNİ ANLIYORUM

Kendimizi anlatma ve anlaşılma ihtiyacımız, bununla beraber haklı olduğumuzu ispat etme isteğimiz, karşımızdaki kişinin anlattıklarına karşı bizi adeta sağır yapar. Burnumuzun ucundaki durumu algılayamaz, sorun çözme yeteneğimizi kaybederiz. Bazen iyi niyetle ağzımızdan çıkan sözler başımıza öyle dertler açar ki, ilişkimizdeki gerçek problemlerin bile önüne geçebilirler.

Sağlıklı iletişimin temelinde, diğerini anlamaya çalışmak vardır. *"Söz gümüşse sükut altındır."* Sağlıklı bir ilişki için önce diğerini dinlemek ve anlamak, anlaşılmaktan çok daha önemlidir.

* * *

Ahmet üç yıllık kız arkadaşı Betül'ün babasıyla tanışmak için işyerinden izin almış ve on iki saatlik yolculuktan sonra şehre ulaşmıştı. Betül'ün babasıyla yaptığı görüşme, Ahmet açısından tam bir hayal kırıklığıydı. Ahmet kendisini aşağılanmış, küçük düşürülmüş hissederek ve babasının Betül'ü kendisine vermeyeceği düşüncesiyle görüşmeden ayrılmıştı. Beklediği karşılamayı ve ilgiyi bulamayan Ahmet, sevgilisine yaşadıklarını, hissettiklerini anlattı.

Betül, Ahmet'in yaşadığı duygusal çöküntüyü ve hayal kırıklığını gidermek, sevgilisine iyi hissettirmek umuduyla *"Ben sana hep anlatmıyor muyum babamı? Babam hep böyle işte. Onunla hiçbir şey konuşulmaz. Sana özel bir şey değil, boşuna takıyorsun bu kadar. Anneme karşı da böyle, teyzeme, dayıma, bana. Elemanlara sor istersen. Bu sana yaptığı ne ki? İşyerinde onu görünce herkes bir yere kaçışıyor. Böyledir benim babam, hiçbir şeyi beğenmez, çocuklarını bile beğenmiyor"* dedi.

Ahmet Betül'ün söylediklerinden etkilenmişe benzemiyordu. Betül'e dönüp son derece ciddi bir şekilde *"Ailene karşı benim arkamda durabilecek misin, beni savunabilecek misin?"* diye sordu. *"Nereden çıkarıyorsun böyle şeyleri? Ahmet, seni savunmamı gerektiren bir durum olsa elbette savunurum ama öyle bir durum yok ki. Olacağını da hiç sanmıyorum. Bizim ailede kimse sana karşı değil. Annem başından beri ilişkimizi onaylıyor, kardeşimle zaten görüşüyorsunuz, babamla da tanıştın, o da bir şey demiyor. Kimsenin sana bir şey dediği yok ki."*

İkisinin de söylediği sözler birbirine ulaşmıyordu. Betül ailede herkesin onu sevdiğini, babasının da her zamanki halleri olduğunu, ortada bir gariplik olmadığını anlatmaya, kırılması gereken bir şey olmadığı konusunda Ahmet'i ikna etmeye çalışıyordu. Sohbet boyunca Betül'ün iki lafından biri "Bozulacak bir şey yok" olmuştu.

Bozulan birine ısrarla *"Bozulacak bir şey yok"*, kızgın birine *"Kızılacak bir şey yok"*, üzgün birine *"Üzülecek bir şey yok"*, takıntılı birine *"Takacak bir şey yok"* demek, hele de olay sıcakken söylenecek en son söz bile değildir. Bu nedenle Betül'ün anlattıkları Ahmet'in umurunda bile değildi, bu cevaplardan tatmin olmuyordu. Kendisini, sevdiği kızın babası tarafından dışlanmış, ezilmiş, haksızlığa uğramış hissediyordu. *"Biliyor musun Betül, ben buraya gelirken beni eve davet edersiniz, babanla yemek yeriz diye düşünmüştüm. Ama baban onca saatlik yoldan gelmeme rağmen bana sadece on beş dakikasını ayırdı, kendi önünde çay varken bana çay bile söylemedi, işyerine çağırma sebebi de sanırım gücünü bana göstermekti"* dedi. Betül sevgilisine moral vermek niyetiyle sürekli aynı şeyleri söylemekten yorulmuş, bıkmış, hatta bir türlü ikna olup konuyu kapatmadığı için Ahmet'e kızmaya başlamıştı. *"Hayatım babam işte böyle, hepimize aynı, kişiselleştirme lütfen, sana özel bir şey değil bu yaptığı"* dedikçe, Ahmet de sevgilisi tarafından sahiplenilmediğini hissedip biraz daha uzaklaşıyor, anlaşılamamanın getirdiği yalnızlık duygusuyla daha fazla kabuğuna çekiliyor, daha fazla yaralanmamak için çevresine duvar örüyordu. Sonuçta her iki taraf da çabalarının karşılığını alamamaktan ötürü mutsuz, yorgun ve yenik hissediyor, aralarındaki iletişim giderek azalıyordu. Betül bir türlü sorunun adını koyup işin içinden çıkamıyordu.

Peki Betül nasıl bir konuşma yapabilirdi? *"Babam adına senden özür dilerim, gerçekten seni çok zorlamış. Ne kadar kötü hissettiğini görüyorum. Ailen hakkında da gerçekten ağır konuşmuş. Kimse ailesine laf söyletmek istemez. Çok kızmışsın ama benim için sesini çıkarmamışsın. Babamın yerinde başka biri olsaydı susmazdın, biliyorum. Bu kadar sabırlı davrandığın için teşekkür ederim. Babam sana pek de misafirperver davranmamış ama babam işte. Biz alıştık onun bu huylarına. Ama sen ilk defa karşılaşıyorsun. Alışmak zorunda da değilsin elbet. Mutlaka bir çözüm yolu buluruz."* Böylece Betül, Ahmet'in yaşadığı hayal kırıklığı duygusunu, uğradığı haksızlığı ve gösterdiği çaba ile anlayışı görmüş, takdir etmiş olurdu.

Yaşadığımız duygular görülmek için şahit ister. Yaptıklarımız ve katlandıklarımız onay ve teşekkür ister. Duygularımız kabul ediliyorsa, kendimizi daha rahat ortaya koyarız. Oysa Betül, Ahmet'i sakinleştirmek ve moral vermek için uğraşırken farkına varmadan Ahmet'in duygularını reddetmiştir. Ahmet'i anlamaktan ziyade babasını savunuyor durumuna düşmüştür. Elbette esas niyeti babasının davranışını haklı çıkarmaya çalışmak değildir ama yöntem yanlış olunca iyi niyet de işe yaramayabilir. Betül'ün konuşmaları Ahmet tarafından babasının davranışını haklı gösterme ya da babasının ayıbını örtme çabası olarak algılanmıştır.

Haksızlığa uğradığını düşünen birine hiçbir zaman ortada bir sorun yokmuş ve o abartıyormuş gibi davranmayın; aksi halde bu muameleye maruz kalan kişi kendini yalnız, anlaşılmamış, hakkı yenilmiş ve hatta biraz daha uğraşırsanız çıldırmış hissedebilir.

Size derdini anlatan kişinin duyguları size abartılı, çarpıtılmış ya da yersiz gelebilir; kişi o anda bir şeyleri yanlış anlamış da olabilir. Duygu seline kapılıp, yaşadığı duyguyla sürüklenen birini görürseniz sadece ona bakın, onu duyun ve görün. Sabırla anlattıklarını dinleyin, bırakın anlatsın, belki ağzından çıkanları dinlerken kendisi sizin hiçbir şey demenize gerek kalmadan fazla abarttığını, olayı büyüttüğünü fark edebilir. Etmiyorsa da o an için yapılabilecek tek şey, "Görüyorum, farkındayım, çok üzülüyorsun ya da çok kızıyorsun" demek ya da her ne görüyorsak onu söylemektir. İlk etapta sadece bu kadarını söyleyin, daha fazlasını değil. *"Haklısın"* demeyin. "Haksızsın, çok abartıyorsun, bu kadar etkilenecek bir şey yok bu olayda" da demeyin. İnsanlar kendilerini duygularıyla özdeşleştirme eğilimindedirler. Hayatınızdaki insanların duygularını yok saydığınızda, onlar da kendilerini yok sayılmış hissederler.

İnsanlar yoğun duygusallık içindeyken sizin mantıklı yorumlarınızla ilgilenmezler. Çok öfkeli, çok üzgün, çok mutlu, çok kırgın ya da çok sabırsız birine söyleyecek çok değerli fikirleriniz olabilir. Hayatlarını değiştirebilecek güçte bakış açıları sunabilirsiniz. Eğer doğru zamanlamayı yapabilirseniz... Sabırlı olun. Duygu yoğunluğunun geçmesini bekleyin. Aynı şey sizin için de geçerli. Siz de kızgın, yorgun, sinirli olduğunuz zamanlarda önemli konuşmalar yapmaktan kaçının. Her tür duygu seli bir süre sonra son bulur. Duygular, özellikle de olumsuz duygular kendilerine ne kadar iyi şahitler bulurlarsa o kadar hızlı dağılırlar. Bazı konuşmaları yapmak için en az bir uyku dolu gece geçmesini bekleyin. Duygusal yoğunluk kaybolmaya başladığında mantıklı bir zeminde söylemek istediklerinizi söyleyin. Bunu yaparken de dayatmadan, hükmetmeden, yargılamadan konuşun.

Çoğu zaman karşımızdaki kişiye hak verdiğimiz durumlarda bile bize derdini anlatan kişinin sorununa karşı şu cümlelerle yaklaşma eğilimindeyizdir. Bakın bakalım cümleler tanıdık mı?

"Yok canım sana öyle gelmiştir", "Bence çok abartıyorsun", "Seninle alakalı bir durum değil, onun her zamanki hali bu", "Son zamanlarda o da çok zor günler geçirdi, biraz anlayışlı ol ona karşı", "Biz alıştık onun bu hallerine, sen de zamanla alışırsın", "Sanki hiç tanımıyorsun anneni (babanı, kocanı ya da kardeşini)", "Aslında kötü bir niyeti yok, sadece yardım etmeye çalışıyor", "Böyle soğuk davrandığına bakma, aslında hep sizi düşünüyor", "Nelere takılıyorsun Allah aşkına? Sen onunla bir mi tutuyorsun kendini? Yapma lütfen, kıyaslama kendini", "Boş ver, küçük şeyler bunlar, senin daha önemli işlerin var, yorma kafanı bu tür küçük şeylerle."

Peki neden böyle yaparız? Neden derdini anlatan kişiye karşı bu teselli cümlelerine ihtiyaç duyarız? Bunun en çok bilinen nedeni o sırada zaten şiddetli bir duygu yaşayan kişiyi daha da gaza getirmeden sorundan uzaklaşmaktır. Bu konu üzerinde daha fazla konuşursak, karşımızdaki kişinin durumu daha çok abartıp raydan çıkmasından ve büyüyen sorunun altından kalkamayacağımızdan korkarız. Büyük olasılıkla da bu savuşturma şeklinin işe yarayacağından ümitliyizdir. Ama işe yaramaz. Olumsuz duygular kendilerine şahit bulmadan meydanı terk etmezler. Derdini döken kişi duygusunun yok sayılmasının getirdiği yalnızlıkla baş başa kalmış, içine dönmüş, kuvvetle muhtemel bizden uzaklaşmıştır. Diğer bir neden de olumsuz duyguların yarattığı enerjinin üzerimize bulaşmasından korkmamızdır. Daha açık söylemek gerekirse, hayatımızda sorun istemeyiz. İnsanların olumsuz duyguları bize bir nevi isyan gibi görünür ve isyanı hızla bastırmaya çalışırız. Meselelerden kaçma isteğimiz en büyük meseleye dönüşse bile kaçmaya devam edebiliriz. Elbette hiç kimse hayatında sorun istemez. O halde bunun bir tek yolu var; karşımıza çıkan her sorunu ertelemeden, yok saymadan, başımızı kuma gömmeden çözmek. Siz sorunlardan kaçtığınızı düşünebilirsiniz. Oysa sorunlar hiçbir yere kaybolmaz ve siz onları çözmek için bir şeyler yapmadığınız sürece nereye gitseniz orada karşınıza çıkarlar, üstelik giderek büyüyerek. *"Ben hayatımda problem istemiyorum"* diyorsanız, meselelerinizi çözmek zorundasınız. Biri gelip de sorunlarınızı sizin yerinize çözmeyecek ya da sorunlarınız *"Bizimle ilgilenen yok"* deyip çekip gitmeyecekler. Hiçbir sorun ihmal edildiği gerekçesiyle çekip gitmez. Giderek büyüyerek dikkatinizi çeker hale gelmeye çalışır. Sorunlarınız *"Bu halimle fark edilmiyorum, biraz daha büyürsem sahibim beni görebilir belki"* derler.

İhmal edilmiş sorunlar çekip gitmez ama dertlerini ihmal ettiğimiz, duygularını önemsemediğimiz sevdiklerimiz bizi terk edebilir. Duyguları ilgi görmeyen, yok sayılan insanlar kendilerini değersiz ve önemsiz hissetmeye başlarlar. Zamanla kendilerini yok sayılmış hissederek daha depresif bir hale bürünürler ya da kendilerini fark etmeyen kişilerden farklı şekillerde intikam almaya çalışırlar.

Çok sevdiğiniz biri, çok sevdiğiniz diğer birine karşı hata mı yaptı? Kabul edin. Hata yapan kişi Betül ve Ahmet'in hikayesinde olduğu gibi bir babaysa yine kabul edin. Anne ve babalar da hata ve haksızlık yapabilirler.

"Peki ama babama laf söyletmiş oluyorum, o benim babam, onu korumak zorundayım" diyebilirsiniz. Oturup "Sevgilinizle babanızı çekiştirin, yerden yere vurun ya da sevgiliniz babanız için kötü sözler söylüyorsa, susup dinleyin" demiyorum. Elbette aile bireyleriniz hakkında kimsenin kötü konuşmasına izin vermeyin ancak yapılan bir hata varsa, hatayı da yok sayıp bunun savunucusu olmayın. Böyle bir savunmanın hiç kimseye faydası olmaz. Babanızı, annenizi, çocuklarınızı koruyun ama ortada bir hata varsa bunu kabul edin. Sevdiklerinizin hatalarını korumanın ya da örtmeye çalışmanın ne onlara ne de size faydası vardır. Sevdiklerinizi koruyun ama yanlışlarını değil.

"Sana yapılan bir haksızlık var, ben de bunu görüyorum" demeyi öğrenin. Eğer karşı taraf sizin bu sözünüzden cesaret alıp, iyi niyetinizi suistimal etmeye kalkar ve ileri geri konuşmaya başlarsa "Dur bakalım orada. Tamam, babam sana haksızlık etmiş olabilir ama ne de olsa o benim babam. Bunu aklından çıkarma ve biraz daha dikkatli konuş" demeyi de öğrenin. İletişimde ipler her zaman sizin elinizde. Nerede gevşetip, nerede sıkacağınıza siz karar veriyorsunuz. Zamanla, tecrübeyle, deneye deneye dengeyi bulmayı öğreneceksiniz. Sabırlı olun. Denemeye devam edin. Pes etmeyin.

Var olan bir sorunu kabul etmek, anlayış göstermek, yaşanan duygunun dışarı çıkabileceği alanı vermek diğerine sunduğunuz büyük bir armağandır. Aranızda koparılması zor bir bağ oluşturur. Onunla ilgilendiğinizi, bu sorunu beraber çözmek için istekli olduğunuzu, emek vermeye hazır olduğunuzu, her zaman ona destek vereceğinizi hissettirmiş olursunuz. İlişkiler böylelikle güçlenir, böyle ufak tefek olaylardaki sağlıklı yaklaşımlarınızla beslenir ve sağlam bir zemine oturur. Eften püften sebeplerle yıkılmaz, sarsıntılar karşısında dimdik ayakta kalır.

Haklı ya da haksız yoktur ya da bir tarafın haklı olması öbür tarafın haksız olmasını gerektirmez. Bir haklı her zaman bir haksıza ihtiyaç duymaz. Bize düşen sadece anlayışımızı geliştirmek, onun ne hissedebileceğini anlamaktır. Bunun anlamı *"Biz kaybettik, o kazandı"* değildir. Kazanan yoktur, kaybeden de yoktur. Sonuçta kurtulan bir ilişki vardır. Karşılıklı anlayışla beslenen bir beraberlik her şeyin, özellikle de haklı olma duygusunun üzerindedir.

Hayatımızda önemli yeri olan çok sevdiğimiz biri, bizim için yine bir o kadar önemli birine karşı hata yaptığında arabuluculuk yapmaya, birini diğerine karşı savunmaya çalışmayın. Bu hikayede sevgilisi ve babası arasında kalan bir kız var. Benzer hikayeler kocanız ve kardeşiniz, arkadaşınız ve kocanız, anneniz ve babanız, çocuğunuz ve kardeşiniz arasında gelişebilir. Niyetimiz hemen her zaman sorunu çözmektir. Sevdiğimiz insanlar arasında uzlaşma olsun, iyi geçinsinler isteriz.

Gerçek şu ki, doğru yol ve yöntemi bilmiyorsanız iyi niyetli çabalarınız trafik kazaları sonrası iyi niyetli vatandaşların kurtarma operasyonlarına benzeyebilir. İyi niyet doğru yöntemlerle birleşmezse istediğimiz sonuçları vermez. Siz en iyisi her konuda yol yöntem öğrenin. İlk yardım, bebek bakımı, sağlıklı beslenme, göz sağlığı, verimli çalışma, zaman yönetimi, destekleyici iletişim kurma gibi konularda kendinizi geliştirin. Becerilerinizi güçlendirin.

HAKKIM OLAN YERDE DEĞİLİM

Bulunduğumuz yerden hoşnut olmayabiliriz, daha iyi yerlerde olmayı hak ediyor da olabiliriz ama şu an buradayız. Belki hayallerimizin gerçek olması için henüz uygun zaman gelmedi, belki de olmamız gereken yere varmak için yeterince çabalamıyoruz.

Banka müdürü olmayı hak ettiğiniz halde hâlâ veznede çalışabilirsiniz, en iyi okulları bitirdiğiniz halde arka arkaya doğan çocuklar nedeniyle şu an ev hanımı olabilirsiniz. Hemen evlenmeseydiniz bir holdingde üst düzey yöneticiydiniz belki de. Tıp fakültesini kazanacak kadar zeki bir öğrenci olduğunuz halde şartlar elvermediği için gidemeyebilirsiniz ve su ürünleri fakültesinde okuyabilirsiniz.

Çoğu insan hak ettiği yerde olduğuna inanmıyorsa olduğu yeri cezalandırır. Nasıl mı yapar bunu? Bulunduğu noktada yapması gereken işlerin hakkını vermeyerek. Mesela ev hanımı olmayı kendine yediremeyen kadın ütü yapıp çamaşır asmayı, cam silip balkon yıkamayı, sabahtan akşama çocuk peşinde koşmayı kendine haksızlık etmek gibi görür. "Hayat bana hak ettiğimi vermedi" diyerek küskünleşir ve ne eviyle ne de çocuklarıyla yeterince ilgilenir. Ev hanımlığı mesleğini hakkıyla icra etmez, mutsuzdur ve böylece hem eşini hem çocuklarını mutsuz eder. Eşini güler yüzle karşılamaz, ona hoş geldin demez, çocuklara bağırır, işleri söylene söylene yapar.

Su ürünleri fakültesini aşağı gören, zekasına yakıştıramayan öğrenci dersleri dinlemez, okula uğramaz, çalışmaz, dört yılda bitecek okulu yedi yıla uzatır.

Veznede çalışan, hak ettiği terfiyi alamadığından yakınır, hatalar yapar, yanlış hesaplar yüzünden sorun yaşar.

Henüz olmamız gereken insan olamamış, hayallerimizin kıyısına bile varamamış olabiliriz. Ama bu durum, mevcut sorumluluklarımızı unutmamızı gerektirmez. Hayallerimize kavuşmak için önce şartları kabul etmek gerekir. İçinde bulunduğumuz durumla kavgaya tutuşmak hem bize hem de çevremizdekilere zarar verir. Bizim içimize sindiremediklerimiz yüzünden başkaları mağdur olur.

Gözümüz daha yükseklerdeyse, şimdi durduğumuz yerden yürümeye başlamalıyız. Tam şimdi ve burada her ne yapmamız gerekiyorsa hakkını vererek yapmalıyız. Yoksa bunun adı düpedüz sorumsuzluktur. Yaptığımız işi önemsiz görüp savsaklarsak önemli işleri yürütecek olgunluğa ulaşamayız.

Hak ettiğiniz yerde değilseniz bile bulunduğunuz yerin hakkını verin. Hak ettiğiniz yere gelene kadar sorumluluklarınızı ertelerseniz o yere hiçbir zaman gelemezsiniz.

Her neredeyseniz ve ne yapıyorsanız elinizden gelen en iyi şekilde o işi yapın. En iyi garson, en iyi şoför, en iyi temizlikçi, en iyi satış görevlisi, en iyi öğrenci, en iyi muhasebeci, en iyi hamal siz olun. Hayat bir merdiven gibidir. Bulunduğunuz basamakta dengenizi sağlayamıyorsanız bir üst basamağa çıkmanıza izin yoktur. Her basamağın hakkını verin. Ne kendinizi ne de verdiğiniz hizmeti alan insanları mağdur edin.

Bir örnek hikayeyle bu bölümü bitirelim. Büyük bir kuaför salonunda etrafı gözlüyorum. Salon epey kalabalık. Halinden memnun olmadığı ve isteksiz olduğu her halinden belli olan manikürcü kız dikkatimi çekti. Az önce bir kadının ayaklarıyla uğraşmayı bitirmiş ve şimdi ustalardan birinin çektiği föne yardım etmeye başlamıştı. Görevi fön makinesini saça tutmaktı. Kızı seyrettim bir süre. Bulunduğu yerde değildi. Kabına dar geldiği her halinden belliydi. Hayalleri vardı ve hayalinde şimdi burada saçını yaptıran kadına fön tutmak yoktu. Kim bilir belki de bu salon benim olmalı ya da bu kadının yerinde ben olmalıydım diye geçiyordu içinden.

Bir şey olacak ama ne olacak diye beklerken beklenmeyen oldu ve kız fön makinesini müşterinin kafasına düşürdü. O sırada kendini korumak isteyen kadın elini kaldırınca parmağına çarpan makine kadının tırnağını kırdı. Neyse ki kimse fazla yaygara çıkarmadı.

Daha fazlasını istemek bugün yapmamız gereken işin hakkını vermemizi engelliyorsa hırslarımıza yenik düşüyoruz demektir. Daha iyisini istemek, gelişmeyi ve ilerlemeyi arzu etmek insani bir olgudur ve güzeldir. Ama hazımsızlık her zaman zarar verir. Hazımsızlık sorumsuz davranmamıza neden olur.

Özetle; bulunduğunuz yer hak ettiğiniz yer olmayabilir, o halde hak ettiğiniz yere gelmek için bulunduğunuz yerin hakkını verin.

ÂDETLER VE GELENEKLER NEDEN ÖNEMLİDİR?

Her toplumun kendine özgü bir inanç sistemi, değerleri, nesiller boyu birbirine aktarılarak bu güne gelmiş örf, âdet, gelenek, görenekleri vardır.

Mesela Moritanya'da yemek yemeyen gelin adayları cezalandırılır, Hindistan'da yeni doğan bebekler tapınakların tepesinden, aşağıda gerili bir çarşafın üstüne atılır, bizim toplumumuzda da kaza beladan korunmak için kan akıtmak gerektiğine inanılır.

Diyebilirsiniz ki bunlar çok saçma, hiçbir anlamları yok, işe yaramıyorlar, bilimsel temelleri yok. Elbette mantık çerçevesinden bakarsak manevi dünyamıza ait pek çok ritüelin bilimsel bir dayanağının olmadığını görürüz ama bilimin kurallarıyla inancın kurallarını sorgulamak, bizi inancın gücünden mahrum bırakır.

Yürekten inanarak yaptığınız bir işte öyle muazzam bir enerji ortaya çıkar ki evren tarafından korunursunuz. Fakat kalbinizi bozar, niyetinizi çürütürseniz korktuğunuz şey başınıza gelir.

Yirmili yaşlarının başında yeni bebeği olmuş bir danışanım, kayınvalidesiyle bu yüzden çatışmaya girmişti. Kayınvalidesi bebeğin kırkının çıktığı gün birtakım "kırklama adetini" yapmak istemişti. Ama bunlardan bir tanesi danışanımın hiç hoşuna gitmemişti. Kayınvalidesi, bebek büyüdüğünde ter kokmasın diye bebeğin koltukaltlarını tuzlayacaktı ve gelinine, "Ben üç çocuğumu da böyle tuzladım, hiçbir şey olmadı, mis gibi kokarlar terlediklerinde bile" dediğinde genç annenin ödü patladı.

Kendi annesi "*Ben de sizi tuzladım evladım*" dese de ikna olmadı. Çünkü çocuk doktorunu aramıştı ve doktor, bebek cildinin çok hassas olduğunu, tahriş olabileceğini söylemişti.

İnanç ve tıp bilimi karşı karşıya gelmiş, tıp bilimi kazanmıştı. Bebeğin cildi tahriş olma ihtimalinden kurtulmuştu ama anne çok önemli bir şey kaybetmişti:

Âdetlerin getirdiği güvenlik ve aidiyet duygusunu.

Pek çok âdet, gelenek ve görenek nesiller boyu uygulanmış kimseye bir şey olmadan bu insanlar büyümüşse, bilimsel temelleri bir tarafa bırakmak ve mantıklı sorgulamalara girişmemek daha yerinde olacaktır. Özellikle kadınlar inanmanın getirdiği güvenlik ve aidiyet duygusundan yoksun kaldıklarında ruhsal güçlerini kaybederler, yaşam içinde daha çabuk telaşlanır, soğukkanlılıklarını daha hızlı kaybederler.

Özellikle loğusalık gibi özel durumlarda, manevi olarak daha çok inanmaya ihtiyacımız vardır. Örneğin mevlit okutmak âdet olmuş bir davranıştır ama bu geleneği de sorgulayan kişiler mevlidin Kur'an-ı Kerim'de olmadığını söyleyerek bu adeti değersizleştirmeye çalışmışlardır. Varsın olmasın. Sonuçta mevlit okutmak sadece bir araçtır. Amaç; doğum, sünnet, ölüm gibi olaylarda bir araya gelmek, iyi niyetli enerjileri buluşturmak, birbirimize destek olmaktır. Hiçbir zararı olmayan, insanları ortak bir niyet etrafında bir araya getiren pozitif bir eylemdir.

Çeşitli sebeplerle yüzyıllardır süregelen adetlerimizi silip atarak yerine yeni bir şeyler koymak, yeninin altının boş kalmasıyla sonuçlanır ki bu da zemin problemi oluşturacağından ruhsal büyümeye engel bir durumdur.

Ne toplumun ne bireyin çıkarına hizmet eden sadece belirli zümrelerin kendi çıkarları için muhafaza etmeye çalıştığı, ömrünü tamamlamış töreleri kastetmiyorum. Beşik kertmesi, berdel, başlık parası gibi. Toplumun işleyiş ve düzenine kanunlar karar verir. Hiçbir âdet, gelenek, töre kanunların üstüne çıkamaz. Bizim burada demeye çalıştığımız sadece bireyin iç huzurunu, kişisel bütünlüğünü koruyacak ritüellerin içi boşaltılmadan korunması. Örneğin yeni doğum yapmış bir anne, başına kırmızı bir kurdele bağlayarak rahatlamaya çalışıyorsa bunun toplum düzenine verdiği bir zarar yoktur. Bu sadece bunu yapan bireyi ilgilendiren bir ritüeldir.

DAHA ÜRETKEN VE YARATICI OLMAK İÇİN NELER YAPILABİLİR?

Düzenli bir hayat içinde sıradan rutinleriniz olsun. Erken yatın, erken kalkın. Yürüyüş yapın, dengeli beslenin, fırsat bulursanız on beş dakika öğle uykusu uyuyun.

Ataleti yenmek, motive olmak, amaçlarınız uğruna mücadele etmek için ruhsal enerji gerekir. Bedeniniz tüm yaşam enerjinizi tüketirse bir şeyler hissetmeye ve üretmeye enerjiniz kalmaz.

Alıştığınız ortamdaki rutin işler kendinizi rahat hissetmenizi sağlar. Üretken ve yaratıcı olmanın birinci koşulu sabit bir merkez ve rutinler oluşturmaktır. Düzenli bir hayata sahip olmadan, üretkenlik için lazım olan enerjiyi bulamazsınız.

Bunun yanında ara sıra rutinlerden biraz uzaklaşmak, ortamı değiştirmek gerekir. Rutinleri bozmak demiyorum dikkat ederseniz. Bazen bir süreliğine işlerin başka türlü yürüdüğü dünyalara göz atmak, beynimizde geniş açılar yapar (burada kastettiğim yurtdışı turlarına katılmak ve dört gece beş gün tur rehberi eşliğinde süreli geziler yapmak değildir).

İşlerin başka türlü yürüdüğü dünyaları bazen aşağı mahallede de bulabilirisiniz. Önemli olan insanlarla organik ilişkiler kurmak, normal hayatta karşınıza çıkmayan insanlarla sohbetler etmek, başka hayatlara dokunabilmektir. Yoksa internetin başına oturup Paris'in gezilecek görülecek yerlerini görebilir, rehberin vereceği tüm bilgileri okuyabilirsiniz. Asıl olan şey deneyimlemektir.

Yaşadığı şehrin merkezine henüz inmeyen, sokaklarda yürümeyen, pazara gitmeyen, her yere arabayla giden, AVM'ler ve restoranlar dışındaki hayatı bilmeyen insanlar var.

> Hiçbir AVM sizi beslemez. Daha üretken ve yaratıcı olmak için sokağa çıkın, vitrinlere bakın, esnafa soru sorun, hiçbir zaman alışveriş yapmayacağınız dükkanlara girin. Normal şartlarda işinizin düşmeyeceği sokaklarda gezinin. Arabayı bırakın, yürüyün. Bir çay bahçesinde oturun. İnsanları gözlemleyin. İçine kapandığınız ve kendinizi sıkıştırdığınız dünya dışında dünyalar var, üstelik dünyanın öbür ucunda değil.

"Sokak köpeklerine selam vermeye başladıysan insan olmaya çeyrek kalmıştır" diyor Sadri Alışık bir filminde. Etrafınızdaki dünyaya karşı duyarlı ve ilgili olun. Başka canlılarla ilgilenin.

İyilik yapmanın hazzını yaşayın. "Hiç acele etmeden bir gün yaşama izni"ni on beş günde bir de olsa kendinize verin. Boş boş dolaşmak tembellik yapmak değildir, zira ruha çok iyi gelir.

Sonra arkadaşlarınızı, yakınlarınızı arayın. Doğum yapan, yakınını kaybeden, çocuğu hasta olan, borç içinde debelenen, kardeşi sınava hazırlanan, taşınma planı yapan birileri vardır. Hallerini hatırlarını sorun, onları ziyaret edin.

Taşınan arkadaşınızın evini gidip taşıyın demiyorum. Ama bir tepsi kurabiye pişirip çay demleyin, kısır yapıp marul yıkayın. Zamanınız yoksa bir kutu pasta ile meşrubat alıp yanına gidin.

Cenazelere katılın, yakınını kaybeden dostlarınızı sık sık yoklayın. Gidebiliyorsanız yanlarına gidin, gidemiyorsanız da en azından arayın.

Maddi değerinin büyük olmasına hiç gerek yok. İnsanlarla hediyeleşin. İnsanların hayatlarını güzelleştirin. Elinizden geldiği, gücünüzün yettiği kadar, kendinizi de fazla zorlamadan iyilikler yapın. Küçük dokunuşlar büyük mutluluklar yaratır.

Unutmayın ki gül veren elde her zaman biraz gül kokusu kalır.

DOĞAYA KAÇIŞ

Son zamanlarda modern şehir yaşamından sıkılan insanların köylere, sahil kasabalarına, şehrin dışındaki yerleşimlere kaçtığını görüyoruz. Pek çok kişinin müstakil bahçeli bir ev özlemi var. Doğaya dönüş, hatta doğaya kaçış özlemini taşıyor şehirli insanlar. "Doğadan koptuğumuz için mutsuzuz" diyorlar. Hatta daha cesur kararlar alıp evlerini şehrin dışına taşıyanlar var. Biraz da imkanlarla alakalı bir mesele. Hafta sonlarını geçirmek için bağ bahçe evi yaptıranlar da mevcut.

En uç noktada ise kafayı kırıp şehri tamamen terk edenler, tamamen doğal hayata dönenler bulunuyor. Evi barkı satıp sahil kasabasına yerleşenler, balık tutanlar, seramik yapanlar, restoran açanlar, domates yetiştirenler...

Biraz toprak almak, doğayla baş başa yaşam kurmak, ekip biçmek hayaliyle şehirdışında oluşturulan yaşam alanlarında gezintiye çıkmanızı öneririm.

Geçenlerde Antalya'da bu amaçlarla yapılan evlerin yoğun olduğu yerleri dolaştım. İnsanlar öyle özenli ve güzel evler yaptırmışlar ki hayran kaldım. Daha çok, hafta sonları kalmak ve şehrin karmaşasından sıyrılıp dinlenmek amacıyla yapılan evler. Çoğu dubleks, bazısı tripleks. Tek katlı olanlar bile son derece ihtişamlı. Şehirdeki evlerin en az iki katı büyüklüğünde, taş duvarlı, bahçeli, ağaçlı, yeşilli evler. Ama gelin görün ki hafta sonu bile bu evlerin büyük çoğunluğu boş, hatta kimisi terk edilmiş görüntüsüne bürünmüş, uzun zamandır geleni gideni yok belli ki. Bir kısmının da pencerelerine "satılık" ilanları gerilmiş. İçim bir tuhaf oldu. Kim bilir ne hayallerle, ne kadar özenerek, ne çok para ve emek harcayarak yapılmıştı bu evler? Emeklilik hayallerini süsleyen taş duvarlı evler. Demir kapıda "Dikkat köpek var" yazısı kalmış. Köpeğin kendisi artık yok, belki de hiç olmamış. Esas istediğimizin bu olmadığını anlamak için bu kadar emek vermek ne acı, ne büyük bir hayal kırıklığı.

Başlangıçta doğa insana çok iyi gelir elbet. Doğa gerçekten önemli. Doğadan kopan insan, kendi doğasından da daha çabuk kopuyor çünkü. Öyleyse insanın doğası ne diye sormak gerekiyor.

İnsanın birincil doğası çevresindeki insanlardır. En sevdiklerinize sarılıp onlarla aranızı düzeltmeden ağaçlara sarılıp çakıltaşı toplayarak, çiçek dikip ormanda koşturarak doğaya dönmüş olmazsınız. Doğa güzeldir sizi besler. Toprağa, ağaçlara, çiçeklere... Hepsine ihtiyacımız var. Fakat ne doğa ne de hayvanlar, yakın insani ilişkilerin yerini tutabilir. Doğa ve hayvan sevgisi insan ilişkilerinin alternatifi değil, sadece daha sağlıklı ilişkiler kurmak, şarj olmak, evrendeki birliği hatırlamak için araçtır. Mutlu olmak için doğadan ve hayvanlardan medet ummak pek de sağlıklı bir düşünce yapısı değildir.

FEDAKARLIĞIN KARŞILIĞI NANKÖRLÜK VE İHANET OLMAK ZORUNDA MIDIR?

Fedakar abla ile sorumsuz kardeşi dinleyelim:

Abla: "Kardeşimin sorumsuzluklarından bıktım. Kocası da kendine benziyor. Bırakayım ne hali varsa görsün diyorum ama ne mümkün? Yeğenime üzülüyorum, o çocuğun ne suçu var? Anne babası benim kadar düşünmüyor, o da ayrı mesele. Çocuğun ayağında ortopedik bir sorun var. Özel ayakkabı yapılması lazım. Bir yıl geçti ama pazardan aldıkları ayakkabıyla dolaşıyor çocuk. Aldım çocuğu götürdüm, hem ayakkabısını yaptırdım hem de evde giysin diye kaliteli bir spor ayakkabı aldım. Diyorlar ki para yok. Doğru düzgün çalışmazlarsa paraları olmaz tabii. İş görüşmesine gidecek, baktım bir tane düzgün kıyafeti yok. Alışverişe götürdüm. Yoksa işe giremeyecek. Elektrikleri kesilmiş. Hem de kış gününde. O çocuk soğukta ne yapacak? Elektrikle ısınıyorlar. Evde ufacık çocuk varken nasıl bu kadar sorumsuz olabiliyorlar anlayamıyorum, aklımı kaçıracağım bunlar yüzünden."

Kardeş: "Ablamı artık görmek bile istemiyorum. Her şeyi o biliyor çünkü. Her yaptığımıza karışıyor. Ne giyeceğimden tutun da oğlumun ayakkabısına kadar her şeye burnunu sokuyor. Kocasını yönetmeye alışmış. Bizi de, herkesi de yönetmeye çalışıyor. Her şeyin doğrusunu o biliyor. Ona sorarsanız biz hiçbir şey bilmiyoruz, düşünmüyoruz. Çocuğunun ayaklarını düşünmüyorsun diyor. Ben ondan daha çok düşünüyorum. Araştırdım ve özel ayakkabı giydirmek bu sorunu çözmüyormuş. Çocuğu götürdü, ayakkabı aldı.

Bana diyor ki giyecek doğru düzgün kıyafetin yok. Bence hepsi doğru düzgün ama neymiş, o kıyafetle işe gidilmezmiş. Ben banka müfettişi değilim ki, benim böyle resmi giysilere ihtiyacım yok.

Faturalarınızı bile takip etmiyorsunuz diyor. Ne olmuş yani unutmuşuz. Gitmiş faturayı yatırmış, sanki ben elektriksiz oturacağım diyorum ona. Çocuğu soğukta hasta edeceksiniz diyor. Sanki ben çocuğumu düşünmüyorum gibi yapıyor her seferinde.

Artık ablamla arama mesafe koyma zamanı geldi de geçiyor bile. Benim hayatımı yönetmesine, her şeyi bildiğini sanmasına, kendi dediğini yaptırmaya çalışmasına katlanmayacağım. Bu benim hayatım ve kimse beni yönetemez."

Ablası, kardeşinin mesafeli ve soğuk davranışlarına anlam veremez. Yaptığı şeylere karşılık teşekkür beklerken bir de nankörlük görmektedir. Ne yaparsa yapsın kimse yapılanların kıymeti bilmiyordur. Kendini kötü hisseder.

Sevdikleriniz için yaptığınız bunca fedakarlığa rağmen sadece nankörlük gördüyseniz ve kendinizi sırtınızdan vurulmuş gibi hissettiyseniz bunun nedenlerine birlikte bakalım.

Fedakarlık pozitif anlamı olan bir kelime değildir. Neden mi? Çünkü fedakarlık minnet yaratır.

Kendinize minnettar bırakacak kadar çok şey verdiğinizde insanları bağımlı kılarsınız. Büyüyemezler, kendileri gibi olamazlar, sizin gölgenizin dışına çıkamazlar. Vererek kendinize bağımlı kıldığınız için kendilerini aciz hissederler. İnsanlar aciz olmaktan nefret ederler ve sizin yaptıklarınızı göremezler. Sizi acizliklerinin sebebi olarak görürler. İçlerinde öfke birikir. Bağımlı insan özgür değildir ve özgür olamayan insan mutlu değildir. İşte bu nedenle uğruna kendinizi feda ettiğiniz insanlar size karşı en çok öfkeyle dolu olanlardır. Öyle ki, kötülük yaptığınız insanlar bile size karşı bu kadar öfke dolu değildir. Fedakarlık ilk fırsatta karşılığını bulur. Nasıl mı? İhanetle tabii ki.

İşte bu nedenle fedakarlık ile yardım arasındaki farkı iyi ayırt edin. Yardım etmek pozitif anlamı olan bir kelimedir. Yardım ve fedakarlık arasında dağlar kadar fark vardır. Yardım ederken, yardım ettiğiniz kişinin işleri halletme potansiyeline güvenirsiniz. Kişiyi sorunu çözme sorumluluğuyla baş başa bırakırsınız. Kişinin yerine gol atmaz, ona sadece iyi paslar verirsiniz.

Fedakarlıkta yardımın ölçüsü tamamen kaçar; başkasının bitirmesi gereken işlere, ödemesi gereken borçlara kendinizi adarsınız. Bu başkası yabancı biri değildir. Daha ziyade, evlat, kardeş, eş, anne babadan biri ya da yakın bir dosttur.

Fedakar insanlar halledici ve kurtarıcıdırlar. Onların olduğu yerde kimseye pek iş kalmaz. Yapılması gereken işlerin sorumluluğunu üstlerine alırlar, tüm kaygıyı taşırlar ve en mükemmel şekilde sonuna kadar götürürler. Çünkü insanların onlar olmadan kendi sorunlarını çözebileceklerine inanmazlar, buna fırsat da vermezler. Mesela fedakar anne, çocuğunu yemek yemeye zorlamazsa çocuğun açlıktan öleceğini, pislik içinde mikrop kapacağını, ödevlerini yapmayacağını düşünür. Fedakar bir abla ya da abiye göre, o olmadan kardeşleri yaşayamayacaktır, işleri batacaktır.

Fakat bu insanlar sorumluluk sahibi insanlar mıdır derseniz, buna hayır derim. Çünkü fedakar insanlar başkalarının hayatlarına karşı son derece ilgili ve müdahaleciyken kendi hayatlarına karşı korkak ve sorumsuzdurlar.

Yardımsever insan, maddi ve manevi sınırlarını, taşıyabileceği yük miktarını bilen insandır. Kendi hayatına karşı sorumlu bir insan, gücünün diğer insanları -ki bu insanlar en sevdikleri bile olsa- kurtarmaya yetmeyeceğini bilir. Bir başka deyişle, başkalarının işlerini onlar adına halletmek kendi hayatımızdaki sorumlulukları ihmal ettiğimiz anlamına gelir.

Yardım ederken diğerinin ihtiyaçlarını değil, kendi durumunuzu baz alın. *"Onun neye ihtiyacı var?"* sorusu, doğru soru değildir. *"Ben ne verebilirim?"* İşte doğru soru budur. Mesela İslam dininde oranlar bellidir. Oturacak evin, bindiğin araç dışında sahip olduğunun kırkta biri der. Yani sende olmayanı vermek diye bir şey yoktur. Fedakarlık, limitlerimizi bilmemektir. Fedakarlık aklımızı kaçırmanın en kestirme yoludur. Diğerini minnettar ve öfkeli yapar, aciz bırakır. Onları aciz bıraktığımız için bizden nefret ederler. Biz de insanların nankörlüğünden yakınırız.

Sonuç olarak;

İnsanlara yardım edin ama kendinizi feda etmeyin.

Hiç kimsenin işine çok fazla burnunuzu sokmayın.

Emin olun işler siz olmadan yürüyecek, kendinizi bu kadar önemsemeyin.

İnsanlar hayatlarında felaketler yaratıyorlarsa bununla başa çıkacak güce de sahiptirler, emin olun.

Başkalarının Endişelerini Taşımak

Bir işe başlamak, harekete geçmek, çalışmak için insanın biraz strese girmesi gereklidir. Rahat insan, elinden geleni yapmak için motive olamaz. Uygun dozda stres insanı daha dikkatli, enerjik ve uyanık kılar, motivasyon sağlar.

Ancak bütün stresi siz taşırsanız, ortalıkta kimseye taşıyacak endişe kalmaz. Ondan sonra da "Nasıl bu kadar rahat olabiliyorlar?" diyerek kendinizi yersiniz.

Yarın önemli bir sınava girecek olan çocuğunuz hâlâ televizyon karşısındaysa,

Yarın önemli bir iş görüşmesi olan kardeşiniz hâlâ sabah ne giyeceğini hazırlamadıysa,

Abiniz kredi kartı borcunu zamanında ödemiyorsa,

Annеniz doktora gitmesi gerektiği halde sürekli kendini ihmal edip hasta oluyorsa,

Eşiniz faturaların son ödeme gününü her seferinde unutuyorsa,

Biraz geri çekilin ve düşünün.

Şimdi diyebilirsiniz ki...

"Ben hadi kalk demesem kalkmaz, ders çalışmaz ve hatta zamanında uyumaz. Sınavı kötü geçer."

"Bırakayım da annem ölsün mü? Ben doktora götürmezsem kendi kalkıp gitmiyor, gözlerimin önünde acı çekmesine seyirci mi kalayım?"

"Borçlar ödenmezse evlerine haciz gelebilir ya da abim hapse girebilir, yeğenlerimi düşünmek zorundayım."

Sevdiğimiz insanlar kendi hayatlarıyla ilgili felaketler yaratıyorlarsa bir yerden sonra onları kendi hallerine bırakmakta fayda vardır. Bir ucundan tutmakla omuzlamak farklı şeylerdir. Eğer sevdiklerinizin her hatasını telafi ederseniz, hata yaptıklarını hiçbir zaman anlayamazlar. Hep aynı hataları yaparlar çünkü bedel ödemedikleri için ders almazlar. Dolayısıyla büyümelerine ve güçlenmelerine engel olmuş olursunuz. İyilik yaptığınızı sanırken, farkında olmadan en büyük zararı verirsiniz. Çünkü insan başına gelen sorunları aşmaya çalışırken güçlenir. Başımıza gelenler bizi büyütmez, kurtuluş çabaları büyütür. Eğer birileri tarafından kurtarılıyorsak yerimizde sayarız, büyüyen ve güçlenen, bizi kurtaran taraf olur.

Bir diğer konu da, bizim hata ya da felaket olarak gördüğümüz şeyin, gerçekten öyle olup olmadığıdır. Düşüncelerinizin doğru olduğunun bir kanıtı var mı? Burada çok sevdiğim bir hikayeyi paylaşmak istiyorum.

Köyün birinde yaşlı bir adam ve oğlu yaşarmış. Adam çok fakirmiş ama kral bile onu kıskanırmış. Öyle dillere destan bir beyaz atı varmış ki, kral bu at için ihtiyara nerdeyse hazinesinin tamamını teklif etmiş ama adam satmaya yanaşmamış.

"Bu at bir at değil, benim için bir dost. İnsan dostunu satar mı?" demiş.

Bir sabah kalkmışlar ki at yok. Komşuları ihtiyarın başına toplanmış, "**Ne kötü talih!** Keşke atı krala satsaydın, ömrünün sonuna kadar beyler gibi yaşardın. Şimdi ne paran var, ne de atın" demişler.

İhtiyar ise, **"İyi talih kötü talih, kim bilebilir ki?"** diye cevap vermiş.

Bunun üzerine komşuları ihtiyara gülmüş ve onunla alay etmişler. Aradan zaman geçmiş, at bir gece ansızın dönmüş. Dönerken de vadideki on iki vahşi atı peşine takıp getirmiş. Bunu gören komşular toplanıp bu kez ihtiyardan özür dilemişler.

"**Ne iyi talih!** Sen haklı çıktın. Atının kaybolması senin için bir talihsizlik değil. Başına devlet kuşu oldu, şimdi bir at sürün var" demişler.

Yaşlı adam olanca bilgeliği ile yine cevap vermiş: **"İyi talih kötü talih, kim bilebilir ki?"**

Komşular bu kez açıkça dalga geçmemişler ama içlerinden kızıp adam hakkında ileri geri konuşmuşlar. Bir hafta geçmeden, vahşi atları terbiye etmeye çalışan ihtiyarın tek oğlu attan düşmüş ve ayağını kırmış. Evin geçimini temin eden oğul şimdi uzun zaman yatakta kalacakmış.

Komşular yine gelmişler ihtiyara. "**Ne kötü talih!** Bir kez daha haklı çıktın. Bu atlar yüzünden tek oğlun bacağını uzun süre kullanamayacak. Oysa sana bakacak başkası da yok. Şimdi eskisinden daha fakir, daha zavallı olacaksın" demişler.

İhtiyar yine aynı şeyi söylemiş: **"İyi talih kötü talih, kim bilebilir ki?"**

Birkaç hafta sonra, düşmanlar çok büyük bir orduyla ülkeye saldırmış. Kral son bir ümitle eli silah tutan bütün gençleri askere çağırmış. Köye gelen askerler, ihtiyarın kırık bacaklı oğlu dışında bütün gençleri askere almışlar. Köyü matem sarmış çünkü savaşın kazanılmasına imkan yokmuş, giden gençlerin ya öleceğini ya da esir düşeceğini herkes biliyormuş.

Komşuları yine yaşlı adama gelip, "**Ne iyi talih!** Yine haklı olduğun kanıtlandı. Oğlunun bacağı kırık ama hiç değilse yanında. Oysa bizimkiler belki asla köye dönemeyecekler. Oğlunun bacağının kırılması talihsizlik değil, şansmış meğer!" demişler.

Yaşlı ve bilge ihtiyar komşularına yine aynı sözü söylemiş: **"İyi talih kötü talih, kim bilebilir ki?"**

***

Size göre yanlış olan ve düzeltilmesi gereken şey, diğerinin öğrenmekle yükümlü olduğu dersi olabilir. Neyin iyi neyin kötü olduğuna dair hüküm vermek, hayatı kısıtlayan bir düşünce şeklidir.

Dünya bir sınav meydanı...

Herkesin öğrenmesi gerekenler, dersleri birbirinden ayrı... Sınav soruları farklı...

Kimse kimsenin yerine sınava giremiyor...

Kopya vermek serbest olsa da, kopya almayı seven pek yok...

Birine göre yanlış olan ve düzeltilmesi gereken şey, diğerinin sınav sorusu, öğrenmekle yükümlü olduğu dersi olabiliyor....

İnsanların çoğu yaşayarak öğrenir...

Siz derslerinizi alıp öğrendiniz...

Sevdiklerinizin hata yapmasını engellemeye çalışıp onları durduğunuzda, onların öğrenme fırsatlarını ellerinden alırsınız.

Bazen yapabileceğimiz en büyük iyilik, sevdiklerimizin çektiği acıya sessizce katlanabilmektir. İyi niyetli olmak, iyi şeyler yapmaya yetmez. Bazen hiç bir şey yapmayarak da çok şeyler yapmış oluruz.

Allah hiç kimseyi taşıyamayacağı yükle sınamaz.

İzin verin başkaları da öğrensin...

Başkalarının Sorumluluklarını Taşıyan İnsanların Bundan Bir Kazancı Var mı?

Sizin adınıza sizin sorumluluklarınızı gönüllü olarak, siz daha istemeden yapan insanların bunu neden yaptıklarını hiç düşündünüz mü? Kesin olan bir şey varsa sizi sevdikleri ve iyiliğinizi istedikleri için, sizin zor duruma düşmenize gönülleri razı gelmediği içindir.

Cevabınız "Onlar böyle yaşamayı seviyor, bir şeyler yapmadan duramıyorlar" ise yanıldığınızı söyleyebilirim. Hiç kimse üstüne vazife olmayan işleri yapmaya meraklı değildir. Hatta sizin hayatınızı kurtaran bu insanlar buna çok hevesli olsalar önce kendi hayatlarını düzene sokarlar.

Sizin işlerinizi sizden önce halleden insanların sorumluluk almaya değil ama kontrol etmeye ihtiyaçları olabilir. Bu yüzden size ait sorumlulukları taşıyan insanların sizden ne aldıklarına dikkat edin. Cevabınız hiçbir şey mi? O zaman biraz daha iyi bakın. Unutmayın ki yüklerinizi taşıyan insanlara söz söyleme hakkınızı ve karar verme gücünüzü devredersiniz.

Evlendikten sonra ailenizden para alırsanız, kayınpederinize ait evde oturursanız, kardeşinizin arabasını kullanırsanız, çocuğunuza anneniz bakarsa ne olur? Bunlar son derece normal ve sıradan şeyler gibi görünüyor. Ama böyle basit şeyler için bile ödeyeceğiniz bedeller vardır.

Eğer kimse bana karışmasın, laf söylemesin diyorsanız çevrenizden aldığınız yardımları en aza indirin. Sorumluluklarınız azaldıkça etrafınızın hayatınıza olan müdahalesi artar.

* * *

Buraya kadar hep başkalarının sorumluluğunu alan insanlardan bahsettik. Elbette başkalarının sorumluluğunu taşıyan insanlar, kendi sorumluluklarını taşımayan insanlar olduğu için varlar. Yoksa kimse çok hevesli olduğu için üstüne vazife olmayan işlere kalkışmıyor. Bazı insanlar sadece kayıtsız kalamıyorlar, sevdikleri acı çekerken öylece durup seyredemiyorlar.

Mustafa İslamoğlu'nun Kur'an-ı Kerim tefsirinde sorumluluklarını yerine getirmeyen insanlarla ilgili bakın ne diyor (s. 775, Bakara Suresi, 286 Ayet).

> ***"Allah herkese sorumluluk yüklemiştir. Sorumlu olmayan insan yoktur, sorumsuz insan vardır. Allah herkese mutlaka taşıyacağı bir sorumluluğu yükler. Hiç kimseyi sınırsız sorumsuz bırakmaz. Her insanın sorumluluğu gücüne denktir. Sorumsuz davranan üç kez zulmetmiştir.***
>
> ***1. Kendisine.***
>
> ***2. Terk ettiği yüküne.***
>
> ***3. Onun terk ettiği yükü taşıyana.***

İNKAR

"Yirmi yıllık ev hanımı, kocasının yaptığı hatalı işler nedeniyle beş parasız kalmıştı. Harcamadığı bir paranın borcunu ödemek zorundaydı ve bu borcun daha on yıl ödenmesi gerekiyordu. Ellerinde ne varsa kaybetmişlerdi ve maaştan kalan küçük bir miktar para ile geçinmek zorundaydılar. Kocasına kızgındı, yaşananları kabullenemiyordu.

Fakat "En büyük sıkıntın ne?" diye sorsanız bunların hiçbirinden bahsetmiyordu. En büyük sıkıntısını dışarıda tuvalete girememek, başkasının yaptığı yemeği yiyememek ve açıkta satılan ekmeği alamamak olarak anlatıyordu. Açlıktan ölse bile açık ekmek ve dışarıdan gelen bir şeyi yemiyordu. Her şey hemen çöpe gidiyordu.

Asıl derdinin bir çaresi yoktu, giden gitmişti. Bundan sonrada kıt kanaat yaşamak zorunda olduğu on yıl vardı önünde. Gerçek sorunu kabullenmesi ve borcun daha kısa sürede bitmesi için çalışması gerekiyordu. Ama korkuyordu. Hayatı boyunca çalışmamıştı. Bunca zaman sonra kocasının hataları yüzünden oluşan borçları ödemek için çalışmak düşüncesi kızgınlığını artırıyordu. İş hayatında başarılı olabilecek miydi? Belki de kimse onu işe almak istemeyecekti. Her şey belirsiz görünüyordu.

Takıntılarla uğraşmak zor olsa ve acı verse de takıntılarla baş etmenin bir yolu vardı. Açık ekmek yemiyorsa kapalı ekmek alabilir, kapalı ekmek bulamazsa evde ekmek yapabilirdi."

Çaresi yok gibi görünen dertlerimiz olduğunda, çaresi olan dertler üretiriz. Üretilen psikolojik sorunlar gerçek sorunların üstünü örtmeye yarayan bir tabakadır. Uzun zaman iyileşmeyen hatta kötüye giden rahatsızlıkların temelinde yüzleşmekten kaçtığımız gerçekler vardır. Bir anlamda psikolojik rahatsızlıklar önemli bir işe yaramakta, bizi acı veren sorunlarla yüzleşmekten korumaktadır.

İnkar bir savunma mekanizmasıdır. Başa çıkamayacağımız kadar çok sorunumuz olduğunda ve acı çektiğimizde harekete geçer.

Hayat kaçınılmaz olarak başımıza gelen acı olaylar ve çözmemiz gereken sorunlarla doludur. İnkar etmek, kendimizde sorunlarla mücadele edecek gücü bulana kadar bizi uyuşturan bir çeşit ağrı kesici gibidir. Aldatılmak, terk edilmek, iflas etmek, tecavüze uğramak, dayak yemek, yalanlara inanmak, kullanılmak, işsiz kalmak, en sevdiklerimizin ölmesi ve daha pek çoğu.

Şoku atlatıp gücümüzü toparlayana kadar başımıza gelenleri kabullenemeyiz, yani inkar ederiz. Bunun bize zararı yoktur, hatta faydası vardır. Esas tedavi başlayana kadar ağrı çekmek zorunda değilizdir ama ağrımız varken doktordan randevu alıp ağrı dindikten sonra randevuyu iptal etmek gerçek sorunlarla yüzleşmekten kaçmak demektir. Ağrımız dinmiştir ama tedavi olmadığımız için iyileşmiş değilizdir.

> İnkar, kuvvetli bir ağrı kesici gibidir. Bütün ağrı kesiciler gibi fazla kullanıldığında dozu artırmak zorunda kalırsınız. İnkar mekanizmasını gerektiği gibi, zorlu yaşantılardan sonra gücümüzü toplayana kadar bize nefes aldıracak bir nimet gibi değil de sorunlarla yüzleşmekten kaçmak için bir yol olarak kullanırsak o zaman başımız dertte demektir.

Çok fazla inkar ettiğimizde gerçek sorunlarımızın yerini üretilmiş suni sorunlar almaya başlar.

Psikosomatik rahatsızlıklar, panik atak, saplantılı düşünceler en çok inkar mekanizmasının kötüye kullanımı sonucu oluşur. Başta takıntılar olmak üzere pek çok psikolojik sorun inkar mekanizmasını besler.

KARAR VERMEK NEDEN BU KADAR ZOR?

Karar vermek zordur, çünkü yanlış karar vermekten korkarız. Yanlış yapma korkusu; bedeli olmayan, bizden bir şey eksiltmeyen bir seçenek olduğu varsayımından kaynaklanır. Eğer doğru şıkkı bulursak, hiçbir bedel ödemeden mutluluğa kavuşabileceğimizi sanırız. Bu yüzden seçeneklerimiz karşısında düşünür dururuz.

Birini ya da diğerini seçmek zorunda olduğumuz ne kadar çok durum vardır hayat boyunca. İnsanın aynı anda ikisini birden istemesinden kaynaklanan kararsızlığı ve buna bağlı gelişen mutsuzluğu en çok Zerrin Özer'den dinlemeyi sevdiğim şu şarkıda dile gelir:

> Hem vazgeçip hem seçtiklerimle
> Yepyeni bir dünya kursam
> Hem isteyip de hem yapmadığım
> Hayallerim gerçek olsa
> Evli olup bekar kalsam
> Çalışmadan zengin olsam
> Çok yiyerek zayıflasam
> Sevgilimden ayrılmadan
> Her gün yeni aşk yaşasam
> Gizli olsa herkes bilse
> Bana hep bana, bana hep bana
> Bana bana hep bana

Hem vazgeçip hem seçtiklerimle
Yepyeni bir dünya kursam
Hem isteyip de hem yapmadığım
Hayallerim gerçek olsa
İstemeden seçtiklerim
Ne işim var burada benim
Ben aslında caz severim
Çok yaşasam yaşlanmasam
Estetiksiz güzel olsam
Olgunlaşıp çocuk kalsam
Bana hep bana bana hep bana
Bana bana hep bana

Burada iki temel durum söz konusudur. Birincisi, insanın sahip olmak isteğini ancak buna mukabil bir bedel ödemek istemediğini işaret eder. İkincisi ise insanın her şeye aynı anda sahip olmak istemesidir. Tercih yapmak seçeneklerden birini işaretlemek ise bu diğer seçeneği ya da seçenekleri dışlamak anlamına gelir ki bunun anlamı diğer seçeneklerin kaybedildiğidir.

Şarkıda söylediği gibi kişi "hem vazgeçip hem seçtikleriyle" bir dünya kurmak ister. Evli olup bekar gibi yaşama hayali kurar. Evlenerek bir kişiyle yuva kurmuştur. Bir kişiyi kendine eş olarak seçmiştir. Seçimini bir kişiden yana yapan kişi, karşı cinsten tüm diğer kişilere hayır demiştir.

Tercih yaptığımızda diğer seçeneklerden vazgeçmemiz olayın ilk yönüdür. Sonrasındaysa ödenecek bedeller devreye girer. Tercihimiz ne olursa olsun bunun bir de bedeli vardır. Aldığımız karar iyi ya da kötü, doğru ya da yanlış olabilir. Bunun bir önemi yoktur. Sonuçta her şeyin bir bedeli vardır. Evli kalmayı ya da boşanmayı seçebilirsiniz, zayıflamayı ya da kilolu kalmayı da, iş kurmayı ya da memur olmayı, okumayı ya da okulu bırakmayı seçebilirsiniz.

Sürekli ince görünmeyi başaran bir kadının ödediği bedelle kilolu bir kadının ödediği bedel nitelik olarak birbirinden farklı değildir. Zayıf ve sağlıklı görünmeyi başaran kadın egzersiz yaparak ve lezzetli ama kalorili pek çok yiyecekten vazgeçerek bedel ödemektedir. Şişman kadın ise lezzet ve egzersiz konusunda bedel ödemez. Ancak onun ödediği bedeller de vardır. İstediği giysiyi giyemez, bünyesi hastalıklara daha açıktır, üstündeki ağırlıkla daha yavaş hareket eder.

Pek çok kişi yuva sahibi olmayı düşler. Mutlu bir yuva, sadık bir eş, sağlıklı çocuklar. İyi bir eşe sahip olmanın, sağlıklı çocuklar yetiştirmenin bedelleri vardır. Bununla beraber bu yolu seçmiş kişi ilişkiye dair sayısız sorunu da yüklenmiş olur. Bekar bir kadın hiçbir zaman kayınvalide sorunu yaşamayacaktır. Kayınvalide nedeniyle boşanan bir çift düşünün. Elbette boşanmayla beraber kayınvalide sorunu çözülür. Ancak bu sefer de çiftler boşanmanın getirdiği bedelleri ödemeye başlarlar.

Sonuçta hiçbirimiz tutsak değiliz. Özgür insanlarız. Başımıza gelen her şey tercihlerimizin sonucudur. Yapılan her tercihin bir bedeli vardır ve dileyen dilediği bedeli ödeyebilir.

Kişi kararsızlık durumunda uzun süre kalırsa kendisini köşeye sıkışmış hisseder. Oysaki evren bir hapishane değildir. Hiçbir şeye de mecbur değilizdir. Ev borcu ödemeye, kredi çekip araba almaya, markalı giysiler giymeye, birkaç asgari ücret değerindeki cep telefonlarını kullanmaya ve böylece sıkıntı içinde yaşamaya mecbur muyuz? Hatta okumaya, evlenmeye, çocuk yapmaya da mecbur değiliz. Tercih vardır, zorunluluk yoktur. Sistem var gücüyle tüm bunların zorunluluk olduğu konusunda bizi ikna etmeye çalışır. Biz de inanır ve kapana kısılmış gibi hissetmeye başlarız. Bir hapishanedeyizdir, köşeye sıkışmışızdır ve sanki hiç çıkış yolu yoktur. Oysaki her zaman bir seçenek daha vardır. Tercih yapma özgürlüğüne sahip olduğumuzu idrak ettiğimiz zaman hayatımızı yeniden biçimlendirebiliriz.

BİR TÜRLÜ İŞE BAŞLAYAMIYORUM!

Yapılması gereken çok fazla iş olduğu halde, kişi lüzumsuz pek çok işle uğraşıp bir türlü esas yapılması gereken işlere başlayamıyorsa ve depresyonda da değilse motivasyon sorunundan bahsedebiliriz.

Motive olmak bir işi yapmak için bizi harekete geçirecek olan içsel durumdur. İnsan sebepsiz yere hareket etmez.

Motivasyon psikoloji biliminin temel konularından biridir. Şimdi burada konunun kuramsal tarafına girmeyeceğim.

Motivasyon eksikliği ders çalışmak isteyen öğrencinin de, zayıflamak isteyen birinin de, çamaşırları asması gereken kadının da, dükkanı açması gereken esnafın da, projeyi teslim etmesi gereken mimarın da yaşadığı bir sorundur. Yapılan iş önemli ya da önemsiz, büyük ya da küçük olabilir.

Sorun şu ki yapmamız ve bitirmemiz gereken bir sürü iş var ama bir türlü başlayamıyoruz. Başladıklarımızı bitiremiyor, işe devam etmek yerine oyalanıp duruyoruz.

Şimdi sizlere yapmanız gereken işlere daha kolay motive olabilmeniz için birkaç pratik öneri sunuyorum. Deneyin ve çok daha kolay harekete geçebildiğinizi görün.

1. Eğer o işi yapmazsanız başınıza neler geleceğini düşünmeyin.

Motor kullananların iyi bildiği bir şey vardır. Göz nereye bakarsa motor oraya gider. Baktığınız yere gidersiniz. Motive olmanın en önemli kuralı budur.

Projeyi zamanında teslim etmezseniz her gün için tazminat ödemek zorunda kalacağınızı,

Sınavı kazanamazsanız gitmek zorunda olacağınız kötü okulu,

Yatarken sucuk ekmek yerseniz şişmanlayacağınızı düşünmeyin.

Yol ayrımında duran ve işe başlasam mı yoksa bırakıp da yatsam mı diye düşünen insan, her iki olasılığa da eşit mesafededir. Bilmediği iki olasılık arasında daha çok konuşulan, üzerinde daha çok düşünülen olasılık, insana giderek daha tanıdık gelmeye başlar.

Yani kötü senaryoları düşündükçe bu duruma ısınmaya ve alışmaya başlarsınız. En kötü ne olabilir ki? Olsun o zaman. Farkına varmadan baktığınız yere doğru yani en kötü ihtimale, istenmeyen senaryoya doğru yol alırsınız.

O zaman ders çalışmayan çocuğunu alıp sanayiye götüren "Okumazsan işte buradaki çocuklar gibi çalışırsın" demenin pek bir etki yaratmayacağını, gördüklerine rağmen eve gidince hâlâ ders çalışmayan çocuğumuzu anlamış oluyoruz.

Peki ne mi düşünelim? Canınız hiç iş yapmak istemiyorsa, eğer o işi yaparsanız neler olacağını düşünün. Mesela yatarken sadece bir elma yemeyi tercih ettiğinizi ve zayıflayınca giyerim diye sakladığınız giysileri giydiğinizi hayal edin. Gerekenleri yapmadığınızda başınıza gelecekleri düşünmek, sizi harekete geçirmek bir yana kıpırdayamaz hale getirir.

2. Sizi harekete geçiren şeyi bulun.

En çok neye ihtiyacınız olduğunu iyi düşünün. Eğer elde edeceğiniz şeye ihtiyacınız olmadığını düşünüyorsanız o şeyi elde etmek için çaba harcamazsınız. Bazı insanlar para, bazıları güç elde etmek, bazıları insanları yönetmek, bazıları da çevrelerinde sevilen biri olmak için çalışır. Sizi harekete geçiren şey nedir hiç düşündünüz mü?

İnsanları etkilemek için güç mü istiyorsunuz?

Daha sıcak ilişkiler kurmak ve pozitif bir çevre yaratmak mı istiyorsunuz?

Her şeyin en iyisini en mükemmelini yapmak, hatasız olmak mı istiyorsunuz?

Anlamak, çözmek, her şeyi kavramak isteyen meraklı bir insan mısınız?

Bu durumda:

İnsanları yönetmek gibi bir ihtiyacınız yoksa, seçimi kazanamazsınız.

Mükemmellik ihtiyacınız yoksa, bir şeyi en iyi şekilde yapmak için uğraşmazsınız.

Diğer insanları etkilemek gibi bir ihtiyacınız yoksa, size güç kazandıracak işlerin peşinde koşmazsınız.

Mesela bazı insanlar sadece anlamak isterler. Bir konuyu tüm ayrıntılarıyla anlamak, çözmek ve kavramak ihtiyacındadırlar. Ama insanları etkilemek gibi bir ihtiyaçları olmadığı için bildiklerini söylemezler. Özellikle anne babaları en çok kahreden şeylerden biridir böyle çocuklara sahip olmak. Bilen ama konuşmayan, bildiğini göstermeyen. Anne babanın insanları etkileme ihtiyacı, çocuğun bilme ihtiyacıyla çatıştığında anne babalar çocukları hiç yapmamaları gerektiği şekilde zorlamaya başlarlar.

Çocuğumuz, eşimiz, kardeşimiz ya da yanımızda çalışan birini motive etmek istiyorsak onun ihtiyaçlarını doğru tespit etmeliyiz.

3. İnsan ulaşabileceğine inandığı hedefler için çaba gösterir.

İnanmadan başaramazsınız. İnanmadığınız bir şey için çaba harcamak boşa enerji harcamak olacağından hiçbir şey yapmamayı tercih edersiniz.

Doksan kilonun üzerindeyken sıfır beden olmayı istemek mantıklı bir hedef değildir, çünkü inandırıcı değildir.

Asgari ücret kazanırken Ferrari alma hedefi de.

Böyle hayaller kurmanızı öneren kitaplar olduğunu biliyorum ama siz onlara inanmayın.

Koyduğunuz hedefe bütün kalbinizle inanmalısınız.

Motivasyondaki üç temel kuralı özetle söylersek:

*İşi tamamladığınızda neler elde edeceğinizi düşünün, işi yapmazsanız kaybedeceklerinizi değil.

*İhtiyaçlarınızın farkına varın, sizi harekete geçiren şeyi bulun.

*İsteklerinize ulaşabileceğinize inanın ya da inandığınız şeyleri isteyin.

KARARLARIMI UYGULAMA NOKTASINDA YETERLİ İRADEYİ NEDEN GÖSTEREMİYORUM?

İçki ve sigarayı bırakmaya, spor yapmaya, kola içmemeye, ders çalışmaya, daha düzenli olmaya karar veriyorsunuz. Ancak bu kararları uygulamaya koyamıyorsunuz. Yapılması gerekenler gün gibi ortada. Ama irade eksikliği mi, iç disiplin yetersizliği mi, tembellik mi -o her neyse- sizi tutuyor. Bir türlü harekete geçemiyor, üzerinizdeki ataletten kurtulamıyorsanız öncelikle karar türlerimizi daha yakından inceleyelim.

Hayatta üç tür karar vardır.

Birinci gruptakiler, er ya da geç almak zorunda olduğumuzu bildiğimiz kararlardır. Bağımlılıklarımızdan kurtulmamız gerektiğini biliriz. Sigara içmemeli, egzersiz yapmalı, sağlıklı beslenmeliyiz. Hangi kararın makul olduğunu hepimiz biliriz ama yine de ikilemde kalırız. Doğru olanı bildiğimiz halde yesem mi yemesem mi, içsem mi içmesem mi diye nefsimizle irade savaşına gireriz.

Hepimiz neyin doğru neyin yanlış olduğunu bilinç düzeyinde biliriz. Bir öğrenci her gün düzenli ders çalışması gerektiğini bilmediği için mi tembellik yapar? Birisine "Sigara içme kanser olursun" dediğinizde, "Öyle mi? Bilmiyordum" diyerek söndürdüğüne şahit oldunuz mu?

Bilinç düzeyinde bir şeyleri bilmek sorunları çözmek için yeterli olsaydı dünya üzerinde hiç sorun kalmazdı. Uzmanlar her konuda insanları bilgilendirir, tüm sorunlar çözülür ve dünya cennet olurdu. Oysaki insan bilincinin çalışma prensibi öyle basit değildir, bilinçaltımızda karmaşık bazı süreçler işler ve ilk izlenim bilinçaltının o konuya ait bilgiyi depolamasında çok önemli rol oynar. Bilinçaltımız ilk izlenime göre öğrendiğinden, bilinç ve bilinçaltının sesi uyumlu olmadığı sürece davranışımızda değişiklik meydana gelmez. Sağlıklı olduğunu bildiğimiz kararları alamayız, alsak bile sözde kalırlar. Uygulamaya koyamayız.

Bilinçli zihin, bir dilim pasta karşısında şöyle der: "Bu çok kalorili, bunu yersen şişmanlarsın."

Gücünü kişisel tarihimizden alan bilinçaltı ise şöyle der: "Çok lezzetli görünüyor. Yumuşak kremasının ağzımda bıraktığı tadı hissetmek çok zevkli."

Bilinçli zihin size sigaranın tüm zararlarını bir çırpıda sayar: "Yine ağzın kokacak, dişlerin sararıyor, daha yeni banyo yaptın ve koku saçlarına sinecek, böyle giderse kanser olacaksın."

Bilinçaltı zihin ise size, sigara içtiğinde sakinleşeceğini, iyi hissedeceğini, bunun çok zevkli olduğunu söyler.

Çocukken pasta ne ifade ediyordu sizin için? Peki ya ilk sigara içtiğinizde ne hissetmiştiniz? Büyümüş gibi mi olmuştunuz, yoksa bu sayede arkadaş ortamında kabul mü görmüştünüz?

Anlam çok derinlerde yatar. Çok eskide ve daha ziyade o konuyla ilgili ilk izlenimde. Daha derin seviyede bir farkındalık düzeyine ve içgörüye ulaşmadığımız sürece hayatınızı ileriye taşıyacak kararlar almanız mümkün değildir.

Tüm bunlarla beraber insan davranışının birincil motivasyonunu şu ilkeyle açıklayabiliriz: İnsanoğlu acıdan kaçar ve zevke yönelir. Bu insan davranışlarının tümünün temel çıkış noktasıdır.

Tüm insan davranışlarını bu ilkeye göre açıklamak mümkündür. Bunun anlamı yine daha derin düzeydeki kavrayışımızı içerir. Değiştirmek istediğimiz davranış ne olursa olsun değişimin bize zevk vereceğine derinden inanmak zorundayız. Sigara içmediğimizde, düzenli olduğumuzda, kitap okuduğumuzda, ders çalıştığımızda, sağlıklı beslendiğimizde mutlaka bir haz kaynağı bulmak zorundayız. "Spor yapmak işkencedir" kavrayışını bilinçaltı düzeyde bozmadan spor yapma alışkanlığını kazanmak mümkün değildir.

Bilinçaltı düzeydeki değişimleri yapmak için bir uzmandan yardım alabilirsiniz.

İkinci grupta yer alan kararlar ve kararsızlıklarımız, bizim için önemli sonuçlar doğurabilecek konuları içerir. Hayatımız için önemli kavşak noktaları vardır ve bu kavşak noktalarında herkes tarafından kabul gören trafik işaretleri yoktur. Doğrunun ne olduğuna dair çelişkiler tarafından tüketildiğimizi hissederiz.

Bu konular hakkında genelde her kafadan bir ses çıkar. Kime sorsak farklı bir cevap alırız. Bu konuda bize yardımcı olmaya çalışan insanlar, kendi dünya görüşleri ve kişisel değer yargıları çerçevesinde önerilerde bulunurlar.

Ebru üniversiteyi bitirmiş ve master yapmak üzere Amerika'ya gitmeye karar vermişti. Her şeyi hazırlamış, iyi bir üniversitenin master programına kaydolmuş, gitmek için gün sayarken hiç beklemediği bir haberle dünyası tepetaklak olmuştu. Annesi geçirdiği trafik kazasında hayatını kaybetmişti.

Ebru üç kardeşin en büyüğüydü. Kız kardeşi üniversite sınavlarına, en küçük erkek kardeşi ise lise sınavlarına hazırlanıyordu. Ebru bir yanda ailesi, diğer yanda gelecek hayalleri arasına sıkışmıştı. Annesinin ölümünü takip eden bir yılı kardeşleriyle ilgilenmekle geçirmişti. Hâlâ Amerika'ya gidebilirdi, şansı devam ediyordu. Ama o giderse kardeşlerine ne olacaktı, babası zaten çok yoğun çalışmaktaydı. Bu yüzden Ebru bir yıl boyunca evin annesi rolünü üstlenmeyi tercih etti. Sonrasında kız kardeşinin İstanbul'da bir üniversiteyi kazanmasıyla o da kardeşiyle beraber İstanbul'a gitmeye ve orada yüksek lisansa başlamaya karar verdi. Küçük kardeşi ise ikinci evliliğini yapan babası ve üvey annesiyle yaşamaya başlamıştı.

Ebru şu an otuzlu yaşlarında, evli ve bir çocuğu var. Turizm alanında yüksek lisanslı bir yönetici. İyi bir işe, mutlu bir evliliğe, sağlıklı bir çocuğa sahip. Ancak hâlâ geçmişe dair kararını sorgulayarak acı çekiyor. "Amerika'da master yapsaydım şu an daha iyi bir konumda olurdum, maaşım daha iyi olurdu ve daha başka kapılar açılırdı önümde" diyor. Ebru'nun aklı, işaretlemediği seçenekte takılı kalmış durumda.

Bir karar vermek, iyi ya da kötü bir yola girmek demektir ama aklımız her zaman geçemediğimiz diğer yollarda kalır. Acaba diğer yoldan gitseydim nasıl olurdu sorusu kafamızı karıştırır.

Muhtemelen Ebru Amerika'ya gitseydi, bu sefer de kardeşlerine dair görevini yerine getirememeninnın suçluğunu duyacak, onların yaşadığı her sorunda, "Acaba ben burada kalsaydım başka türlü olur muydu?" diye düşünecekti.

Acaba Ali'yle değil de Veli'yle evlenseydim daha mı mutlu olurdum?

Tıp yerine mühendislik yazsaydım daha mı iyi yapardım?

Yirmi yaşında değil de otuzumdan sonra evlenseydim daha mı sağlıklı kalırdım?

Keşke bir çocuk daha doğursaydım.

Emekli olup Antalya'ya yerleşmekle iyi mi yaptık? Çocukların başında kalıp torunları mı büyütseydik?

İnsanın aklı seçmediklerinde kalır. Önemli olan seçim yapabilmenizdir.. İyi ya da kötü bir karar verdiğinizde yaşamınızı ileriye taşırsınız. Seçmediğiniz yolda neler olabileceği ise hiçbir zaman bilinemeyecek muammalar olarak kalır ve bu son derece insani bir durumdur.

Üçüncü grup karar ve kararsızlıklarımız "karar verememe sorunu" kılığında karşımıza çıkan ve esas olarak daha derin problemlerin varlığına işaret eden, ufak tefek, zaman çalıcı, kafa şişirici, nitelik itibariyle küçük ama zihnimizde işgal ettikleri yer bakımından oldukça büyük, önemsizliğini ve saçmalığını bildiğimiz konulardan oluşur.

On beş yıllık yoğun çalışma hayatı sonunda, otuzlu yaşlarının ortalarında evlenip arka arkaya iki çocuk sahibi olan danışanım Hülya Hanım, çocuk bakıcısı konusunda ne yapacağıyla ilgili olarak danışmanlık hizmeti almak üzere başvurmuştu. İlk çocuğu dünyaya geldikten sonra çalışma hayatını bırakmış, yaşı ilerlediği için hemen ikinci çocuğuna hamile kalmıştı. Çocuklarından biri dört aylıktı, diğeri ise iki yaşındaydı. Eşinin maddi durumu çok iyiydi ve artık aynı çalışma temposuna dönmeyi düşünmüyordu. Ne mutlu ki buna ihtiyacı da yoktu.

Evinde iki tane bakıcısı vardı. Biri çocuklara bakma görevini yürüten yatılı yardımcısı, diğeri her gün gidip gelen ve daha çok temizlik işlerine bakan yardımcı kadın. Bakıcı ve temizlikçiyle ilgili problemler Hülya'nın neredeyse bütün hayatını kaplamıştı. Bu sorun onun kafasında öyle büyümüştü ki onu bir psikologdan yardım almaya kadar getirmişti.

Seansın başından sonuna kadar konu dönüp dolaşıp bakıcı sorununa geliyordu. Bakıcının geç kalması, çocuğu ağlatması, daha önceki bakıcının dil sorunu, ondan öncekinin para problemi, bir diğerinin hijyen sıkıntısı... İki yıl içinde toplam altı bakıcı ve dört temizlikçi değiştirmiş, bir türlü aradığını bulamamıştı. Bakıcı problemi çok büyüktü ve şu an yine kararsızdı. Yeni bir bakıcı adayıyla görüşmeye başlamıştı ve ona kararını bildirmek için sadece iki günü vardı. Bu arada evdeki mevcut bakıcının davranışlarında ciddi bir iyileşme vardı. Acaba bu iyilik halleri geçici miydi, kalıcı mıydı? Acaba bu bakıcıyı da işten çıkarmalı mıydı? Ya yeni bakıcıyla aynı sorunları yaşarsaydı?

Bakıcı problemi elbette ki önemli bir problemdir. Özellikle de çalışan anneler, çocuklarını emanet edecekleri kişinin seçiminde çok dikkatli olmalıdırlar. Ancak kişi ev hanımı olmasına rağmen bakıcı problemi bu kadar büyük bir krize dönüşüyorsa, sorunun daha derinlemesine irdelenmesi gerekir.

Nitekim Hülya'yla yaptığımız çalışmada da böyle oldu. Hülya bakıcısız kalmaktan çok korkuyordu. "Nasıl olsa evdesiniz, bir süre bakıcınız olmasa ne olur?" diye sorduğumda şaşırmıştı ve ne cevap vereceğini bilememişti.

Çocukların bakımı dışında yapacak bir işi yoktu. Temizlik işlerini de bir başkası yapıyordu. Hülya'nın kafasının içini dolduran bu sorun aslında onu daha derin bir kimlik sorunundan koruyordu.

Başvuru formunda mesleği bölümüne bankacı yazmıştı. "Şu an bankacı mısın?" diye sorduğumda "Hayır" diye cevap verdi. "Peki bir daha bankacılık yapmayı düşünüyor musun?" diye sorduğumda "Kesinlikle hayır" dedi.

"Peki o zaman bu forma ne yazman gerekiyor, sen şu anda ne iş yapıyorsun?" sorusuna verdiği "Ev hanımıyım" cevabından çok utandığı belli oluyordu.

Hülya ciddi bir kimlik sorunu yaşıyordu ve kırk yaşına doğru yaklaşırken hâlâ kim olduğunu tanımlayamamak ona ağır geliyordu.

Üniversite mezunu, eski banka yöneticisi Hülya Hanım şimdi ev hanımıydı. Ama yeni kimliğine uyum sağlayamadığı için hâlâ banka müdürü bir kadına ait krizler yaşıyordu. Bakıcı konusunda yaşadığı kararsızlık, hâlâ günde on saat çalışmak zorunda olan ve çocuğunu bakıcıya emanet etmesi gereken, çocuğu yalnız bırakmasının getirdiği kaygıyı yaşayan bir bankacı kadının yaşadığı türdendi.

Hülya önce kendi kimliğini yeniden tanımladı. Üniversite mezunu, iki çocuklu bir ev hanımıydı. Patron oydu, bakıcıya mecbur değildi ama bakıcı ona mecburdu.

Sonra bir tercih yaptığının farkına vardı. Evlenmek, işi bırakmak ve iki çocuk doğurmak onun tercihiydi. Ev hanımı olmak başarısızlık değil, sadece özgür tercihiydi. Kendisini ezik ya da yetersiz hissetmesine gerek yoktu, sadece karar vermişti. Kararlarının özgür tercihler olduğunu fark eden Hülya, bakıcı konusundaki ikilemlerine böylece noktayı koydu.

GİZLİ BEDELLER VE DÖNGÜLER

Almadan vermek Allah'a mahsustur. Bizler bu dünyada sahip olduğumuz maddi ya da manevi her şey için bir bedel ödemek zorundayız.

Maddi dünyada her şey kolay ve anlaşılırdır. Bir pantolon aldım fiyatı şu kadar dediğimde her şey açık ve nettir. İşler "al gülüm ver gülüm" şeklinde yürür, etikete bakar işimize gelirse satın alır, gelmezse yerine bırakırız.

Ancak buradaki sıkıntı, ilişkiler söz konusu olduğunda ne aldıklarımızın ne de verdiklerimizin değerini belirleyen bir ölçünün olmayışıdır. İlişkilerimiz ilerliyor gibi görünse de hâlâ aynı kısır döngülerde yaşadığımızı yıllar sonra anlarız. Sürekli başa sardığımızı şaşkınlıkla fark ederiz.

Sahip olduklarımız için ödediğimiz bedelin ne olduğunu fark etmediğimizde döngüye girmek kolaylaşır. Elimizdeki her şey için az ya da çok bir bedel öderiz. Bu bedelin ne olduğunu bilirsek hayatımızın kontrolünü elimizde tutarız. Gizli bedeller farkına varmadan ödediğimiz, kontrolümüz dışında bizden gidenlerdir. Elde edilen fayda öyle rahatlatıcıdır ki onu kaybetmemek için biraz da gözümüzü yumarız ve sorgulamayız. Yani işimize gelir. Görmezden gelince sanki o bedeli ödemiyoruzdur.

İlişki kötü gittiğinde hemen bir suçlu taraf aramaya meyilli olsak da ilişkilerde suçlu yoktur ama döngüler vardır. Problem yumağı durumlar iki tarafın da eşit ya da eşit olmayan katılımıyla oluşur.

Döngülerin belirleyici özellikleri şunlardır:

- İki taraf da haklı olduğuna inanır.

- İki taraf da mükemmel olduğunu düşünür.

- İki taraf da birbirini suçlar, çok verdiğini ama hiçbir şey alamadığını düşünür.

- Dışarıdan dinleyen kulak, kimi dinlerse onu haklı bulur.

- Uzlaşmayla sonlanamayan, sanki sonsuzluğa giden iki paralel çizgi gibi devam eden kavgalar edilir. Zaten çiftlerin uzlaşmadan anladıkları, diğerini kendi tarafına çekmek, haklılığını onaylatmaktır.

Bir ilişkide bebek sahibi olmak da dahil, oluşan her yeni durum, yeni duruma uyum süreci başarıyla tamamlanmazsa, çiftin döngüye girmesine sebep olabilir. Size on yıldır beraber olan Gözde ve Adem çiftinin döngüsünden bahsedeceğim. Son derece mutlu ve doyumlu bir ilişkiye sahip olan Gözde ve Adem'in döngüsü, Gözde'nin hamile kalmasıyla başlamıştı.

Torunları olacağını öğrenen Gözde'nin ailesi aldıkları haber karşısında çok mutlu olmuş ve kızlarının yaşadığı şehre taşınmıştı. Gözde'ye ve Adem'e "Çocuklar, size yakın olalım ki bebek bakımında size yardımcı olabilelim. İkiniz de çalışıyorsunuz, yakın olursak hem bebek her zaman sürüklenmez hem de biz" dediler ve aynı apartmandan altlı üstlü iki daire satın aldılar.

Başlangıçta her ikisi de halinden memnundu. Çünkü artık kira vermiyorlardı. Çocuk için de bakıcı parası vermemeleri onları rahatlatmıştı. Gözde'nin anne babası son derece verici, evlatları için her tür fedakarlığı yapan insanlardı. Onlarla aynı apartmana taşındıklarından beri mutfak masrafları da çok azalmıştı çünkü Gözde'nin annesi fazlaca yemek yapıyordu.

Artık bir evleri vardı, çocukları emin ellerde bakılıyordu, eve geldiklerinde sıcak yemek buluyorlardı. On yıldır ailelerden uzak, iki kişilik dengeli bir ilişkinin üzerine gelen bir bebek bile ilişkideki dengeleri bozmak için yeterliyken, şu anda kalabalık bir aile olmuşlardı.

İlişkide bozulan dengeler sonucu önce Adem değişmeye başladı. O sıcak ilgili adam gitmiş, yerine Gözde'nin tabiriyle domuz gibi bir adam gelmiş, cinsel hayatları da bitme noktasına yaklaşmıştı. Adem eve geliyor, hiç konuşmuyor, bilgisayarı açıp oyun oynuyor, film seyrediyor ve yatıyordu.

Bu durum Adem'in işyerindeki performansına da yansımış ve Adem çocuk doğduktan bir yıl sonra işsiz kalmıştı. Üç ay içinde tekrar iş buldu ama bu sefer de eski maaşının ancak yarısını alabiliyordu. Bu arada Gözde de işten ayrılmıştı ve ekonomik dengeler altüst olmuştu. Gözde'nin ailesi bu durumu dert etmiyor, kızlarını maddi olarak da destekliyordu.. Bebeğin bez parasından, yeri geldiğinde elektrik faturalarına kadar masrafları Gözde'nin ailesi karşılar olmuştu. Adem'in kazancı sadece Adem'e yetiyordu.

Gözde şöyle şikayet ediyordu: "Benim kocam tembel, yeterince çalışmıyor. Hem bana hem de çocuğumuza karşı ilgisiz. Aileme karşı da hiç iyi davranmıyor. Kötü bir şey yapmıyor ama hep bir karış suratla geziyor. Sigara, kahve, bilgisayar, televizyon dışında bir hayatı yok. Çocukla da ilgilenmiyor, geçen gün eve geldiğinde çocuk babasının yanına gitti sarılmak için. Ama Adem çocuğa öyle bir bağırdı ki, çocuk korkup ağlamaya başladı. Ben de Adem'e bağırdım, ne yapmaya çalışıyorsun diye. En son altı ay önce beraber olmuştuk. Bu böyle olmaz, benim de ihtiyaçlarım var diyorum ama oralı değil. Ben artık bu adamdan boşanmak istiyorum."

Adem şöyle diyordu: "Gözde'nin annesi ve babası hayatımızın içine girdiğinden beri sanki ben o evde yokum. Evin erkeği ben miyim, babası mı belli değil. Gözde'nin ailesi her şeyimize karışıyor. Karım benimle hiç ilgilenmiyor, varsa yoksa annesi babası. Akşam eve geldiğimde o kadar yorgun oluyorum ki... Ama kimsenin beni anladığı yok. Gözde sürekli baskı yapıyor. Hadi gülsene, hadi konuşsana, çocukla ilgilensene deyip duruyor. Nasıl konuşayım, nasıl güleyim? Eve geldiğimde çoğu zaman hoş geldin bile demiyor. Ama eve annesi babası gelse öyle değil, onlarla çok mutlu. İşten eve döner dönmez çocuğu elime veriyorlar. Neymiş, çocuk babasını özlemiş. Yahu bir müsaade edin, işten geldim; karnımı doyurayım, nefes alayım, dinleneyim, ayağımı uzatayım. Ama yok, önüme bir tabak yemek koyan kimse yok. Herkes çocukla meşgul. Annesi, yengesi, eşim, üç tane kadın bir çocuğa bakamıyorlar mı? Beni mi bekliyor bu çocuk?"

İki taraf da anne babanın sağladığı konfor için bedel ödüyorlar. Ancak bu bedeli tanımlayamıyorlar. Adem, evin erkeği rolünü Gözde'nin babasına kaptırmış. Eşi ve çocuğuyla ilgili tüm sorumluluklardan kurtulmasının karşılığında evdeki statüsünü devretmiş durumda.

Gözde de mal ve paranın karşılığını hizmet ve ilgi olarak ödüyor. Kocasına ve çocuğuna göstermesi gereken ilgi, sevgi ve sabrı, gün içinde anne babasıyla tüketiyor. Akşama o kadar yorgun oluyor ki kocasından ilgi bekliyor. Elbette bu adil olmayan bir takas.

Burada şu soruyu çiftler kendilerine sormalılar. Bu konfor bize piyangodan çıkmadı, birileri tarafından bize sunuluyor. O birileri anne baba bile olsa fark etmez. Bize bunu ne karşılığında sunuyorlar?

Kira vermeden oturduğumuz bu ev için ne bedel ödeyeceğiz?

İstediğimiz her an çocuğu bırakacak birinin olmasının bedeli nedir?

Eğer bebek değilsek, anne babamız bile bunları karşılıksız

vermez ama karşılık beklemediklerini söylerler. Buradaki bedel gizlidir ve ödenen gizli bedelleri açığa çıkarıp farkına varamadığınızda sebebini bilemediğimiz bir huzursuzluk içinizi kaplar.

Takas Kuramı

Takas kuramı sosyal psikolojinin önemli kuramlarından biridir. Bu kurama göre "sosyal hayat, ilişki türü ne olursa olsun bir tür verme-alma veya satın alma-satma süreci" olarak düşünülebilir. Sosyal ilişkiler adeta bir pazar yeri gibi işler.

Böyle bir nitelendirmeyi biraz bayağı ve fazla mekanik bulabilirsiniz ama durum ne yazık ki böyledir. Tabii ki konuya böyle bakınca kendimizi karşımızdaki insanın duygularını ya da emeğini satın aldığımızı düşünürken bulabiliriz ve bu durumdan hiç hoşlanmayız.

İnsanlar ilişkilerinde acıyı en az, zevki en yüksek seviyede hissedecekleri stratejiler belirler. İlişki, her iki taraf da zevk aldığı ve çıkarları korunduğu sürece uyum içinde ilerler. Alıp verme dengeleri kurulmadığında ilişkide uyum bozulur. Taraflardan birini mağdur eden, istismar üzerine kurulu bir ilişkide istismar edilen taraf bunu er geç anlayacak ve kendi kişilik yapısına uygun bir tepki verecektir.

Hepimiz birtakım kaynaklara sahibiz. İnsanın temel kaynakları; para, bilgi, mal, hizmet, sevgi ve statüdür. Tüm insani ilişkilerde sahip olduğumuz bu kaynakları diğeriyle takas ederiz.

Alıp verdiğimiz şeyler hem önem hem miktar hem de tür bakımından birbirine denk olmalıdır. Birisinin zor gününde yanında olduysak onun da bizim zor günümüzde yanımızda olmasını bekleriz. Bir arkadaşımıza, taşınırken yardım ettiysek, biz taşınırken o da bize yardım etmelidir.

Bir tanıdığım, kız kardeşi taşınırken ona yardım etmişti, kız kardeşinin bel fıtığı vardı. Arkadaşım gitti, evini temizledi, yerleştirdi. Bir hafta yanında kaldı, yerleşmesine yardım etti. Sonra yaşadığı şehre döndü. Çantasının gizli bölmesinde bir haftalık yevmiye ücretine denk bir para gördüğünde kendisini hizmetçi gibi hissetti.

Eğer karşınızdaki kişi avukat, psikolog, öğretmen gibi, emeğini ya da zamanını satan bir profesyonel değilse, sizin için yaptıkları karşılığında ona para vermeniz onun için yaralayıcı olabilir. Ama bir avukata danışıyorsanız ve ondan bilgi alıyorsanız "Siz harika bir avukatsınız, beni büyük bir dertten kurtardınız demek" olmaz. Avukata para ödemeniz gerekir.

Aşk veriyorsak, aynı büyüklükte aşk istememiz doğaldır.

Özellikle maddi kaynaklarımızı diğerlerini yönetmek, onlara hükmetmek için kullanmamız ya da insanlara ihtiyaç duydukları zamanlarda yardıma koşup sonra onlardan farklı beklentiler içine girmemiz ahlaklı bir davranış değildir.

Kaynakların takasıyla ilgili olarak ilişkinin türü de önemli bir belirleyicidir. İki kardeş ya da iki arkadaş arasında benzer kaynakların takas edilmesi uygundur. "Sizin evde yiyelim içelim, bizim evde gülelim oynayalım" sözündeki gibi tesis edilen bir ilişki uzun süre yürümez. Zaman ya da bilgimizi kullanarak maddesel yönü olmayan bir iyilik yaptığımızda, karşılık olarak teşekkür ve önemli bir iş becerdiğimize dair güzel sözler duymak isteriz. Mesela arkadaşınızın bir kargo göndermesi gerekiyor ancak işten izin alıp çıkamıyor. Siz müsait olduğunuz için onun işini hallettiniz. Arkadaşınızın size teşekkür edip "Sen olmasaydın kargoyu zamanında yetiştiremezdim" demesi yeterlidir.

Yenilen yemeğin hesabını ödemek gibi maddesel yönü olan bir iyilik yaptıysanız, başka bir seferki yemekte hesabı arkadaşınızın ödemesini beklersiniz. Bütün hesapları siz öderken arkadaşınızın karşınıza geçip "Sen çok iyi bir dostsun, iyi ki varsın" demesi sizi tatmin etmeyecektir.

Aşk ilişkilerinde cinsiyet rollerinin oluşturduğu simetrik bir takas vardır. Kadınlar ilişkiye özel oluş düzeyleri yüksek kaynaklarla katılırken, erkekler maddesel düzeyi yüksek kaynaklarla katılırlar.

Alıp verme dengeleri bir ilişkinin temelidir. İnsanları, size verdikleri şey ne ise, aynı türde bir kaynakla ödüllendirin. Doğru kaynak, doğru miktarda, doğru kimseden gelmediğinde; yani adil takas biçimleri geliştirilmediğinde toplumun varlığını ilgilendiren sorunlar oluşur.

Tüm kaynaklar aynı zamanda enerjidir. Para da, sevgi de, emek de, bilgi de. Bunlardan biri size geldiğinde, sizden de bir şey çıkmak zorundadır. Sadece siz bilinçli olun ve sizden eksilen şeyin ne olduğunu bilin. Bilin ki sonra yolda cüzdanınızı çarptırmış birine dönmeyin. Bilinçli şekilde veren siz olun.

* * *

Mükemmel yol, bedelsiz seçim yoktur. Seçtiğiniz her yol için bedel ödersiniz. Her yolun kendi içinde iyi kötü tarafları vardır. Ancak biz bir seçim yapıp bir yola girince o yolda hiçbir engel istemeyiz. Seçim yapmamız gereken durumlarda bu nedenle sıkıntı yaşarız. "Yanlış bir adam seçmişim", "Yanlış meslek seçmişim..." Her yolun zorlu kilometreleri var. Bazı yolda üç beş, bazısında sekiz on arası. Karşılaştığımız ilk engelde geri dönmeye ya da kestirmeden çıkış umudu sunan başka yollar bulmaya çalışmamız bu yüzden.

İlişkinizin türü ne olursa olsun size sağlanan her tür konforun bedeli vardır. Güçlü bir iş kadını ya da vasat bir ev kadını olmak. Çocuk yapmamak ya da üç çocuk yapmak. Memur ya da esnaf olmak. Bunu kafanızda oturtursanız, hiç kimseye özenmezsiniz. Bilirsiniz ki onlar da sahip oldukları her şey için bedel ödüyorlar. Daha hızlı olursunuz, nasıl olsa her kararın sonucunda katlanılması gereken bir şeylerin var olduğunun bilincindesinizdir.

İlişkiler bozuluyor çünkü kendimizde çok fazla hak görüyoruz. Hep istiyoruz, her şeyi istiyoruz. Çünkü bize her şeyin en iyisini hak ettiğimizi söyleyip duruyorlar. Yapılanları görmüyoruz, sanki aldıklarımız en doğal hakkımız. Çok az şey vermek, çok fazla şey almak istiyoruz. Altmış metrekare, kötü cepheli zemin daire parasıyla boğaz manzaralı villada oturamazsınız. Bununla ilgili çok güzel bir söz var kültürümüzde, durumu özetliyor aslında:

"Hem cam kenarı, hem şoför arkası hem beş kuruş olsun, giderken Gebze'de halamlara da uğrasın."

Aldıklarımızı değersizleştirirken verdiklerimizi yüceltiyoruz. Mutluluğu ucuza kapatmaya çalışıyoruz, hak yiyen pazarlıklar yapıyoruz. Egolarımız şişkin, beklentilerimiz yüksek. Hepsinin temelinde çok eskiden beri biriken karşılanmamış ihtiyaçlarımız ve bu ihtiyaçları karşılayacak biri olduğuna, o kişinin bizim için doğru insan olduğuna dair çarpık inancımız var.

Özetle...

- Gerçekçi beklentiler oluşturun, insanlara beklenti yüklemeyin.

- Kimseyi ihtiyaçlarınızın nesnesi haline getirmeyin.

- Size verileni değerlendirirken ölçütünüz, içinizdeki ihtiyacı giderip gidermediği olmasın. Karşınızdaki sizin içinizdeki boşluğu ne bilebilir ne de doldurabilir.

- Size verileni hakkaniyetli bir şekilde değerlendirin. O kişiyi kendi mecrasında görün. Onun elinden geleni yaparak verdikleri, sizin dişinizin kovuğuna yetmiyorsa ona yüklenmeyin.

COŞKU

İçinde coşkuyu barındırmayan bir ilişkide, birbirinize dünyaları verseniz de mutluluğu yakalayamazsınız. Bir şeylerin hep eksik kaldığını, hayatınızın tatsız, yavan olduğunu hissedersiniz.

İlişkilerinin mayasında coşku olmayan çiftler, yatak odaları dışında tek başlarına kalmak istemezler. Çünkü iki taraf da birbirini besleyemez. Yanlarında hep başka insanların bulunmasına ihtiyaç duyarlar. Hafta sonlarını, yıllık izinlerini, yılbaşı, bayram gibi tüm tatillerini, hep başka insanları da katarak programlarlar.

Birileri gelsin ya da birilerine gidelim isterler. Akşamları da yalnız kalamazlar, sıkılırlar. Televizyon seyreder, bilgisayarlarını kucaklarlar ama akşamların yavanlığının önüne geçemezler.

Bir danışanım şöyle demişti: "Eşim benimleyken çok sıkılıyor ama bazı arkadaşları var ki onların yanında çok mutlu, ben eşimle yalnız kalmak istiyorum ama o her programımıza birilerini dahil ediyor."

Ona dedim ki: "Sen eşinin enerjisinden besleniyorsun. Ama o senden beslenemiyor. Hayatında coşku eksik. Sen de yaşamına coşkuyu katarsan, eşin başka insanlara ihtiyaç duymaz."

Coşku bulaşıcı bir duygudur. Bir taraf coşkuluysa o ilişkideki diğeri ya da diğerleri de coşku seline kapılırlar. Hevesi kaçmış yaşamların içinde coşku kendine yer bulamaz. Yaşam coşkumuz merak, heves, üretme, keşfetme arzusuyla beslenir. Zaman ister, emek ister üreyebilmek için. Umudunu kaybetmiş, hayattan beklentisi kalmamış, hayal gücünü yitirmiş, kötümser ve sözde ağırbaşlı kimselerin yüreklerine uğramaz.

Tutkuyla bağlı olduklarımız yüreğimize coşkuyu taşır. Tutkularımız elimizden alındığında ya da biz huzur için tutkularımızdan vazgeçtiğimizde, huzurdan çok daha fazla ihtiyaç duyduğumuz bir duygu olan coşkuyu kaybederiz.

Yaşam coşkusunun yarattığı enerji öyledir ki, diğerlerini mıknatıs gibi kendimize çekmemizi sağlar. Diğerleri bu enerjiyle beslenirler. Böyle insanların sanki diğerleri üzerinde büyülü bir etkisi vardır, onlardan kopmak zordur. Kendinizi tam anlamıyla doymuş hissedersiniz.

Ancak yarattığınız pozitif duygularla siz hep diğerlerini besliyorsanız, bir süre sonra bu durumdan yorulup sıkılmaya başlarsınız.

Kendi enerji alanını kaybetmiş ve sürekli bizim yaşam enerjimizden beslenen biri, dünyanın en iyi insanı bile olsa, bir süre sonra bize asalak gibi gelmeye başlar. Onu adeta sülük ya da sırtımızdaki kambur gibi görürüz.

Mutlu bir ilişki için dünyanın en iyi insanı olmak yetmez. Kendi yüreğimizle bağlantımızı koparmadan, hayallerimizin peşinde koşmalıyız. Hayaller ve umutlu bekleyişler enerjimizi şarj eder.

Bağımlı kimselere bu nedenle çekiliriz. Sonuçta bu insanların kötü de olsa yüreklerini ateşleyen tutkuları vardır. Zengin olma hevesiyle riskli işlere giren, sürekli para batıran adamları terk edemeyen, hatta kendi paralarını da onlara veren kadınlar tanıyorum. Alkolik, kumarbaz bir adamı terk edemeyen kadınlar bağımlı birine bağımlı olmuşlardır. Daha doğrusu bu insanlar, onların saçma sapan da olsa var olan tutkularının ateşine muhtaçtırlar.

Bağımlı bir ilişkinin içine düşmüş durumdaysanız ve kurtulmak istiyorsanız, kendi tutkularınızı bulup onları harekete geçirmelisiniz. Aksi takdirde tutkuları, hırsları ya da bağımlılıkları olan diğerini, kendinizi besleyebilmek için sürekli mutlu etmeye çalışırsınız. Onun kendine ait dünyasını yaratmasına hizmet ederken kendi yaşam ışığınızı, rotanızı kaybedersiniz.

İnandığımızda ve inandığımız şeyin peşinde koştuğumuzda, diğerlerinin de faydalanmak istediği bir ışık yayarız. İnanan tüm kalplerin içinde o inancın gerçek olacağına dair umut ve gerçek olacağı günün iple çekildiği hayaller vardır.

Tabii ki her yürek bir gün ümitsizlik çukuruna düşer. Her yüreğin coşkusunu yitirdiği zamanlar olur. Hayatımızı paylaştığımız diğerlerine en çok bu anlarda ihtiyaç duyarız. Elektriklerimiz kesilmiştir ve diğerinin ışığıyla aydınlanmayı umarız. Ama o diğeri, bizde hep ışık olduğunu ve olacağını varsayarak kendi şalterlerini kapatmış ve hatta aboneliğini bile iptal ettirmiş olabilir. İşte o zaman iki kişi birden karanlıkta kalırız ve içine düştüğümüz karanlıkta öfkelenmeye, etrafı kırıp dökmeye başlarız. Karşımızdaki dünyanın en iyi insanı bile olsa, enerji üretemediğimiz durumlarda el feneriyle dahi bize ışık tutamazsa, gözümüz onun iyiliğini görmez olur, iyiliğinin önemi kalmaz. Çünkü onun yüzünden karanlıkta olduğumuzu düşünürüz. Dilimizin kemiği yoktur, sayar dökeriz. Dışarıdan bakanlar bizi dengesiz biriymiş gibi görür. İyiyken çok iyi olduğumuzu ama kötüyken hiç çekilmediğimizi söylerler. İyi zamanlarımız uğruna bize katlanıyor gibilerdir. Karanlıkta geçen zamanlarda bol miktarda çıldırmış hissederiz. Yüreği coşku üretmeye alışmış bir insan kısa süre sonra yeniden, yeni tutkularla enerji üretmeye başlar. Herkes huzur bulur. Ta ki ilişkiye dinamo görevi yapan kişide yeni bir kesinti olana kadar.

Bu durum diğerinin doymak için sürekli bizim pişirdiğimiz yemeklere ihtiyacı olması gibidir. Yemek yapamadığımız bir gün geldiğinde diğeri bize bir lokma ekmek bile sağlayamıyordur. Kimse sürekli evde yemek pişirip misafir ağırlamaktan mutlu olmaz. Kimse buna sürekli dayanamaz. Bazen ben pişirmeliyim bazen sen, bazen komşudan gelen yemekle, bazen arkadaşın davetiyle doyabilirim. Üretme görevini sırayla paylaşmalıyız. Yoksa en sevdiklerimiz bile bize ağır gelmeye başlar. Adını koyamadığımız, sebebini bilemediğimiz bir yorgunluk ve tükenmişlik her yanımızı sarar.

Her şey uygun olsa da coşkunun olmadığı yerde yüreğiniz atmıyor gibidir. Yaşadığınızı hissedemezsiniz. Gülersiniz, eğlenirsiniz ama adını koyamadığınız bir şey hep eksik kalır.

Birbirimizden beslenmeye ihtiyacımız var. Ortak hayaller yanında bireysel hayallere, bırakmaya değil inanmaya ihtiyacımız var.

Coşku; ekmek gibi, su gibi ihtiyaç duyduğumuz, enerji kaynağımız olan bir duygudur. Coşku mutluluğun mayasıdır. Hayatı anlamlı ve yaşanır kılar.

Çiftlerin her birinin kendine ait bir dünyası olmalı. Paylaşacak bir şeyler üretmeli ve karşılıklı olarak birbirimizi beslemeliyiz.

Bir aşk ilişkisinde taraflardan biri tutkulu bir kalple coşkulu bir hayat sürüyorsa, diğeri de kendi enerji kaynakları kapatıp, ondaki bu enerjiye hayranlıkla bağlanmışsa bağlanan taraf halinden çok memnun, tutkulu taraf da çoğu zaman halinden memnuniyetsiz olacaktır. Şimdi böyle bir çiftin hikayesine bakalım.

* * *

Kadın, on yıldır devam eden evliliklerinde son derece huzursuzdu ve boşanmak istiyordu. Adama soracak olursanız, ilişkilerinde hiçbir sorun yoktu. Dışarıdan bakıldığında ayrılmak için hiçbir neden yok gibiydi, hatta ayrılmayı isteyen kadın bile böyle bir neden bulamamaktan şikayetçiydi: "Bir şey eksik, bir şey ama ne?" deyip duruyordu.

Görünürde her şey çok iyiydi ama kadın, kocasını sırtında kambur gibi görmekten kendini alamıyordu. Önce kafasını kocasının işine taktı. "İşi iyi değil, geliri iyi değil" dedi. Adam bu durumu düzeltti, daha iyi bir işe geçti, gelirini artırdı.

Sonra dedi ki: "Yükselme hırsı yok, kariyeri yok." Adam yükseldi ve müdür oldu.

Sonra dedi ki: "Hobileri yok." Adam hobi edindi, balığa gitmeye başladı.

Kadın sürekli icat çıkarıyor, adam da bu icatlara uyum sağlamaya çalışıyordu. Adamın annesi, işi, kardeşleri, hepsi kadının şikayetlerinden nasibini almıştı. Adam her alanı düzene sokmuş, karısının istediği forma kavuşturmuştu.

Artık her ikisi de ilişki yorgunu olmuşlardı; adam karısını bir türlü memnun edememekten, kadın karşılanan tüm ihtiyaçlarına rağmen bir türlü huzuru bulamamaktan tükenmişti.

Adam yorgundu, çünkü sürekli ondan bir şeyler talep ediliyordu. Ne istediğini, neyi sevdiğini, ne yapmaktan hoşlandığını unutmuştu. Artık her boş saatinde evde oturuyor, oyun oynuyor ya da film seyrediyordu. Karısı bir piknik planladıysa hayır demiyor, filmi kapatıyordu. Birlikte yola çıkıyorlardı. Kadın bir şeyler planlıyor, adam yapıyordu. Kadının arkadaşları bu duruma çok özeniyorlardı. "Ne kadar iyi, ne kadar uyumlu bir kocan var" diyorlardı. Çevresinden bunları duyan kadın, tatminsiz ve huzursuz biri olduğunu düşünüp kendini suçluyordu. Çünkü o da istiyordu ki kocası "Bu hafta olmaz çünkü ben Galatasaray'ın maçına gideceğim" ya da "Yurtdışından bir adam gelmiş, borsa konulu bir konferansa katılacağım" desin. Herkesin istediği bir şeye sahip olup da başkalarının şikayet ettiği şeye özenmek kendisini dengesiz hissetmesine neden oluyordu.

Oysa dengesiz değildi, kocası manevi yükünü tamamen ona bırakmıştı. Üzerimize yıkılan ruhsal ve manevi yükleri tanımlamak gerçekten çok zordur. İçinde coşku ve tutku olmayan yürekler taşınamayacak ama aynı zamanda tarif de edilemeyecek kadar ağırdır.

Kocasının bir dünyası yoktu, sadece ona tabi biri gibi yaşıyordu. Sanki onun siyam ikiziydi ya da ona öyle bağlı bir organizma. Bu korkunç bir durumdu.

* * *

Bazı insanlar coşku yaratmamızı kolaylaştırır. Bu onların kişiliğiyle ilgili değildir. Bunu sağlayan, onların enerji alanlarıyla ve frekanslarıyla uyumlu olmamızdır.

Bazı insanlarsa coşkumuzu emerler, sömürürler. Onlardan kaçarız, olmadıkları yerde daha iyiyizdir.

Bazı ilişkilerde çiftler öyle bir uyum yakalar ki birbirlerini sürekli beslerler. O çiftlerin ışığı hiç sönmez, onlar karanlıkta kalmazlar. Biri düşerse diğeri onu taşır ama kimse kimseyi sırtına binmiş gibi hissetmez.

Çocuklar coşkuyla dolu varlıklardır. İçlerinde bitmeyen bir merak ve soru sorma arzusu vardır. Çocuklar heveslidir, heyecanlıdırlar. Sonrasını düşünmez, hesap yapmazlar. Her yeni deneyim aynı zamanda keşiftir. Yıllar geçer, her şeyi bildiğimizi sandığımız bu dünyada merak etmez oluruz. Hevesimiz kaçmıştır, keşfedilecek bir şey zaten kalmamıştır. Şu saatten sonra Amerika'yı keşfedecek ya da elektriği icat edecek halimiz yoktur ne de olsa.

Şimdi kendinize sorun:

En son ne zaman merak ve heyecanla bir şeyleri beklediniz?

En son ne zaman yeni bir şeyler denediniz?

En son ne zaman yeni bir şey öğrenmeye heves ettiniz?

Kediyi merak öldürmedi. İnsanın başına ne gelirse meraktan gelmedi. Her bir merakın arkasında keşfedilecek bir şeyler vardır. Eğitim, donanım, bilgi ve merak. "Sigaraya meraktan başladım", "Bu kaza, merakım yüzünden başıma geldi" gibi cümleler merak duygusuna negatif anlamlar yüklediğimizin göstergesi. Boş meraklar değil kastettiğim. Merak ve heves, bilgi ve donanımla birleştiğinde peşine düşmeye değer hale gelir. Bizler akıl sahibi varlıklarız. Düşünebiliriz, peşine düştüklerimizin, düşmek istediklerimizin hayatımıza getirisi ne götürüsü ne, bunu hesaplayabiliriz. Heveslerimiz diğerlerini mutlu etmeyebilir. Diğerlerine zarar vermesin, bu yeterlidir. Hayatta her zaman bir yol daha vardır, yeter ki deneyecek cesaretiniz olsun.

İçimizdeki coşkuyu parlatmak için ille de dünyanın seyrini değiştirecek büyük bir şeyler yapmak, icatlar ortaya koymak gerekmez. Coşku çocukların ya da gençlerin tekelinde bir duygu da değildir. Yeter ki içinizdeki seslere kulak verin. Varoluşa bir faydanız olsun, birinin yüzünü güldürün, küçük bir fark yaratın, geçmişten alacaklı olduklarınızı hayatınızdaki insanlardan tahsil etmeye çalışmayın, oluruna bırakın. Günlük yaşamın kaygıları sizi boğmaya çalışsa da yaşama sevincinizi elinizden almalarına, coşkunuzu süpürmelerine izin vermeyin.

Babam, hayatının aşkıyla elli iki yaşında tanıştığını söyler. Çok sıradan gibi görünen ama bir yerden sonra neredeyse yaşama nedeni haline gelen bir tutkusunu keşfetmişti: Balık tutmak.

"Keşke yirmi beş yaşındayken böyle bir zevk olduğunu bilseydim. O zaman her şey başka türlü olabilirdi, hayatım çok başka olurdu" diyen babam bir şeye tutkuyla bağlı olmanın değerini anlamıştı. Şimdi altmış üç yaşında bana bunları anlatırken "Sen sen ol kızım, mutlaka kendin için yaptığın bir şey bul" tavsiyesinde bulunuyordu.

Emekli bir adam ya da üç çocuklu bir ev hanımı olarak her zaman her yaşta başkalarının hayatlarıyla uğraşmayı, karşılıklı bağımlı ilişkileri, insanları kontrol etmeyi bırakabiliriz. Kendi işimize bakmak ve yüreğimizdeki coşkuyu keşfetmek için hiçbir zaman geç değildir.

HER ŞEY İNTERNETTE VARSA UZMANLARIN İŞİ NE?

Eczanelerde pek çok ilaç, mağazalarda yığınla kıyafet, internette sayısız bilgi mevcut. Bilginin bu kadar kolay ve ucuz yoldan ulaşılabilir olmasının hem olumlu hem de olumsuz etkileri var hayatımızda.

Bir yerimiz ağrıyınca, doktordan önce Google'a soruyoruz. Doktor ilaç verince, kullanmaya başlamadan önce yine Google'a soruyoruz.

Bilgilenmek güzel şey ama edindiğimiz her bilgi bizim için geçerli mi, bize uygun mu?

Konu sağlık, diyet, spor, çocuk gelişimi ya da her ne ise uzmanların rolü işte burada başlıyor.

Eczaneye gidip "Bana oradan bir ilaç ver", mağazaya girip "Bana oradan bir kazak ver" demiyoruz. Her ne alıyorsak, önce bize uygun mu diye bakıyoruz.

Nasıl ki en iyi mağazada bile her kıyafet bize uygun değilse, internetteki her bilgi de bize uygun değildir. Başkasının hayatını kurtaran bir ilaç sizin hayatınızı karartabilir.

Gittiğiniz uzman, mesela diyetisyen, belki de sizin internette gördüğünüz ya da bir kitapta okuduğunuz diyet listesini yazdı. Fark şudur. Yüzlerce diyet listesi arasından sizin için en uygun olanını seçmiştir.

Ya da bir psikoloğa gittiniz ve hipnoz yaptırmak istediniz. Çünkü internette hipnozun kilo vermeye yardımcı olduğunu okudunuz. Bilgi tamamen doğru. Hipnoz kilo kontrolünde çok başarılı sonuçlar veriyor. Ama psikolog size hipnoz yapamayacağını söyledi. Çünkü kişilik özelliklerinizin hipnoza uygun olmadığını tespit etti. Her doğru bilgi, her güzel yöntem, herkes için uygun olmaz. O nedenle siz kafanıza göre iş yapmayın, her işin uzmanına danışın.

PİNPON İLETİŞİM

Hazırcevap insanlara hayransanız,

Bildiğiniz konuda bile konuşamıyorsanız,

Kelimeler boğazınızda düğümleniyor ve ağzınızdan bir türlü çıkmıyorsa,

Yerinde ve zamanında tepkiler veremiyorsanız,

En güzel cümleler konuşma bittikten iki saat sonra aklınıza geliyorsa,

İletişimlerinizde yüzünüzde donuk ya da tam tersi gülen bir ifadeyle öylece donakalıyorsanız,

Tüm bunların nedeni iletişim kurma tarzınız olabilir. Bu durumun nedenlerini birlikte inceleyelim.

Pinpon iletişim içindeki kişi şöyle düşünür: "Eğer ben şimdi ona böyle söylersem, o da bunu ya da bunu hisseder. Eğer böyle hissederse, bana bunu söyler ve o bana bunu söylerse, ben de ona bunu ya da bunu diyebilirim."

Birileri bizi her an yaralayacak diye düşündüğümüzde iletişim boyunca odağımız kendimizde olur. Her an "Şimdi kim ne söyleyecek ve ben ne diyeceğim?" diye düşünürüz. O ne derse ben ne derim, ben ne dersem o ne yapar diye düşünmek yorucu ama amacı olan bir iştir. Buradaki tek amaç iletişimden yara almadan kurtulmaktır. O zaman da iletişim akmaz. Biz öylece dururken konu nasıl aksın ki?

Bir sohbet ortamında ya da önemli bir iş toplantısında bu sorunu yaşayabilirsiniz. Çok şey söylemek istemek ama hiçbir şey söyleyememek, bildiğini unutmak ya da söylemeye cesaret edene kadar konunun kapanması, yöneltilen sorular karşısında kilitlenmek, donup kalmak bunu yaşayan kişi için acı verici bir deneyimdir.

Diğerlerinin bizimle aynı fikirse olmama ihtimali paniklememize neden oluyorsa kendimizi ortaya koyarken sıkıntı duyarız. Konuşulan konu hakkında yeterli olsak, hatta ortada yeterli olmayı gerektirecek bir konu olmasa bile bu sorunu yaşayabiliriz. Örneğin arkadaş ortamında "Argan yağı işe yarıyor mu?" türünden bir sohbet geçmektedir. Siz de argan yağı kullanmış ve faydasını görmemişsinizdir ama "Kullandım ve pek bir faydasını göremedim" cümlesini kuramadığınızı fark edersiniz. Bazen sadece basit şeyler söylemeniz gerekir.

"Köfteye sarımsak koyuyorum."

"Saçlarıma zeytinyağı maskesi yapıyorum."

"Falanca diziyi çok seviyorum" demeniz yeterlidir.

"Saçlarıma zeytinyağıyla maske yapıyorum" dediğinizde iki türlü tepki alma olasılığınız vardır. Eğer diğeri "Evet ben de yapıyorum ve çok işe yarıyor" derse kendinizi onaylanmış ve o ortamda güvende hissedersiniz. Ama eğer "Sen niye zeytinyağıyla falan uğraşıyorsun, piyasada ne güzel ürünler var" cevabını aldığınızda donup kalıyorsanız, içinizdeki onaylanmayı bekleyen çocuk kontrolü ele almış demektir.

Siz fikirlerinizi ortaya koyduğunuzda diğerlerinin de fikirlerini ortaya koymaya hakkı vardır. Bu sizin fikirlerinizin değersiz ve kötü olduğunu göstermez. "Ben böyle seviyorum, böyle yapıyorum" diyebilirsiniz. Sonuçta yetişkin bir insansınız. Karşınızdaki de yetişkin bir insan ve sizinle aynı fikirde olmak zorunda değil.

"Ben köftede sarımsağı hiç sevmiyorum", "O dizi artık kabak tadı verdi" gibi cevaplar da alabilirsiniz.

İnsanların bizimle aynı fikirde olmaması ya da yaptıklarımızı onaylamamasını felaket olarak görmediğimiz sürece daha akıcı bir iletişim yolunda en önemli adımı atmış oluruz.

İletişimdeki aksamaya neden olan diğer bir konu da karşımızdaki kişiyi kızdırmaktan korkmamızdır. Diğerinin tepkisini hesap etmeye çalışarak kurulan iletişim, kirli ve hesapçı bir iletişimdir. Bu tür iletişimler keyifli değildir. Bu tür sohbetler akıcı değildir, hep bir yerlerde tıkanır. Çünkü pinpon akıcı bir spor değildir. Mutlaka top kaçar ve oyun kesintiye uğrar.

İyi iletişim su gibi olur. Akar gider. Hesapsızdır. İyi iletişimde kendinizi tamamen verirsiniz. Karşınızdakini dinler, onu anlamaya çalışırsınız. İletişim tıkanıyorsa, siz donup kalıyorsanız, ne söyleyeceğinizi bilemiyor, ortada kırıcı bir söz olmamasına rağmen kırılmış hissediyorsanız imaj ve onaylanma peşindesinizdir, karşınızdakini dinlemiyor, onun değil kendi nabzınızı tutuyorsunuzdur. Açık değil savunmadasınızdır, kırılmaktan korkuyorsunuzdur. Bunu her yaptığınızda diğerini kendinizden daha yukarıda bir yere koymuşsunuz demektir.

İnsanlar size inanmayabilir.
İnsanlar fikirlerinize katılmayabilir.
İnsanlar görüşlerinizi paylaşmayabilir.
İnsanlar yaptıklarınızı beğenmeyebilir.
İnsanlar seçimlerinizi onaylamayabilir.

Savunmada kalmak bir zamanlar gerekliydi. Çünkü bunu yapmasaydınız hayatta kalamazdınız. Örneğin anneniz gittiğiniz yeri onaylamasa oraya gidemezdiniz. Babanız giydiğiniz kıyafeti onaylamasa giyemezdiniz. Öğretmeniniz yaptığınız ödevi beğenmese sınıfı geçemezdiniz.

Ama artık hepsi geçti. Kocaman kadınların ve adamların yedikleri yemeği, giydikleri kıyafeti, yüzlerine sürdükleri kremi onaylatmaya ihtiyacı yoktur.

Artık küçük bir çocuk değiliz. Savunmada olmak zorunda da değiliz.

Tutun ki karşınızdaki kötü niyetli. Tutun ki sizi aşağılamaya çalışıyor. Belki de dalga geçiyor. Bunlarla baş etmek için savunmada olmanıza gerek yok. On yaşında bir çocuk bile dalga geçtiğinizi anladığında size gerekli cevabı verebilir ve siz on yaşından çok büyüksünüz. Bunu rahatlıkla yapabilirsiniz.

Eğer tehlikeli bir duruma düşer ya da düşürülürsek, bunu anlayabilecek ve gereğini yapabilecek güçteyiz. Eğer tehlike olursa. Ama olmazsa ve yoksa da her an birileri bizi kıracak diyerek tetikte yaşamak, insanlardan zevk almamızı ve insanların bizi samimi bulmasını engeller. Keyif alamayız ve keyif veremeyiz. İletişim yöntemleri yanlış bile olsa sahici ve samimi bir ortamda herkes mutlu olur.

NEGATİF İNSANLAR NEDEN HEP BENİ BULUYOR?

Eski Türk filmleri dışında insanlar genel olarak iyiler ve kötüler, namuslular ve namussuzlar, pisler ve temizler olarak birbirlerinden ayrılmazlar. İyilik ve kötülük her insanın içinde bir arada yaşar. En temiz görünen insanın pis bir tarafı, en doğrucu insanın yalancı bir tarafı vardır.

İnsanlar da tıpkı ay gibidir. Bir yüzü aydınlık, öbür yüzü karanlıktır. Eğer insanlar size karanlık taraflarını gösteriyorlarsa, bunun nedeni sizin tutumunuzdur.

Sürekli şikayet eden, bütün enerjinizi alıp götüren insanlarla karşılaşıyorsanız ama aynı insan başka ortamlarda şen şakrak oluyorsa, bazı konulara dikkat etmekte fayda vardır.

Merve ile Ayşe'nin sohbet ettiğini düşünelim. Merve bu iletişimde pozitif yönünü açığa çıkarırken, Ayşe negatif tarafıyla yaklaşmaktadır. Büyük olasılıkla Ayşe dertlidir ve birazdan Merve'ye kocasından, çocuklarından şikayet etmeye başlayacaktır.

Matematikteki kural burada da geçerlidir. Artı ile eksi çarpılırsa sonuç eksi çıkar. Merve ve Ayşe bu buluşmadan ayrıldıklarında Merve kendini son derece yorgun ve tükenmiş, Ayşe ise mutlu ve rahatlamış hissedecektir.

Eğer Ayşe bunu alışkanlık haline getirdiyse ve Merve'yi her gördüğünde dertlerinden bahsediyorsa, Merve'nin öğrenmesi gereken şey yönünü değiştirmek ve negatif tarafıyla iletişime katılmak olmalıdır. Bu durumda Ayşe şikayet etmeye başladığı anda çok yorgun olduğunu, kendisinin de çok sıkıntı çektiğini söyleyebilir.

Pozitif yönümüzü negatif birine açıyorsak, o kişinin ya gerçekten ihtiyacı olduğundan emin olmalıyız ya da bu kişi ona enerjimizi vermeye değecek biri olmalı. Enerji hırsızlarına, sömürücülerine dikkat etmeliyiz.

O halde ağıt yakanlarla gerçek dertliyi nasıl ayırt edebileceğimize bakalım.

Bazı insan vardır ki onun dertleri hep aynıdır. Kronik olarak şikayet eder. Saatler boyunca sevgilisinden, eşinden ya da patronundan neler çektiğini anlatır. Can kulağıyla dinler, onun için üzülür ve ona yol göstermeye çalışırsınız. Sonra bir bakarsınız, arkadaşınız kendi dünyasına dönmüş ve bir ton şikayet ettiği insanlarla mutlu mesut yaşamaya devam ediyor. "Hani bu insanlar sana eziyet ediyordu, şimdi ne bu samimiyet? Madem aranız bu kadar iyiydi, neden beynimi ütüledin?" demek istersiniz. Kendinizi kullanılmış hissedersiniz.

Kısa bir zaman sonra aynı kişi, aynı dertlerden muzdarip şekilde yine karşınıza gelir. Anlatır, anlatır ve sonra sizi yine dinlemez ve gidip kendi bildiğini okur.

En sonunda sinirlenirsiniz. "Madem dinlemeye niyetin yok, bildiğini okuyacaksın, neden gelip benim başımı şişiriyorsun?" dersiniz.

Bazı kişiler sadece anlatırlar ama sorunlarını çözmek için harekete geçmezler. Anlattıklarına bakarsanız günün akşamına eşini boşayıp, çocukları bırakıp, patronuna posta koyup, dünyanın öbür ucuna kaçacak gibidirler.

Burada olan şey şudur. Eğer birisi hakkında bir saat boyunca kötü şeyler konuşursanız, kötü olan ne varsa konuştuğunuz kişiye atmış olursunuz, geriye sadece iyi şeyler kalır ve size kalan iyilerle az önce arkasından konuştuğunuz kişinin yanına dönersiniz. Kötü duygularla dolu bardağı, sizi dinleyen kişiye bırakıp gitmişsinizdir. Ama çok geçmeden bardak dolar ve şikayetlerinizi dinleyecek birini aramaya başlarsınız.

O zaman da kalıcı değişim yaratacak adımları ertelemiş olursunuz. Her canınız sıkıldığında, huzursuz olduğunuzda, birileriyle konuşup rahatlamaya çalıştığınızda, sorunlu ilişkiniz hakkında çözüm aramayı ertelersiniz. İlişkiler bu sorunlu halleriyle on yıllar boyunca devam edebilir.

Eğer dinleyici konumunda olan kişi sizseniz "Yeter artık, anlatıp anlatıp bildiğini okuyorsun, o kadar laf anlatıyorum, neden dinlemiyorsun?" gibi çıkışların hiçbir işe yaramayacağını bilin. Sürekli ağıt yakan insanları kendinizden uzaklaştırmak ya da rolleri değiştirmek istiyorsanız hemen olumsuz tavır takının. Size eksi kutbuyla gelen birine artı kutbunuzla yaklaşırsanız enerjinizi kaptırmanız kaçınılmazdır. En az onun kadar dertli bir tavır takının. Kardeşinden mi şikayetçi? "Seninki de bir şey mi, sen benim abimin yaptıklarını bir bilsen..." diyerek anlatmaya başlayın. Bu durumda diğeri ya uzaklaşacaktır -çünkü aynı kutuplar birbirini iter- ya da iletişimde kalmak istiyorsa konumunu değiştirip pozitif tarafını size dönecektir.

Çevrenizde hep negatif insanlar varsa kendi konumunuzu değiştirmek bir seçenek olabilir. Böylece olumsuzluklardan korunabilirsiniz.

GERÇEKTEN YARDIMA İHTİYACI OLAN BİRİNİ NASIL DİNLEMEK GEREKİR?

"Dertlinin hikayesini can kulağıyla dinlesen,
Bil ki bu ona bir zekattır.
Hasta gönüllerin dertlerini dinle.
Su ve çamur canın yoksulluğuna sebeptir.
Dertlinin gönlü duman dolu bir ev gibidir.
Sen onun derdini dinleyerek bir pencere aç.
Senin dinleyişinle nefes alır,
Evinden acı duman çıkmaya bir yol bulur."

Mevlana, bu dizelerle anlatıyor dinlemenin önemini. Dertli birini dinlemenin evi dolduran dumanı boşaltmaya benzediğini söylüyor..

İnsanlar sıkıntılı zamanlardan geçerken, dertlerini anlatacak birilerine ihtiyaç duyarlar. İçine düştüğümüz maddi manevi sıkıntılarda, haksızlığa uğradığımızda, başımızı belaya soktuğumuzda bizi candan dinleyecek bir çift kulağa ihtiyaç duyarız. İşte o zaman, ya hemen telefona sarılıp dostlarımızı ararız ya da yanlarına koşarız. Yüreğimizi sıkıştıran dertleri tek başımıza taşıyamayız, her şeyi içimizde tutamayız, boğulacak gibi oluruz.

Bununla beraber çoğumuzun yaşadığı bir deneyim vardır. Bir nebze olsun rahatlamak umuduyla güvendiğimiz birine içimizi dökeriz. Ama gel gör ki sonrasında, anlattığımıza anlatacağımıza pişman oluruz. Rahatlamak bir yana, yangına körükle giden dinleyicimiz bizi daha da sıkıştırır, içimiz daralır. Artık derdimize mi yanalım, yoksa anlattığımız kişinin söylediklerine mi, bilemeyiz.

Dinlemeyi Gerçekten Biliyor Muyuz?

Dinlemeyi gerçekten bilmiyoruz. Dinlediğimiz kişi, adı üstünde dertli kişidir. Bu derdin yükünü taşıyamadığı için koşa koşa gelmiştir yanımıza. Belki göğsünü sıkıştıran yükü bir nebze olsun alırız umuduyla.

Ama biz dinlemekten çok, kaza mahalline koşan iyi niyetli insanların kurtarma çalışması gibi; aşağıda saydığım bir dizi yanlışla, derdini döken kişiye yardımcı olmaya girişiriz.

*Ona doğru yolu göstermeye çalışırız.

*Akıl veririz.

*Önerilerde bulunuruz.

*Bu duruma düşene kadar nerelerde hata yaptığını tek tek sayarız.

*Hatalarından nasıl ders çıkarması gerektiğini örneklerle anlatırız.

*Benzer sorunlar yaşayan insanların bu dertlerden nasıl sıyrılabildiklerini anlatırız.

*Bir daha aynı hataları yapmasın diye eleştiririz.

*Onun yerinde olsak nasıl bir yol izleyeceğimizi anlatırız.

*Aynı sorunları geçmişte kendimiz de yaşamış isek, kendi hayatımızdan örnekler veririz.

Yani dinlemek dışında her şeyi yaparız.

"Doğru bildiğimiz bir şey varsa söylemeyecek miyiz, sevdiğimiz kişi uçuruma doğru gidiyorsa yardım etmeyecek miyiz" diyebilirsiniz. Elbette edeceksiniz ancak her şeyin bir zamanı var. Zamanlama doğru olmazsa, en doğru ve en iyi niyetli hamleler bile iyi sonuç vermez. Akıl vermeden, öneride bulunmadan, ben olsam şunu yapardım demeden önce o kişinin içini boşaltmaya, anlaşılmaya, desteklenmeye ihtiyacı vardır.

Dertli insana rehberlik etmek, lafı ağzına tıkayıp "ben senin bu sorundan nasıl kurtulacağını biliyorum, hataların bunlar, çıkış yolun burası" diye nutuk atıp, eline reçete tutuşturmak değildir. Bunun için:

1. Adım. Sonuna kadar dinleyin. Sıkıcı da olsa, ne diyeceğini biliyor da olsanız bırakın karşınızdaki anlatsın, ağlasın, haykırsın. Susturmayın. Güçlü olman lazım, yapma, ağlama, abartma gibi telkinlerde bulunmayın. Gözyaşlarını silin, elini tutun. Sarılın ve olabildiğince tarafsız olun.

2. Adım. Anladığınızı karşınızdakine hissettirin. Onun duygularına tercüman olun. Bu aşamada hâlâ bir yorum yapmayın. Sadece hissettiği duyguları bir kez de sizden duysun. Temiz bir ayna gibi olun.

3. Adım. Dertli kişi bu aşamada hâlâ akıl almaya ya da sunacağınız rehberliğe hazır değildir. Sorunlarını çözebileceğine dair gücü olduğunu hatırlatın, kendine güvenmesini sağlayın. Bunun için en iyi yol, daha önce aştığı sorunları, güçlü olduğu zamanları ona hatırlatmaktır.

4. Adım. Umut aşılayın. Her şeyin Allah'tan geldiğini, her şerrin arkasında bir hayır olduğunu, kötü günlerin mutlaka geçeceğini söyleyeceğiniz aşama burasıdır.

5. Adım. Pek çoğumuzun ilk adım olarak attığı adımdır: Rehberlik etmek. Dertli kişiyi rehberlik alacak duruma getirmek, onu hazırlamak işin zor kısmıdır. İlk dört aşamadan sonra kişiye önerilerinizi sunabilir, kendi hayatınızdan ya da aynı sıkıntıyı yaşayıp da sorunlarını çözmüş kişilerden örnekler verebilirsiniz.

Son olarak; eğer "Ben nerede hata yaptım?" diye size sorarlarsa, insanların hatalarını o zaman söylersiniz. Çünkü daha öncesinde siz söyleseniz de onlar anlamaya hazır olmazlar...

Sözünüzü Dinletebilmek Ne Kadar Dinlediğinize Bağlıdır

Dinlemek önemlidir. Dinlerseniz anlarsınız. Sözünüzü dinlemelerini, önerilerinizi kabul etmelerini istiyorsanız insanları dinleyin. Anlaşıldığını hisseden kişi ağzınızdan çıkan her kelimeyi can kulağıyla dinler. Eğer sevdikleriniz sizi dinlemiyorsa, siz de onlara kulaklarınızı tıkamışsınızdır..

"Hiiiiç anlatma, hiç hiç anlatma... Ben sana demiştim, dinlemedin."

"Bak hâlâ bir şansın var. Şimdi git ve şöyle yap."

"Dinlemeyeceğini biliyorum ama benden sana söylemesi..."

"Mazeret anlatma, bana bilmediğim bir şey söyle, tamam ben biliyorum."

Size derdini anlatmaya çalışan birinin lafını yukarıdakilere benzer cümlelerle keserek önerilerde bulunuyorsanız, önerilerinize kulak vermeyeceğini söyleyebilirim.

Sizi ancak dinleyen kişinin anladığını düşünürsünüz. "Dinlemiyorsa anlamamıştır, anlamadıysa söyledikleri doğru olamaz" genel bir yargıdır.

Karşınızdaki kişi işinin uzmanı bile olsa eğer yeterince dinlemiyorsa yanıldığını düşünebilirsiniz. Hangi mesleği yaparsa yapsın dinleyen insanlar kazanır.

Sizi dinlemeyen doktorun tanısına güvenmez, verdiği ilacı kullanmazsınız. Siz daha şikayetinizi anlatırken reçeteyi yazıyorsa güveniniz sarsılır.

> *Hiç dinlemeden de gerçekleri görüyor olabilirsiniz ama gerçekleri göstermek için sabırla dinlemelisiniz. Karşınızdaki anlatıp içini boşaltsın ki sizin anlatacaklarınıza yer açılsın.*

Unutmamak gerekir; insanlar akıl almak için değil, onay ve destek almak istedikleri için dertlerini anlatırlar.

ON KERE SÖYLÜYORUM AMA LAF ANLATAMIYORUM

Çok yaygın bir bilgiye göre iletişimde kelimelerin gücü yüzde on, ses tonunun gücü yüzde otuz ve beden dilinin gücü yüzde altmış oranında etkilidir.

Yani ses tonumuzu ve beden dilimizi de kurduğumuz iletişime katmazsak söylediklerimizi dinlemeleri ve anlamaları pek mümkün görünmüyor. Matematikteki gibi yüzde on çarpı on, eşittir yüz etmediğinden, sadece kelimelerin gücüne dayanarak bir şeyi on kere tekrar etmek işe yaramıyor, sadece sinirlerimizi bozuyor.

Önemli bir konuşma yapacaksanız, bir derdinizi, sıkıntınızı ya da isteğinizi dile getirecekseniz, sadece bir kere söyleyin ama tam söyleyin. Yönünüz karşınızdakine dönük olsun, gözlerinin içine bakın, sesinize duygunuzun enerjisini yükleyin ama bağırmayın. Fazla kelimeye gerek yok. Sessizliğin gücünü kullanın. Bakışlarınız anlamlı olsun.

Örneğin çocuğunuz yaramazlık yapıyor ya da verdiğiniz bir görevi yapmıyor, bu da sizi kızdırıyor mu? "Kızmaya başlıyorum, oraya geliyorum" diye söylenmeden önce durun. Önce duygu içinizde yükselsin ve dışınıza yayılsın. Her duyguyu hemen söze dökmek duyguların derinliğini azaltır. Az ve öz konuşmaya gayret edin.

Kızıyorsanız kızgınlık bütün bedeninizi kaplasın. Duygular saf enerjidir ve beden dilinizi, ses tonunuzu otomatik olarak yönetir. O zaman iletişimlerinizde doğal olarak akarsınız. Böyle bir enerjiyle çocuğunuza sadece bir kere bakarsınız ve çocuk mesajınızı alır. Oysa hemen konuşmaya başladığınızda enerji dağılır ve etki azalır.

Bu uygulamanın en güzel yanı da dil yaralarını önlemesidir. Çok konuştuğunuzda kırıcı olursunuz. Kızgınlıkla söylediğiniz sözlerden pişmanlık duyarsınız. Böylelikle sevdiklerinizin hiç hak etmediği sözler söylemenin de önüne geçersiniz..

2. BÖLÜM

EVLİLİK, AŞK VE İLİŞKİLER

EVLİLİK NEDİR?

Evlilik; büyümesini tamamlamış, kişiliğini sağlam zemine oturtmuş yetişkin bireylerin hayatı paylaşmak için oluşturdukları birliğin adıdır. Şimdiye kadar evliliğin yerini tutabilecek herhangi bir kurum bulunamamıştır. Bugünkü çekirdek aile modeline gelene kadar aile kurumu yapısal olarak değişimlere uğrasa da temel olarak varlığını bunca zaman korumayı başarmıştır.

Evlilik, hayatın kalitesini artıran ideal bir kurumdur. Evlenip mutsuz olan bu kadar çok insanı görünce, "Evlilik kimin için idealdir?" diye bir soru geliyor insanın aklına. Elbette yetişkin insanlar için. Hâlâ annesinin kızı, babasının oğlu rolünü devam ettirenler için evlilik bir yüktür, külfettir.

Toplumumuzda pek çok genç, gerçek anlamdaki sorumluluklarla evlendiği zaman karşılaşır. O zaman da evlilik kurumu onlar için tahminlerinin ötesinde ağır gelir. Bir evin tüm sorumluluğunu almak, pek çok detayla ilgilenmek zorunda olmak demektir. Faturaları takip etmek, kira ödemek, bozulan eşyaları tamir etmek, evi temizlemek, apartman toplantısına katılmak gibi günlük yaşamın sıradan görevleri bile, eğer alışkın ve hazır değilsek gözümüze katlanılmaz derecede zor şeyler gibi görünebilir.

Hayata hazırlıksız, aşısız bırakılmış gençler, bu detay yığını karşısında paniğe kapılır, basit sorunları organize edemez, zamanı yönetemez, sorumlulukların altında ezilir. Nasıl olacak, nasıl yetişecek kaygısını alt edemez.

Evlilik akdi, maddeleri olmayan bir sözleşmeye, bir anlamda boş kağıda imza atmak gibidir.

İmzaladığımız sözleşmenin yazılı maddeleri olmasa da şu soruların cevaplarını sözlü olarak kendimize vermemiz iyi olur.

- Ben ne bekleyerek evlendim?
- Eşim benden ne bekleyerek evlendi?
- Hangi sebeplerle böyle bir anlaşma yaptık?
- Bizi birbirimize çeken nedenler neydi?

Bu soruların cevaplarını hiçbir zaman unutmamalı ve karşımızdakinin unutmasına da izin vermemeliyiz. Sözleşemeye ek maddeler eklenebilse de ana maddeleri yürürlükten kaldırmamak evliliğimizin sağlığı için iyi olur.

Evlilik, hayatın getirdiği sorumluluklardan kaçmanın, sürekli mutlu olmanın, umut ve hayallerimize kavuşmanın yolu değildir. Evliliğin içine koymadığımız hiçbir şeyi evlilikten bekleyemeyiz. Çünkü evlilik, bize isteklerimizi veren sihirli bir kutu değil, bizim tarafımızdan doldurulmayı bekleyen boş bir kutudur. Her iki taraf da o kutuya bir şeyler koyarsa, ortaya çıkan sinerjiyle kutudan ikisinin koyduklarından çok daha büyük bir şey çıkar.

Evlilik hayatını, ana baba ya da öğrenci evindeki bekar hayatımızla kıyaslamak ve "Ben o zamanlar çok daha rahattım demek" büyümenin getirdiği sorumluluklardan kaçtığımız anlamına gelir. Büyümek sancılı ve acılı bir süreçtir ve biz eninde sonunda büyümek zorunda kalırız. Hayat ne baba ne de öğrenci evindeki gibidir.

Hiçbir sorumluluğumuzun olmadığı, her düştüğümüzde bizi tutacak birilerinin varlığını hissettiğimiz günler bir gün gelir ve biter. Kardeşlerimiz hayat gailesine düşer, ebeveynimiz yaşlanır, hastalanır, herkes kendi kabuğuna çekilir. Bizim işimizi bizim yerimize halledecek kimseler birer birer hayatımızdan eksilirken zaman gelir; öyle ya da böyle büyümek zorunda kalırız. O gün gelip de mecbur kalmadan önce yetişkin bir insanın sorumluluklarını almaya başlamak, kendimizi hayata hazırlamak en iyisidir.

Evlilik yaşı kaç olmalı gibi bir soru böyle bir durumda anlamını yitiriyor. *Evlilik büyüdüğümüzde, yetişkin bir insan olmanın sorumluluğunu taşıyabildiğimizde, kim olduğumuzu ve hayattan ne istediğimizi anlayabildiğimizde gerçekleştirilmelidir*. Bazıları biraz da şartları öyle gerektirdiği için yirmi yaşında sorumluluk sahibi bir yetişkine dönüşürken, bazı insanlar da vardır ki kırk yaşına bile gelseler kendi sorumluluklarını taşımaktan aciz, büyümemiş, olgun olmayan, çocuksu rollerini sürdürürler.

Hayat, zamanın en başından beri, bir kişinin taşıyamayacağı kadar ağırdır. Yetişkin insanlar hayatı paylaşmak isterler, evliliğin de bu amaca hizmet ettiğini bilirler ve evlilikleri sağlıklı olur. Olgunlaşmamış insanlar hayatı paylaşmak adı altında hayatın yükünü diğerinin üzerine atmak isterler. Küçük bir çocukken annelerinden ya da babalarından duydukları beklentiler şimdi eşlerinin üzerine yüklenmiştir.

Hayatın ne olduğunu anlamadan, onu kabullenmeyi öğrenmeden ve yaralarımızı sarmadan mutlu olmak, iç huzurumuzu sağlamak bizler için olası değildir. Romantik hayallerimize evlilik yoluyla ulaşabileceğimizi sanmak, masum olduğu kadar yıkıcı bir düşüncedir. Evlilik, mutluluğa ve pembe hayallere giden yol değildir. Sadece daha doyumlu ve verimli bir hayat için ihtiyacımız olan zemini hazırlar. Ressamın tuvali ne ise, evlilik de odur bir bakıma. Tuvali istediğiniz gibi boyayabilirsiniz. İster mutluluğun resmini yaparsınız, ister karalayıp atarsınız.

* * *

Bir evlilik programında, on dokuz yaşındaki Ayşegül'e talip olarak gelen yirmi iki yaşındaki gence, sunucu hanım şöyle soruyor: "Ayşegül'ü mutlu edebilecek misin? Biliyorsun onun bir bebeği var, çok acılar çekti, bunları taşıyabilecek misin?"

İşte evlilikten beklenti bu: "Beni mutlu etsin, beni taşısın, yaralarımı iyileştirsin."

Hayattan alacaklı bir kadın olan Ayşegül ve birazdan eline fatura tutuşturulacak genç bir adam. Bu beklentilerle başlayan bir evlilikte sonuç kaçınılmaz olarak hayal kırıklığı olacaktır. Ayşegül evlenerek acılarının son bulacağını umarken, karşısındaki genç adamın da, her ne kadar Ayşegül'ün acılarını dindirmeye talipmiş gibi görünse, evlilikten beklentileri var. Eğer verdiklerinin karşılığını alamazsa, beklentileri gerçek olmazsa, kısa bir zaman sonra Ayşegül'ü taşımaktan yorulacağı aşikar. Ama kimse Ayşegül'e "alması için vermesi gerektiği"ni söylemediğinden, Ayşegül'ün kendisine verdiği sözleri tutmayan bu yeni kocasıyla da çok kısa bir süre sonra anlaşmazlığa düşeceğini söylemek kehanet olmasa gerek.

EVLİLİK BÜTÜN İHTİYAÇLARIMIZI KARŞILIYOR MU?

Hepimiz belirli bir zamanda, belirli şartlar altında en doğrusunun "o" olduğunu düşündüğümüz için evlendik. Yaptığımız seçim o zaman için, o zamanki kendimizin en ideal seçimiydi.

Öyleyse bir zamanların en ideal seçimi, bir zaman sonra nasıl olur da "hayatımızın hatası"na dönüşür? Ne değişmiştir? O zamanki şartlar altındaki en doğru kararımız bugünkü şartlara gelindiğinde en kötü kararımıza dönüşüyorsa, şartları mı yoksa seçimlerimizi mi sorgulamalıyız?

Evliliğinde sorun yaşayan insanların büyük çoğunluğunun aldıkları kararı ve yaptıkları seçimleri sorguladıklarını görürüz.

"Çok büyük hata yapmışım, şimdiki aklım olsaydı..." ile başlayıp pişmanlıkla devam eden cümleler kurarak, o zamanki şartları ve o zamanki ruh hallerimizi göz ardı eden bir sorgulama içine gireriz.

Biz değiştiysek, şartlar değiştiyse, zaman değiştiyse, seçimlerimizin suçu nedir? Yavaş olmaları mı, istediğimiz hıza ayak uyduramamaları mı?

Yaşadığımız değişime ayak uyduramadığı için bu adam ya da bu kadın beni artık mutlu etmiyor, bana yetmiyor, dünyalarımız çok farklı demek, kişileri bir anlamda nesneleştirmek demektir. Çünkü bu söylem ancak nesneler için yapılabilir. Örneğin bir zamanlar merdaneli çamaşır makineleri, jetonlu telefonlar, siyah beyaz televizyonlar, evlerin çatılarına takılan antenler vardı.

Hepsi bir zamanlar işimize yarasa da bugün anlamlarını yitirdiler ve gereksiz hale geldiler.

Her şeyin bir zamanı, bir devri, dönemi olduğundan artık bunları kullanmıyoruz. Kimse yanında jeton taşımıyor, ceplerimizde telefonlarımız var. Ama insan her daim haberleşiyor; hem de tarihin en eski dönemlerinden beri. Ulaklar, güvercinler, ateş, mektup, telgraf ve pek çok araç kullanarak. Araçlar değişse de haberleşme ihtiyacı devam ediyor. İnsan her daim haberleşiyor, barınıyor, çamaşırlarını temizliyor, ulaşım sağlıyor, aile kuruyor. O zaman için başka alternatifinin olmadığının idrakiyle "Şimdiki aklım olsaydı yanımda jeton taşımazdım" demiyor.

Temel ihtiyaçlarımız değişmiyor. Sadece o ihtiyacı karşılamak için kullandığımız araçlar, zamana ayak uyduramıyorlarsa onları değiştiriyoruz. Zamana ayak uydurmak önemlidir ve bunun için değişim şarttır. Değişen şartlara ayak uyduramamak varoluşumuzu tehlikeye sokabilir. Peki nereye kadar? İhtiyacımızı görmeyen telefonu, arabayı, çamaşır makinesini değiştirmek kadar kolay mı insanları harcamak? Hem de aile olarak seçtiklerimizi?

Aile bir kurumdur ve kurumlara özgü hantallığı vardır. Zamana bizim kadar kolay ayak uyduramaz, hızımızı keser. İhtiyaçlarımızı ertelemeyi, önceliklerimizi sıralamayı ailemiz varsa öğreniriz.

Aynı işte çalışan, aynı maaşı alan bekar bir insanla evli bir insanın durumu ve öncelikleri aynı değildir. Bekar kişi daha bireyseldir, istediği şeyleri ertelemesi gerekmeyebilir, sadece kendini temel alan programlar yapabilir. Ama evli bir insan bir şey satın almak, bir yere gitmek istediğinde, eşinin ve çocuklarının durumunu da hesaba katmak zorundadır. Çocuğun okulu, eşinin izin zamanı, kayınvalidesinin ziyareti, ev kredisinin ara ödemesi gibi şeyler evli bireyleri daha programlı olmaya zorlar.

Aile kurduğumuz insan, yani eşimiz bazı dönemlerde beklentilerimize cevap veremeyebilir ve bizi çok mutsuz edebilir. Zaten zamanın doğurduğu kişisel ihtiyaçlarımızı karşılama görevi ailemizin değildir. Evlilikten, sürekli değişen ihtiyaçlarımızı karşılaması yönünde bir beklentimiz olursa hayal kırıklığına uğrarız. Ailenin görevi çok daha temel bir ihtiyacı karşılamaktır: "Kök salma ihtiyacı." Bu ihtiyacımız karşılandığında kendimizi güvende hissederiz. Böylelikle hayatın zorluklarına karşı dayanma gücümüz yüksek olur. Yüksek bir eminlik gücüne sahip olur, sağlam adımlarla büyürüz.

Artık zaman öyle hızlı akıyor ve bireyler öyle hızlı değişiyor ki aile kurumu ve onu oluşturan değerler sistemi bu değişime ayak uydurmakta zorlanıyor. Bir de düşünce yapımızda her şeyi "işime yarar/yaramaz" diye bir ölçüyle sınıflandırmaya alıştıysak ilişkimize de böyle bakıyoruz. Bir zamanlar sessiz ve uyumlu olduğu için seçtiğimiz eşimiz, bir süre sonra bize sıkıcı gelebiliyor.

EVLİLİK BİLİNCİ

Bir kadın danışanım seanslarımız başladıktan bir süre sonra şöyle dedi: "Ben buraya kendim için bir şeyler yapmak amacıyla gelmiştim. Ama siz zamanımızın yarısını eşim, evim, çocuklarımla ilgili konulara harcıyorsunuz."

Danışanımın kafasında şöyle bir ayrım vardı. Ben ve benim ailem. Kendisini mensup olduğu aileden ayrı bir parça olarak düşünüyordu. Ailesiyle arasında organik bir bağ hissetmiyordu. Bu duygularla kendini giderek daha güvensiz hissediyor, bireysel faaliyetlere yönelerek kendini iyi hissetmesini sağlayacak bir şeyler yapmaya çalışıyordu.

Aile bireylerinin birbirleriyle ilişkisi, çiçek ve toprak arasındaki ilişki gibidir. Bahçenizde yetiştirdiğiniz çiçeğin dallarını budar, kurumuş yapraklarını temizlersiniz. Bu, çiçek üzerinde yapacağınız işlemdir. Ama yapılması gereken tüm işlemler çiçeğin kendi üzerinde değildir, suyu çiçeğinizin toprağına dökersiniz. Toprağı çapalar, çiçeğinizi coşturacak gübreyi toprağa karıştırırsınız. Çiçek ve toprak arasındaki ilişki ayrılmaz bir ilişkidir. Eğer çiçek kendini bağımsız bir varlık olarak düşünmeye başlarsa, varlığını birkaç günden fazla sürdüremez, koparılan çiçeği suya bile koysanız kurur, yok olur.

> Aynı şekilde evlilikte çiftlerden biri, kendini aile bireylerinden bağımsız bir birey olarak görmeye başlarsa, ait olduğu toprağı yani eşini ve çocuklarını hesaba katmayan planlar içine girerse, toprağıyla bağlantısını koparmaya çalışan çiçeğin durumuna düşer.

Ailemiz bizi her yönden besler. Aile içinde bireysellik dozu aştığında, kişilerin gücü zayıflamaya başlar. Kendimizi ailemizden ayrı düşünmek, sürekli yalnız kalmak istemek, çocuklardan ve eşimizden ayrı faaliyetler yapmaya ihtiyaç duymak o evlilikte başlamak üzere olan sorunların işaretini verir.

Sonuçta, bitkiyle ne kadar ilgiliysek, bitkinin toprağıyla da bir o kadar ilgili olmalıyız.

Toprağımız susuz kalırsa, çapalanmazsa, gübrelenmezse cılız kalırız ve bu görevi yapacak olan bizden başkası değildir. Sağlıklı ve mutlu bir aileye sahip olmak istiyorsak, ilk önce bu bilinci aklımıza yerleştirmemiz gerekir.

HAYATIMI MAHVETTİN

"Sana yıllarımı verdim ama sen beni mahvettin, senin yüzünden mutsuzum" diyen çiftlere şahit olmuşsunuzdur. Belki siz de eşinize böyle şeyler söylemişsinizdir.

Peki bu nasıl olabilir? Biri bizim hayatımızı nasıl mahvedebilir?

Buradaki en yaygın inanç şudur. Sanki karşımızdaki kişi daha fazla çaba gösterse, mutlu olabileceğimize inanırız. Oysaki mutluluk kanaat etme oranımızla belirlenen bir niyetlenme biçimidir. Mutlu olmaya niyet edersiniz, kanaat edersiniz, şükredersiniz. Karşımızdaki kişi insandır, hatalıdır. Bir şeyleri eksik bırakacaktır. Her şeyi tam yapmak istese de yapamayacaktır. Çünkü kimse yapamaz ve biz mutlu olmaya niyet etmediysek eksik bulmak kolaydır. Mutluluğumuzun miktarını artılarla eksileri teraziye koyup ölçerek bulamayız. Bu iş hesap kitap işi değil, niyet işidir. Elimizdekilerle mutlu olmaya karar veririz. O zaman bir şey fark etmez, elimizde her zaman bir şeyler vardır nasıl olsa. Mutsuz olmaya karar verirsek yine fark etmez, elimizde bir şeyler mutlaka eksiktir ne de olsa.

AİLE TERAPİ İLE KURTULUR MU?

Önce cevabı vereyim. Kesinlikle kurtulur. Boşanmayı düşünen tüm çiftlere önerim, avukata başvurmadan önce bir aile terapisti ile görüşmeleridir.

Aile terapisi alma konusunda daha istekli olan ve ilk başvuruyu yapan çoğunlukla kadındır. Kadınlar psikolojik yardım alma konusunda erkeklere göre daha istekli ve önyargısızlar. Erkeklerse daha çok eşlerini kırmamak için terapiye gelirler. Huzursuzluk büyümesin veya "Lanet olsun, hadi bunu da yapalım, sonra keşke demeyelim" diyerek terapiye katılanlar vardır.

Ancak ne kadınların ne de erkeklerin terapiye katılımı terapistlerin istediği şekilde oluyor. Kadınlar için terapinin anlamı şu hale geliyor: "Eğer kocam bunları yapmayı bırakırsa ve şunları yapmaya başlarsa biz çok mutlu olabiliriz. Ben anlatmak için her yolu denedim ama anlatamadım. Sizin terapist olarak eşimi düzeltmek konusunda benden çok daha başarılı olacağınızı düşünüyorum. Lütfen bu adama benim anlatamadıklarımı anlatıverin."

Yani tüm sorunları konuşarak ve ikna ederek çözeceğini düşünen kadınlar bunu yapmaktan yoruldukları ında görevi bir terapiste devrederek mola almak isterler.

Eğer aile terapisine erkek karısı istediği için, kadın da kocasını değiştirmek için geliyorsa aile terapisi işe yaramayacaktır.

Aile terapisine gelen eşlerin öncelikle bilmesi gerekenler şunlardır:

"Bu evlilikte başıma gelen her şeyden sorumluyum. Ben değişmezsem sistem de değişmez. Bu evliliğin kurbanı ya da mağduru değilim. Bu olanlarda benim payıma düşen yüzde bir bile olsa, o yüzde bir için bir şeyler yapabilirim. Terapistin bana hak vermesi için çaba göstermek terapinin verimliliğini düşürür. Kimin haklı olduğunun bir önemi yok. Suçlu yoktur döngü vardır. Bu döngüyü durdurmak için birinin ilk adımı atması gerekiyor. İlk adımı atmak suçu kabullenmek anlamına gelmez. Sonuçta karşımda duran kişi benim eşim. Biz aynı taraftayız. O kazanırsa ben de kazanırım, o yenilirse ben de yenilirim."

ÖMÜR BOYU SÜRECEK MUTLU BİR İLİŞKİ İÇİN

Herkes mutlu olmak ister. Kendisini ömür boyu sevecek, kendisine her koşulda destek olacak, başını yaslayabileceği güven veren birine ihtiyaç duyar. Oysa günümüzde ilişkiler ya karşılıklı çıkarların sağlanıp korunduğu bağımlı ilişkilere dönüşmekte ya da çok hızlıca bitmekte.

Tenin tene değdiği değil de canın cana değdiği ilişkiler kendiliğinden oluşmaz; sabır, emek ve zamanla tesis edilir.

Her tür hazza çok kolay ve hızlı ulaşıldığı bir dünya düzeninde, ilişkisine uzun vadeli yatırım yapan insan sayısı çok azaldı. Çünkü çoğunluğumuz, bir yerlerde doğru insanın bizi beklediğini, sadece şu ana kadar o insana rast gelecek kadar şanslı olmadığımızı düşünürüz. Doğru insanı bir gün bulacağım, şu ana kadar hep yanlış insanlar çıktı karşıma, ne olur artık karşılaşalım diye dua ederiz.

Doğru insan geldiğinde acılarımızın biteceğine, hayal kırıklığından doğan yaralarımızın iyileşeceğine, onun bizi üzmeyeceğine ve çok seveceğine inanırız. Keşke böyle olsaydı.

İdeal aşk bizi bulmaz. Ama biz ideal bir duruşla ve alın teriyle hayalimizdeki aşkı yaratabiliriz. Bunun için her şeyden önce aramaktan ve bir mucize beklemekten vazgeçmeliyiz. Denizdeki çakıl taşlarını toplarken ya da ufkun mavisinde kaybolurken, bir yerlerde bizi bekleyen daha iyi bir geleceği düşlemeyi de bırakmalıyız. *Biz yaratmadığımız sürece daha iyisi olmayacak.* Uzakta bir yerlerde, uzak ya da yakın bir gelecekte bizleri daha iyi bir ilişki beklemiyor. Daha iyisi için sadece daha çok uğraşmamız gerek. İlişkinin içine taşıdığınız sorunları, ilişkiden giderken de yanımızda götürürüz. Yalnız kalarak, çok düşünerek, bir ilişkiden başka bir ilişkiye koşarak sadece kendimizden daha fazla kaçarız. Daha iyisi daha çok çabalayarak gelir, daha çok arayarak değil. Bu çaba, sorunlarımızı çözmek için harcadığımız bir çabadır.

Eğer gerçekten istediğimiz şey ömür boyu sürecek, mutlu, huzurlu, destekleyici ve güven veren bir yuva ise bunun için birtakım aşamaları takip etmemiz gerekir.

İlk olarak çekirdek değerlerimizi, inançlarımızı fark etmekle daha doğrusu hatırlamakla işe başlamak yerinde olur. Çünkü bu değerler, içinde yetiştiğimiz aileden, ailemizin bağlı olduğu toplumsal değerlerden ve kurallardan bağımsız, sonradan edinilebilir şeyler değildir. Atalarımızın yüzlerce yıldır uyumlanarak sürdürdüğü gelenek ve âdetlere taban tabana zıt ve aykırı olamazlar. Belli bir ölçüde güncellenip, çağa ayak uydurmuş ama eskiyle de bir ölçüde bağlantıda olan öğretileri içerirler. Kendimizi köklerimizden soyutlayarak hareket edersek dalından kopmuş yaprak gibi savruluruz. Kötü seçimler yapar, olmayacak insanlara emek verir, sonra da hayal kırıklığına uğrarız.

Bir gün, bir kişiye emek vermeye karar verdik diyelim. Bu kişiyi neye göre seçeceğiz? Bırakın bir ilişkiyi, mobilya bile üretecek olsak ilk önce doğru ağacı seçmek gerekir. Çam ağacından yapacağınız mobilyayla ceviz ağacından yapılan bir olur mu? Ama siz ikisine de aynı emeği verecek, aynı işçiliği ortaya koyacaksınızdır. Biri ömür boyu size hizmet ederken, diğeri reçine akıtıp canınızı sıkacak, bükülecek, yamulacaktır.

O halde ilk ve belki de en zor soru "Ben ne istiyorum?" sorusudur. Ancak bu sorunun cevabı "Mutlu olmak istiyorum, beni seven birini istiyorum" değildir. Sonuçta hepimiz bunu istiyoruz. Ne istediğini bilmek önce kendini, sonra da toplumun değerlerini bilmekle başlar.

BENİMLE ÇIKAR MISIN?

Bildiğim kadarıyla, ilişki başlayacaksa önce erkek kadına açılır. Kadın olumlu cevap verirse birbirlerini tanımaya karar verirler. Eğer önceden tanışıyorlarsa da bu işin bir adı konulur.

Mesela eskiden çıkma teklif etmek denen bir şey vardı.

Erkek "Benimle çıkar mısın?" diye sorar, kız da kabul ederse resmen sevgili olunurdu. İlişkilerin tanımı netti. Bir kızla bir erkek, arkadaş ya da sevgili olabilirdi. Sevgililik iyi giderse evlenirler ve karı koca olurlardı.

Ama artık işler böyle yürümüyormuş. Geçenlerde bir danışanıma, birlikte olduğu adamla ilgili soru sorarken "sevgilin" ifadesini kullandığımda bana şöyle dedi: "Sevgili olup olmadığımızı henüz bilmiyorum."

"Akşam yemeklerine gidiyorsunuz, tatile çıkıyorsunuz, onda kalıyorsunuz ve cinsel ilişki yaşıyorsunuz, sevgili değilsiniz de nesiniz o halde?" diye sorduğumda danışanım şöyle cevap verdi:

"Artık bu işler öyle yürümüyor, cinsel ilişki yaşamak sevgili olduğumuz anlamına gelmez. İlişki yaşanır ve zamanla bir şeyler kendini belli eder."

İlk başta garipsesem de başka danışanlarımdan ve çevremden de benzer bilgiler gelince yeni ilişki türlerini anlamaya çalıştım.

> İlişki, ciddi ilişki, tek gecelik ilişki, arkadaş, yatak arkadaşı diye sayan bir danışanıma durmasını söyledim. Bu kadarı çok fazla. Bana göre hâlâ kadınla erkek ya sevgilidir ya da arkadaştır. Diğer bütün ilişki modellerini, adı konulmayan ilişkileri onaylamıyorum. Geri kafalı olduğumdan değil, yeni ilişki modellerinin en büyük zararı kadına vermesinden dolayı.

Örneğin takılma formunda ilişki yaşayan kadın ve erkek ara sıra kahve içip yemek yiyorlar. Cinsel ilişki de yaşıyorlar ama kimse kimseden sorumlu olmuyor, kimse kimseye hesap vermiyor. Böyle bir ilişki türü özellikle erkeği tek gecelik ilişkilerin yavanlığından ve duygusal yoksunluktan korur. Kadınsa yaşadığı ilişkiden farklı beklentilere girebilir ve en kötüsü de umutlanır.

Kadın ile erkeğin durumu ve bu tarz ilişkilerden etkilenme oranı aynı değildir. Pek çok kadın, kendisi de böyle istiyor olsa bile, yaşadıklarından zarar görür.

Benim kadınlara önerim, adı konulmayan hiçbir ilişkiye başlamamaları. Şarkıda dediği gibi "İstersen adını hiç koymayalım, nazarlardan korusun bizi Allahım" diyen adamdan hemen uzaklaşmaları.

İlişkide belirsizliğin bu kadar fazla oluşu en çok kadının özgüvenini, özsaygısını alıp götürür. Doğru modelde önce ilişki başlar, cinsellik ilişkiyi takip eder. Kadın bir ilişkideki değerini kendi tayin eder. İlişkinin hangi seviyede süreceğini kadının duruşu ve davranışları belirler.

BİRLİKTE MÜCADELE ETMEK

Yuvayı dişi kuş yapar. Ama şimdiki dişiler yuva yapmayı değil, hazır bir yuvaya konmayı ister oldular. Evlenme çağına gelen genç kızların küçümsenemeyecek kadar büyük bir kısmı eşiyle beraber hayat mücadelesi vermenin getireceği zorlukları çekmek istemiyor. Gençler, "borcumuz olmasın, evlendiğimizde her şeyimiz tam olsun, rahat edelim" istiyorlar. "En güzel yıllarımızı borç ödeyerek geçirmek istemiyorum" diyen birine aksi yönde bir şey denmiyor. "Gençler haklı" diyoruz.

Oysa bir ilişkiyi temelinden sağlam yapan şey, çiftlerin birlikte kuracakları hayata başlarken verdikleri mücadeledir. Birlikte bir şeyler başarmak ve zorlu yollardan geçmek, ilişki içindeki kişileri güçlü bağlarla birbirine bağlar. Böyle hikayeleri olmayan beraberlikler, karşılaştıkları en ufak krizleri bile aşamazlar, hazıra kondukları için ilk ciddi kavgada sorunu çözemezler ve bitme noktasına gelirler. Bu nedenledir ki günümüz evlilikleri kısa sürüyor. Yıllarca flört eden çiftler, evliliklerinde bir yılı doldurmadan soluğu mahkeme kapılarında alıyorlar.

Yol arkadaşlığı, kader ortaklığı bireylerarası her tür ilişkinin harcıdır. Aralarına harç sürülmeden üst üste dizilen taşlar gibi, son zamanlardaki ilişkiler bu harçtan yoksun inşa ediliyor. Her şeyimiz tam olsun diyerek evlilik yaşı ileri zamanlara çekilirken en önemli şeyleri eksik bırakıyoruz, mücadelenin ilişkiye katacağı ruhu kaçırıyoruz.

"*Evlendiğimizde bir tek yatağımız, iki de yorganımız vardı. Her şeyi birlikte çalışarak yaptık*" diye hikayelerini hayranlıkla dinlediğimiz çiftler yok artık. Şimdiki gençler ihtiyaç duymayacakları kadar büyük evlerin içlerini tıka basa eşyayla dolduruyorlar. Hiçbir şeyleri eksik değil ama o evler şık mobilya mağazası görünümünü aşamıyor, yuva hissiyatını yaratamıyorlar.

BİLGE'NİN RÜYASI

"Arkadaşlarımla deniz kenarında bir parktayım. Gece yarısı geziyoruz. Bir at çıkıyor karşıma ve binmek istiyorum. Ata binmek ücretli. Saati yetmiş beş lira, pahalı buluyorum ama yine de binmek istiyorum. İki saat olarak anlaşıyoruz atın sahibiyle. Ancak kısa bir süre sonra ata binmekten sıkılıyorum. Her yer karanlık, çok kasvetli bir hale dönüşüyor. Atın sahibi kırk lira ver tamam diyor. Ücreti ödüyorum."

Bilge otuz üç yaşında, hırslı, başarılı bir iş kadınıydı. İkinci görüşmemizden sonra seansımıza bu rüyayla gelmişti. Başka bir adama aşık olmuştu ve eşinden boşanmak istiyordu. Hayatının bundan sonrasını o adamla geçirmek istediğinden emindi ama eşini ve çocuğunu düşündüğünde içi cız ediyor, işin içinden bir türlü çıkamıyordu.

Son zamanlarda eşiyle aralarında yaşadıkları her şey soruna dönüşüyordu. Görünürde elle tutulur bir sebep olmasa da kocasının yaptığı her şey ona batıyor, kendisine dokunmasına bile tahammül edemiyordu.

"Hiçbir şey konuşmuyor hiçbir şey paylaşamıyoruz, onunla mutlu değilim, ortak zevklerimiz yok, beni anlamıyor" gibi sözlerle aralarındaki sorunu dile getirmeye çalışıyordu.

"Eşimle ruh ikizi değiliz, hiçbir şekilde birbirimizi hissedemiyoruz. Ama sevgilimle aramızda bambaşka bir ileti-

şim var. Onunla ayrıyken, birbirimizden çok uzaktayken bile birbirimizi hissediyoruz. Birimizin canı sıkkınsa diğerimiz bunu hemen algılıyor, telepatik bir bağ var sanki aramızda. O benim ruh ikizim. Onun yanındayken ya da sadece onu düşündüğüm zaman bile kendimi bu dünyada tamamlanmış hissediyorum, tüm dertlerimi, acılarımı unutuyorum. Konuşmamıza bile gerek yok çoğu zaman. Birbirimizi anlıyoruz. Onunla aramızda yaşananlar o kadar özel o kadar farklı ki, yaşadıklarımı anlatmaya kelimeler yeterli gelmiyor, anlatamıyorum. Yeterince cesur olmadığım ve beni çağıran mutluluğu beklettiğim için kendime kızıyorum."

Bilge sevgilisiyle arasındaki ilişkiye ilahi ve doğaüstü bir anlam yüklüyordu. Onun ilişkisi başka ilişkilere benzemiyordu, onların aşkı hiç de sıradan değildi, böyle bir deneyim basit bir şey olamazdı ve evlilik alışkanlığına bağlı olduğu için bu mutluluğu elinin tersiyle ittiğini düşünüyordu. Bana başvurma sebebi de evliliği dahil olmak üzere, onu mutsuz eden ve alışkanlık olarak sürdürdüğü şeylerden vazgeçme cesaretine kavuşmaktı. Alışkanlıklarının esiri olmayı kendisine yakıştıramıyordu. Doğru olanın evliliğini bitirmek olduğunu düşünüyor ve büyük aşkının peşinden gitmesini sağlayacak cesareti ona vermemi bekliyordu.

Bilge'nin aşkıyla ilgili anlattıklarına bakacak olursak en çok dikkat çeken şey, ilişkisine yüklediği ilahi anlamdır. Hayatın maddi yönüne ait tüm beklentilerini gerçekleştirmeyi başarmış olan Bilge, bu arada manevi duygularından yoksun, ilahi olana inanmaya aç kalmıştır. Manevi dünyasında yaşadığı boşluğu, aşk ilişkisinde doldurabileceğinin umudunu taşımaktadır. Bilge'nin kendisini "tam hissetme" çabası da, umudu da anlaşılabilir bir durumdur. Bu dünyada hepimiz eksik parçamızı tamamlayacak bir şeylerin peşinde koşarız. İçimizdeki boşlukla yüzleşmekten bizi alıkoyacak bir şeylere tutunmak isteriz. Aşk ilişkileriyle içimizdeki eksik parçamın tamamlandığı deneyiminin, illüzyondan ibaret olduğunu çok sonra ve hayal kırıklığıyla anlarız

Bilge'nin Geçmişi

Bilge'nin hikayesine biraz daha yakından bakalım. Bilge hayata başlarken ne istiyordu, nereden gelip nereye gidiyordu? Annesi, iyi bir mesleği olduğu halde çalışmayı seçmemiş ve babasının sözünden çıkmayan pasif bir kadındı. Bilge kendini babasıyla özdeşleştiriyor "Ben babamın kızıyım" diyordu. Başarılı, hırslı bir kadın olarak annesinin yıllardır babasından alamadığı onayı ve takdiri alıyordu.

Bilge çalıştığı şirkette gözünü en tepeye dikmişti. O zaman eşi bir adım geri çekildi ve Bilge'yi destekledi, olmak istediği kişi olmasına, hayallerine ulaşmasına hizmet etti. Başarılı olmayı istiyordu, hem de her şeyden çok. Eşi bir karar verdi; Bilge madem böyle mutlu olacaktı, istediği hedefe varana kadar ne gerekiyorsa yapacaktı. Yeter ki Bilge hayallerine kavuşsun ve mutlu olsundu.

Gerçekten de böyle oldu. Bilge'nin eşi bu uğurda çok fedakarlık yaptı. Karısının geç saatlerde eve gelişlerine, uzun mesai saatlerine, ihmal edilen ev işlerine katlandı. Çocuğun neredeyse bütün sorumluluğunu üstlendi. Bilge'nin yatılı seyahatleri çok fazlaydı. Hem evin hem de çocuğun sorumluluğu derken, erkek kendi kariyerini ister istemez geri planda tutmak zorunda kalmıştı. Bu gerçekten büyük bir fedakarlıktı.

Fakat bir şeyler ters gitmekteydi. Bilge iş hayatında merdivenleri tırmandıkça daha mutlu olacaklarını düşünseler de evlilikleri çatırdamaya başlamıştı. Bilge işyerinde giderek daha mutluydu ama evde eşiyle beraberken giderek daha mutsuz bir kadın olup çıkmıştı. Sürekli çocukla ve ev işleriyle meşgul olan kocası hızla gözünden düşmüş ve evlilikleri dokuzuncu yılını geride bıraktığında Bilge'nin kalbi artık başka bir adam için çarpmaya başlamıştı. "Ben onunla çok mutlu olacağıma inanıyorum, mutluluk beni çağırıyor, orada çok mutlu bir yaşam beni bekliyor, bunu biliyorum" diyordu.

Eşini, işini, düzenini, her şeyini bırakacak ve çok uzak bir şehirde onu bekleyen sevgilisine, mutluluğa koşacaktı.

"Evet farkındayım, bunun da bedelleri var" diyordu ama farkında değildi. Farkında bir insan böyle bir deliliğe kalkışmazdı çünkü.

Bilge eşiyle olan ilişkisi için ne diyor, tekrar kulak verelim: "Hiçbir şey konuşmuyor, hiçbir şey paylaşmıyoruz, beni anlamıyor."

Bilge son derece anlayışlı ve kendisinin mutluluğu için her şeyi yapan bir eşe sahipti. Çok genç yaşta iş hayatında istediği noktaya gelmişti. Eşinin desteği ve fedakarlığı sayesinde aynı zamanda bir yuvaya ve bir de çocuğa sahip olmuştu.

O Zaman Sorun Neydi?

Sonuçta kadının bir hayali vardı ve adam karısının bu hayale ulaşması için elinden geleni yapmıştı. Karısını dövmemiş veya aldatmamıştı. İçki içip kumar oynamamıştı.

İşte sorunlar da tam olarak bu noktada başlamıştı.

"**Eşim nasıl mutlu oluyorsa öyle yapsın, ben ona her şekilde destek olurum, eşimin mutluluğu için her şeyi yaparım**" demek bir erkeğin söyleyeceği en son söz olmalıdır. "Mutlu olacağın şekilde yaşa" demenin sonu yoktur. Çünkü Bilge şimdi de başka bir adamla mutludur.

Erkek hata yapmıştır. Bilge hayallerinin peşinde koşarken, ona yol açmaya çalışmaktan kendi yolunu unutmuştur. Hayallerini rafa kaldırmıştır, karısının hayallerini kendi hayalleri yapmıştır. Kendini eşiyle öyle bir özdeşleştirmiştir ki, hayatını unutmuştur. Bilge maaşını beşe katlarken adam bulunduğu noktadan bir adım öteye gidememiştir.

Bilge'yle yaptığımız gündüz rüyası çalışması da aslında içindekileri çok net ortaya koyuyor.

> *"Çimenler yeşil ama etrafı dikenli telle çevrilmiş. Telle çevrili alanın içinde sevgilim var. Bir ağacın altında oturuyor. Dışarıda bir ev bir de tepe var. Ev eski ama eşyalar tertemiz. Bir eve, bir de ağacın yanına gidiyorum. Bir fotoğraf albümü; ben, eşim ve oğlumun fotoğrafları var. Tepeye çıkmak istiyorum ve çıkıyorum. Tepe çok güzel, burada çok mutluyum. Ama buraya bir süreliğine çıkmışım. Eve dönmem lazım, beni bekliyorlar."*
>
> Kimin beklediğini soruyorum (tam o sırada gözyaşlarına boğuluyor, ağlamaktan zor çıkan sesiyle devam ediyor).
>
> *"Eşim ve oğlum. Yemek yapmam lazım. Tarhana çorbası ve tavuk."*

Bilge'nin rüyasına baktığımızda da durumu açık ve net görebiliyoruz. Evlilikdışı ilişkisini sadece bedeli yüksek bir eğlence olarak görüyor. İlk başta eğlencenin bedelini yüksek bulsa da ödemeye razı. Ama sonrasında istediğinin bu olmadığını anlıyor ve sıkılıyor. Her yerin birden kararması yanlış yolda olduğunu, bu işin sonunun olmadığını gösteren açık bir mesaj. Neyse ki atın sahibiyle anlaşıyor ve ucuz kurtuluyor.

* * *

Acaba Bilge gerçekten kariyer istiyor muydu? Yoksa sadece ilk ailesinde ciddi sorunlar olduğu için yaralı bir kadın mıydı?

Bilge değerli olmak istiyordu. Çünkü eğitimine rağmen çalışmadığı için babası annesini ciddiye almıyor, ona değer vermiyordu. Kadın olarak değer görmenin yolunun çalışmaktan, başarmaktan, yükselmekten geçtiğine inanmıştı. Böylece hayatının ilk erkeği olan babasının gözüne girebilecek, onayını alabilecekti. Bilge onay istiyordu. Kariyer umurunda değildi. Sadece, annesinin babasından alamadığı onayı, o şimdi yeni kurduğu ailesinde kocasından alacaktı. Kocası Bilge'yi her haliyle onaylıyordu, yoksa ona bu kadar destek olamazdı. Aradığı değer yanıbaşındaydı ama çok fazla ihtiyaç içinde olduğundan başucunda duran hazineleri göremez olmuştu.

Bu mücadele Bilge'yi çok yordu. Yaşadığı stres dayanılamaz boyuttaydı. Rahatlamaya ihtiyacı vardı. Dayanamadığı şey eşi değil, kariyer peşinde koşarkenki yorgunluğuydu. Eviyle ilgilenmek istiyordu, çocuğunu özlüyordu ama bünyesi zayıftı, her zaman çok yorgundu.

Bünyesi, hırslarına yenik düşmüştü. Ruhen ve bedenen çok yıpranmıştı.

Maddi manevi pek çok sorunu aşıp, birbirlerini severek ve isteyerek bir araya gelmiş, yuva kurmuş, sonrasında çocuk sahibi olup çocuklarını belli yaşa getirmiş iki insanın, tam da her şey yoluna girdi diyecekleri bir anda, böyle bir sebeple birbirinden kopması, bana her zaman trajik gelmiştir. Çünkü bu tür ayrılıklar gerçekte hiçbir sebep yokken gerçekleşir. En temel ihtiyaçlar ilişki içinde karşılanmıştır. Tüm ihtiyaçlar karşılandığında ortaya çıkan durum sıkıcı bir evre ve monoton bir yaşam olarak algılanır. Oysa monotonluk hiç de kötü bir şey değildir. İnsan yüreği elbette yeni maceralara açılmak, yeni yerler keşfetmek ister. Bunun için yıllardır emek verdiği oluşumu, oturmuş bir sistemi bozması mı gerekir? Yetişmiş ve meyve veren bir ağacı sıkıcı bulup her sene aynı zamanda aynı meyveyi verip duruyor diye kesmek hangi akla hizmet olabilir?

> İnsan bir şeylere sahip olduktan sonra sahip olduğu şeyin değerini, bir zamanlar onun için ne kadar uğraştığını, onu ne kadar istediğini unutur. Bir ilişkide güven, sadakat, üreme gibi temel ihtiyaçlar karşılandıktan sonra geçen zaman yeni ihtiyaçlar doğurur. Yeni ihtiyaçlarımızı karşılamaya yöneldiğimizde aklımızda tutmamız gereken, yeniyi benimserken eskiyi unutmamaktır. Karşılanmış ihtiyaçlarımız önemini yitirmez, sadece biz onları elde ettiğimiz için değerlerini unuturuz.

HAYALLERİNDEN VAZGEÇEN ERKEK

Kadın da, erkek de hayallerini askıya alıp sadece eşinin mutluluğuna hizmet etmemelidir. Özellikle de bir evlilikte hayallerini askıya alan taraf erkek olduğunda durum daha da kötüleşir.

Olimpiyat şampiyonu atletimiz Aslı Çakır Alptekin ve eşi hakkında gazetede okuduğum bir köşe yazısı burada söylediğimin tam tersi bir savı destekliyor. Yazıda Aslı'nın eşi İhsan'ın kendi atletizm kariyerini bir tarafa bırakıp, sadece Aslı'nın antrenörlüğüne soyunmasından, bunun yanı sıra eşinin masörlüğünü, fizyoterapistliğini, diyetisyenliğini üstlenmesinden, tüm bunların üstüne bir de ev hanımlığı görevinin de İhsan'da olmasından övgüyle söz ediliyor.

Aslı kendi ağzından eşiyle ilgili şöyle söylüyor: "Benim başarım için kendi hayatını feda etti, ben madalyaya koşabileyim diye atletizmi bıraktı."

Kadınların erkeklere söylemesine alışkın olduğumuz sözleri, sporu bırakmaya niyetlendiği bir dönemde İhsan Aslı'ya söylemişti. "Sakın bırakma, ben bırakayım, antrenörün olayım, sen koş" diyerek.

Türkiye'nin çalışma şartları ağır bir ülke olduğu, bunun için de erkeğin mesleki başarısı ve sağlıklı bir kafayla işine odaklanması için kadından evde oturup, çocuklara bakıp kaleyi tutma görevinin beklendiği doğrudur. Kadının böyle bir fedakarlık yapmasını desteklemiyor ve bunun adına kadın hakkı diyorsak, erkeğin böyle bir fedakarlık yapmasını, kariyerinden vazgeçmesini övgüyle anlatmak hangi eşitlik anlayışına sığıyor? Kadına reva görmediğimizi erkeğe neden reva görüyoruz? O zaman da erkeğe haksızlık yapmış olmuyor muyuz? İstikbali parlak bir atlet olan İhsan kendi hayallerini rafa kaldırarak, Aslı'nın şampiyon olmasına hizmet ettiyse onun hayallerinin bedelini kim ödeyecek? Burada sözü edilen şey pozitif ayrımcılık değil, düpedüz erkeğe yapılan haksızlıktır.

Köşe yazısında şöyle sonlanıyor:

> *"Dolayısıyla, her başarılı erkeğin arkasında bir kadın vardır, doğru ama... Her başarısız kadının önünde de, takoz gibi duran bir erkek vardır! Allah memlekete hep İhsan gibi erkekler ihsan etsin inşallah."*

Erkek kariyerinden vazgeçti. Vazgeçti ve kadını destekledi. Erkek kendi kariyerinden vazgeçmek pahasına kadına destek oluyorsa benim aklıma takılan ilk soru o ailenin ekonomik hayatındaki devamlılığının nasıl sağlanacağı oluyor...

Elbette erkek takoz gibi durmasın kadının önünde. Peki ya kadının başarma hırsı ve yükselme arzusuyla erkeğin kariyerinin önünde takoz gibi durabileceğini hiç düşündünüz mü?

Kariyer yapmak, bir şeyler başarmak, üretmek isteyen kadın eşi tarafından da desteklenirse çok güzel olur. Çalışıp üreten, ev işleri ve çocuk doğurmak dışında hayata katkıda bulunan, mutluluk yaratan kadın çocuklarına da, eşine de daha faydalı olur; eğer kantarın topuzunu fazla kaçırmazsa.

Kantarın topuzu nasıl mı kaçıyor?

Erkek kendini yok etme pahasına kadını var ederse kantarın topuzu kaçıyor, ilişkideki tüm dengeler bozuluyor.

Kadının bir ailenin ekonomik istikrarını tek başına sağlaması zordur. Çünkü her kadının olmasa bile çoğu kadının kadınca sorunları hayattan sık sık mola almasını gerektirir. Örneğin doğum, emzirme gibi durumlar. Bunun yanı sıra kadın hastalıkları, düşük, kürtaj, PMS, menopoz gibi sorunlarla baş ederken, aynı zamanda istikrarlı biçimde yüksek başarıları sürdürmeye çalışması, kadının en nihayetine birtakım kadınlık haklarından vazgeçmesini gerektirir.

Erkek, karısının kariyeri için kendi kariyerini feda ederken işin ekonomik boyutunu çok iyi düşünmeli. Çünkü evlilikte yaşanan maddi sorunlar boşanma nedenleri arasında başı çekmektedir. Evlilikte yaşanan maddi geçimsizlik, şiddetli geçimsizliğe kapı açar. Parayla ilgili konular kavgaların başını da sonunu da tutar.

Kadının fiziksel ve ruhsal yapısını iyice analiz edip anlamadan, sadece popülist yaklaşımlarla yapılan kadın hakkı söylemlerinin, toplumun geleceği açısından taşıdığı sorumluluğu fark etmek gerekir.

Kadının Çalışma Hayatının Aile Düzeni İçindeki Yeri Ne Olmalı?

Bir ailede kariyer yapan, öne çıkan tarafın kadın olmasının sonuçları vahim olabilir. Erkeğin kadının kariyeri konusunda destekleyici olması gerekmez, köstek olmaması yeterlidir. Kadın istiyorsa, gücü yetiyorsa, kendine güveniyorsa iş hayatına girebilir. Erkekten daha fazla öne çıkmanın kadına getirdiği sorumlulukların başında ekonomik sorumluluk, yani ailenin geçiminin sağlanması gelir. Kadın eşinden daha çok kazanıp evin direği olduğunda, evin geçim standardını kadın belirlediğinde, **kariyerini sürdürmek kadın için bir tercih değil zorunluluk olur.**

Bu arada kadının kafası rahat olsun, işyerinde verimi yükselsin diye sürekli karısını tolere etmek, idare etmek fedakarlığında bulunan bir erkeğin, bu durum sürekli hale geldiğinde kendi kariyerine odaklanması güçleşir. Kendi işine odaklı, stresli bir erkeğin bir de evde eşine yardım edip, onu destekleyip, çocuklara ilgi gösterip, karısına moral vermesini beklemek erkeğin limitlerini fazlasıyla zorlamak olur. Şu dünya düzeninde çok yoğun ve stresli bir iş gününden sonra erkeğin de morale, ilgiye ve desteğe ihtiyacı vardır.

Sağlıklı bir ilişkide simetrik kaynakların takas edildiğini düşünürsek; bir taraf aileye statü kazandırıyorsa, diğeri ona sevgi ve destek vermelidir. Bu durumda, evlilikte iki taraf da aynı anda yüksek kariyer hedefleri peşinde koşamaz. Sağlıklı bir ilişkide bir taraf mutlaka daha geride durmalı ki o ilişki ve varsa o ilişkiden doğan çocuklar, insanın sahip olduğu tüm kaynaklar tarafından beslenebilsin.

Erkeğin kazandığı statü aileye yansır ama kadının kazandığı statü aileye değil, kadına mal edilir. Bu durumda erkek hadım edilmiştir.

Kadının aile ekonomisine katkıda bulunmasıyla aile ekonomisini sırtlanması arasındaki farkı iyi gözetmek gerekir. Ailesinin geçimini sağlama sorumluluğunu üstlenen kadın, elde ettiği maddi güce karşılık çok önemli bir şeyi feda etmiştir; erkek tarafından sağlanması beklenen güvenlik duygusunu yitirmiştir.

"Eğer kadın daha çok kazanma olanağına sahipse, erkek işi bile bırakabilir, çocukların ödevleriyle ilgilenip kahvaltılarını hazırlayabilir" diyerek ev erkekliği tanımını ortaya atanlar, rollerin değişiminden söz edenler de yok değildir.

Bu düşünce ilk bakışta kulağa çok mantıklı geliyor. Eğer aynı türün ilişkisinden bahsediyor olsaydık, gerçekten çok mantıklı da olabilirdi. Ama cinsiyet rolleri, mantıklı görünen bu önermeyi mantıksız kılar. Böyle bir durumda kadının güvenlik ihtiyacı karşılanmamış olur. Bazen de evlilik, sadece evli kadın olmanın statüsü için katlanılması gereken, kadının çok mutsuz olduğu bir kuruma dönüşür. Mahalle baskısından korkup, dul bir kadın olmanın bedelini ödemek istemeyen kadın evliliğini mecburen sürdürür.

Günümüzde artık kariyerli kadının anne olma yaşı otuzları buluyor. İkinci çocuğunu da doğurmayı düşünürse hamilelik yaşı otuz beşe dayanıyor, hatta bunu geçiyor. Bunun sonucunda kadın ellili yaşlarına geldiğinde hâlâ önünde uzun bir eğitim dönemi olan ve büyütülmesi gereken çocukların sorumluluğuyla baş başa kalıyor.

Fakat elli yaşında bir kadının çalışma gücü, duygusal yapısı, dayanıklılığı hem ergenlik dönemindeki çocuklarla ilgilenmeye, hem iş hayatında mücadele etmeye hem de menopoz gibi kadınca sorunlarla uğraşmaya ne kadar yeterlidir?

Erkek iş hayatında giderek tecrübe edinip, bilgi kapasitesini taçlandırıp tecrübesiyle göz doldururken, kadında yıpranma ve tükenmişlik belirtileri göze çarpar. Kadın duygusal ve hassas bir varlık. Hayattan ara sıra ihtiyaç duyduğu molaları alamazsa, sinir sistemi bu yüke uzun vadede dayanamayabilir.

Kariyer kadınlarının antidepresan kullanımının, psikolog ziyaretlerinin daha fazla olduğu bilinen bir gerçek. Bu kadınlar, bir şekilde hayatla baş etme becerilerini artırma yolları arıyorlar, kişisel gelişim, enerji terapisi, yoga gibi konularla da bu yüzden daha fazla ilgileniyorlar.

İşte tüm bu nedenlerle kariyerini sürdürmek kadın için zorunluluk haline gelmemeli. Kadın istediği sürece, gücünün yettiği yere kadar, kendini ve çevresindekileri tüketmeden, tercih olarak çalışma hayatına devam etmeli.

Bir de çocukların bakımı, büyütülüp yetiştirilmesi meselesi var. Çocukların bakımı öncelikle kimin işi olmalıdır sorusuna cevabım, çocuk yetiştirmenin kadının esas işi olduğudur.

Kadın hamile kalır, bebeği taşır, doğurur, emzirir ve bu bir tercih değildir. Erkek de doğurabiliyorken, emzirebiliyorken kadına yıkılmış bir görev de değildir. Basitçe söylersek; fare yakalamanın kedinin, yumurtlamanın tavuğun işi olması gibidir. Bunların tartışmaya açık konular olduğunu düşünmüyorum. Erkek, çocuklarıyla ilgilenmeli, sevgisini vermeli, zamanı varsa çocuk bakımında eşine yardım da etmelidir. Hem çocukların hem de kadının sağlığı için esas sorumluluğun kadında olması koşuluyla.

Kadından Erkeğe ve Erkekten Kadına Dönen Şiddet Döngüsü: Uyumlu Görüntünün Altında Yatan Karşılıklı Şiddet

İnsan eti ağırdır. Evlilikte çiftler hayatı paylaşmıyorlarsa, hayat müşterek adı altında faturayı hep bir taraf ödüyorsa, o taraf ister kadın ister erkek olsun, içinde öfke biriktirmeye başlar. Evlilik kimin çıkarına hizmet ediyorsa o taraf hayatından memnun olur, ona göre sorun yoktur.

Dışarıdan bakıldığında son derece uyumlu görünen bu türden çiftlere daha yakından baktığımızda birbirlerine yönelik gizliden gizliye yürütülen, açık edilmeyen bir şiddet döngüsü içinde olduklarını görebiliriz.

Bu konuyu incelemeye kadından erkeğe yönelen şiddetle başlayalım.

Kadınlar erkeklere özgü davranışlar olarak bilinen içki içme, gece gezmelerinde arkadaşlarla takılma, aldatma, tek gecelik ilişkiden sonra şimdi de şiddet uygulamaya başladılar. Geçenlerde benim de taraf olduğum bir haber için arayan muhabir, "Erkeklere sığınma evi açılıyormuş, bu konuda ne düşünüyorsunuz?" diye sordu.

Antalya vali yardımcısı açıklıyor: *"Kadından şiddet gören erkek oranı yüzde otuz. Adam bize geliyor, karım beni dövüyor diye yardım istiyor. Karısı tarafından üzerinde sigara söndürülen, eve alınmayan erkekler var. Psikolojik şiddet görenlerin sayısı binlerle ifade ediliyor. Türkiye'de kahvehaneler erkek sığınma evidir."*

Kadınlar çiçektir derler ya... Günümüz kadını çiçek açmıyor artık. Yüklendiği bu kadar sorumluluk, üzerinde bunca baskıyla çiçek açmak ne mümkün zaten? Kurudu ve üzerinde sadece dikenleri kaldı. Kocasına, çocuğuna, ana babasına tahammülü kalmadı. Dağılan ve yitirilen değer yargıları sonrasında hoş olmayan arayışlara başladı.

Erkek dünyası eğitimli kadınları şiddetle dize getiremedi ama bunu bu kadınları başarı hırsıyla güdüleyip yapabildi. Kadının başarılı olma hırsı, erkek egemen dünyanın kadınlar için kurduğu yeni bir tuzak gibi görünüyor gözüme. Erkekler köy kahvesinde otururken tarlada çalışan, üreten, hatta tarlada çocuğunu doğurup kaldığı yerden hayatına devam eden, tütün balyası sırtında, çocuğu kucağında, sırtından sopası, karnından sıpası eksik olmayan kadından ne farkı var modern dünya kadınının? Bugünlerin kadının sırtında eksik etmediği sopa: Başarılı ol, güzel ol, bakımlı ol, yüksel, evlen, kariyer yap, koş yoksa düşersin! İşsiz kalmak, gözden düşmek, yaşlanmak korkusundan daha büyük sopa mı olur kadının sırtında? Böylelikle kadın, taşıdığı sorumluluklar yüzünden, erkeği çok büyük bir stresten kurtarmış olur. Kadının ekonomik özgürlüğünün kadını mı yoksa erkeği mi daha özgür kıldığını iyi düşünmek gerekir.

Kadının başarma ve kazanma hırsı sonuçta yine kadından çok erkeğe fayda sağlar. Erkek işsiz kalmaktan, maaş zammı alamamaktan, iş batırmaktan, eve ekmek getirememekten eskisi kadar korkmaz. Sonuçta kadınlar ne kadar değerli olduklarını elde ettikleri başarı miktarıyla ölçtüklerinden, sağladıkları her başarıyla birlikte biraz daha tuzağa düştüklerinin farkına varamazlar. Ama içlerinde gizliden gizliye biriken öfke, kadının intikam planları yapmasına neden olur. Bunların hiçbiri çok da bilinçli işleyen süreçler değildir. Kadın, kendi sabır ve tahammül gücünü tükettiğinde erkeğe kötü davranmaya başlar.

Kadınların temel ihtiyacı güvenmek ve güvende olduğunu hissetmektir. Bu ihtiyacının karşılanması için kadın, erkeğine izin ve fırsat vermelidir. Kontrolü sıkıca elinde tutan kadın, erkeğe böyle bir fırsat tanımaz. Her şeye yetişmeye çalışır, yetişir ya da yetişemez. Ama her şekilde tükenir ve evdeki adamı gereksiz ve sadece mahalle baskısı yüzünden katlanılması gereken biri olarak görmeye başlar. Bazen ona o kadar kızar ki onu cezalandırmak ister. Kendince ve bilinçdışı gerçekleştirdiği eylemlerle ilişkideki alma verme dengelerini eşitler. Madem kocası ona ihtiyacı olanı vermiyor, hep alıyordur, o zaman o da kocasından bir şeyler eksiltmeye karar verir. Böylece ilişkiye denklik getirdiği hissini yaşar. Bunun için kocasını üzecek şeyler yapar. Eşi üzecek davranışın en uç noktası sadakati yitirmektir.

DEĞİŞEN DENGELERE UYUM SAĞLAYAMAMANIN EVLİLİĞE GETİRDİĞİ SORUNLAR

Hayatında hiç problem istemeyen, mutluluğu kovalayan Sinan, bir görüşmemizde "Tülay hanım ben hayatımda problem istemiyorum, bir problem de görmüyorum, mutlu olmak istiyorum" demişti.

Sinan ve Burcu üniversite yıllarında başlayan beş yıllık ilişkilerinin ardından evlenmişlerdi. Hayatları, birbirlerine tutkuyla bağlı bir çift olarak sürüyordu. Evlendikten sonra hayatlarını yoluna koyana kadar bilinçli olarak beş yıl çocuk yapmamışlardı. İlişki toplamda onuncu yılını doldururken kayda değer bir sorun yaşamamışlar, mutlu ve tutkulu beraberliklerini sürdürmüşlerdi.

Alttan alan, teslimiyetçi ve kanaatkar yapısıyla, ilişkinin iyi gitmesindeki en büyük rol şüphesiz Burcu'nundu. Sinan'ı bunaltmıyor, "Neden bu da böyle?" demiyor, var olanı kabul ediyordu.

Fakat aileye yeni gelen bebek tüm düzenlerini kökten etkilemiş, bebekten önceki hayatları artık tamamen değişmişti. Burcu eskisi kadar tahammül sahibi değildi. Tepki veriyordu, yardım istiyordu, şikayet ediyordu. Belki biraz da fazla konuşuyordu.

Sinan'ın düzeni, alıştığı ortamı bozulmuştu. Karısı eskisi gibi değildi. Her koşulda onu sevgiyle kucaklayan karısı, görüştükleri arkadaşları, sinema saatleri, motor gezileri... Hiçbiri kalmamıştı. Bundan sonra hayatları eskisi gibi olamayacaktı. Bebeğe göre bir düzen kurmaları gerekiyordu.

Burcu hamileliğinin altıncı ayından beri, "Motoru satıp araba alalım, bundan sonra bebekle motora binemeyiz" diyordu. Motorun fiyatı pekala ikinci el bir araba fiyatına eşitti. Bebek doğmuş ve altı aylık olmuştu ama Sinan motoru hâlâ satmamıştı.

Sinan da, Burcu da sigara kullanıyorlardı. Sigarayı evin içinde değil, mutfakta içiyorlardı. Hamile kaldıktan sonra Burcu sigarayı bıraktı.

Bebek üç aylıkken bronşit oldu. Burcu Sinan'dan sigarayı mutfakta değil, balkonda içmesini istedi. Mutfakta içildiğinde ne de olsa duman diğer odalara geliyordu. Sinan kendini balkona atılmış hissetti.

Burcu'yla Sinan'ın en çok keyif aldıkları şeylerden biri de evde sinema keyfi yapmaktı. Burcu'nun bebeği uyutmaya çalıştığı bir gün Sinan yine gümbür gümbür film seyrediyordu. Burcu hışımla odaya girdi ve televizyonun kumandasını parçaladı. "Sana kaç kere 'Sesini kıs, çocuk uyanıyor' diyeceğim?" diyerek bağırdı. Sinan sesini çıkarmadı. Filmi kapattı ve evden çıktı.

Sonuçta ortaya çıkan tabloda, giderek kendini yalnız ve dışlanmış hisseden bir adam ve yine kendini giderek yalnız ve desteksiz bırakılmış hisseden bir kadın görüyoruz. Özellikle oturmuş bir ilişki içinde, alışılması gereken yeni bir durum olduğunda kaçınılmaz olarak ortaya çıkan sorunları Burcu ve Sinan da çarpıcı şekilde yaşıyordu.

Birbirlerini "artık eskisi gibi olmamakla" suçluyorlardı. Doğruydu. Her ikisi de artık eskisi gibi değildi. Çünkü hayatları eskisi gibi değildi.

Sinan kendine ev dışında bir hayat kurarken, Burcu ise iş hayatını bırakmış ve giderek bebeğine ve evine bağlanmıştı.

Sonuçta her ikisi de değişen şartlara uyum sağlayamamışlar, sorunları görmezden gelmişler, birbirlerinin değişmesini ya da sorunların kendiliğinden sihirli bir şekilde ortadan kalkmasını bekleyip çözümü zamana bırakmışlardı.

Ben bu çifti çocukları dört yaşına geldiğinde, Burcu'nun Sinan'ın kendisini aldattığını öğrenip, bu nedenden dolayı girdiği terapist arayışı sonucu tanıdım.

Burcu, aldatılmayı terapiye getirecek kadar ciddi bir sorun olarak görürken, yıllardır aralarında süren ve giderek açılan mesafeyi çözülmesi gereken bir sorun olarak görmemiş, aldatıldığını öğrenmese yardım arama ihtiyacı duymamıştı.

Hayatımız ileri giderken zaman değişir, şartlar değişir ve alışkanlıklarımızı da, kendimizi de değiştirmek zorunda kalırız. Değişen şartlarla beraber ortaya çıkan yeni durumlara ayak uydurmak zorundayızdır. Bu durumlar eğer biz durumlara uyum sağlamak için çaba göstermezsek sorunlara dönüşür.

Hikayenin başına dönersek, eve gelen yeni bir bebekle alıştığı ve mutlu olduğu sistem yerle bir olan Sinan, yaşananları geçici bir durum olarak algılayıp evine sırtını dönmüştür. Sanki bir süre dişini sıkar, kendini dışarıda oyalarsa sorunların biteceğini ve eski günlere dönebileceklerini sanmıştır. Karısına kulak vermemiş, "Nasıl olsa konuşur konuşur susar, olmadı bir iki gün küser sonra tekrar barışır" diye düşünmüştür.

Gerçekten de aynen böyle olmuştur. Sinan'ın eve geç ve içkili gelmesi, sürekli telefonuyla uğraşması, çocukla ise hiç ilgilenmemesi, kendine yeni bir motor alması, arkadaşlarına borç vermesi, Burcu'ya zaman ayırmaması konularında kavga etmişlerdir. Kavga demek ne kadar doğru bilemiyorum. Çünkü Burcu söylenmiş, bağırmış, sinir krizleri geçirmiş ama Sinan hep susmuştur. Gerilimini boşaltan Burcu bir süre sakin kalmış, yaşadığı gerilim tırmandığında yeniden söylenmeye başlamıştır.

En sorunsuz gibi duran, büyük aşkla başlayan ilişkiler bile değişen şartlara uyum sağlayamazlar ve sorunları sıcağı sıcağına çözemezlerse büyük sıkıntılar yaşarlar. Hayatınızda oluşan yeni durumlar karşısında eski alışkanlıklarınızı koruyamazsınız. Ama yeni alışkanlıklar edinerek, duruma uyum sağlayabilirsiniz. Oluşan yeni duruma uyum sağlamayı reddetmek, Burcu ve Sinan'ın hikayesindeki gibi aşılması zor krizlerin oluşmasına neden olur.

Peki Ne Yapmalıydılar?

Her şeyden önce Sinan, karısının duygu durumunu zamanla geçecek, enfeksiyona bağlı gelişen bir hastalık gibi görmek yerine, ilgilenmesi gereken bir durum olarak algılayabilirdi. Onu dinleyebilir, aynı mutluluğu sürdürmek için hayatında yeni alanlar açmak yerine, mutluluğu Burcu'yla yaşamak konusunda kararlı olabilirdi. Benim mutluluğum karımın yanında olmalı diyebilir, sabır gösterebilirdi. Burcu da sürekli bağırıp çağırmak yerine, başına aldatılmak gibi bir olay gelmeden önce psikolojik destek arayışına girebilir, derdini anlatmanın sağlıklı bir yolunu bulabilirdi.

Sorunları en başında fark edip çözmek için uğraşmazsak, küçük bir solucan yıllar içinde bizi yutacak bir yılana dönüşebilir. Bir şeyler eskisi gibi değilse, sorunlar başladıysa, ille de aldatılana, terk edilene, terk edene, kilo alana, hasta olana kadar beklememeliyiz.

Sorunlarınızı fark edin. Hiçbir sorun bir günde ortaya çıkmaz. İlişki problemleri zaman içinde sinyaller vererek geleceklerini belli ederler. Kaza geliyorum demese de ilişki sorunları geliyorum der. Büyük sorunların altında ezilmek istemiyorsak, zahmet edip solucanların başını ezmeliyiz. Bu hayat bizim ve unutmamamız gereken şey "sorunlar kendiliğinden ortadan kaybolmaz ve bize ait olan sorunu yine sadece biz çözebiliriz."

Çözüm Bir Başkası mı?

"Olasılıklardan en çok korktuğumuz zaman aşık oluruz" diyor bir filozof.

> Sorunlar bir ilişkide çözebileceğimizden daha büyük bir yığın haline geldiyse ve yolumuzu tıkayıp hayatımızı ileriye götürmemize engel olmaya başladıysa, bunları çözmeye çalışmak yerine yeni ilişkilerin içine girme hatasına düşebiliriz.

İster rüya gibi, ister "deneyelim görelim" diye başlasın, her ilişki zaman içinde doğacak sorunlara gebedir. Sorunlarla ilgilenmek, bunları çözmeye uğraşmak ise son derece huzursuz edici bir iştir ve zaten hiçbir sorun başlangıçta çıkardığı gürültüyü uzun süre sürdürmediği, belki de kulakları sağır ettiği içindir ki bu huzursuz edici işe bulaşmak istemeyiz. Bir ihtimale göre kavga etmiş, öfkelenmiş, bağırıp çağırıp gerilimimizi boşaltmışızdır. Başka bir ihtimale göre de ortada o kadar büyük bir sorun olmadığına, eğer daha dikkatli olsaydık sorun yaşanmayacağına kendimizi ikna etmeye çalışmışızdır.

Böylelikle yaşanmış ve halledilmemiş sorunlar birikmeye başlar. Altından kalkılması imkansız hale gelene kadar ötelediğimiz her iş nasıl gözümüzü korkutuyorsa ilişkideki sorunlar karşısında da o ilişkiyi gözden çıkarmakta buluruz çareyi.

Pek çok boşanma kararının altında böyle bir birikim vardır. Halının altına süpürülen, dolaplara tıkıştırılan sorunlara gün gelir yer bulamazsınız. O zaman gözünüze o evden çıkmaktan başka çare yokmuş gibi görünür. Bu durum, oturup dolapları temizlemek yerine yeni bir elbise dolabı almaya kalkmak gibidir. Sorun çözmeyi öğrenmediğiniz sürece boş dolap, yeni halı tez zamanda eskisiyle aynı duruma gelecektir. Gerçek anlamda bir temizlik ancak alışkanlıklarımızı değiştirmekle mümkün olur.

Aslında hepimiz iyi niyetliyiz. Amacımız huzurumuzu kaçırmamak. "Tamam geçti, konu kapandı, şimdi konuyu açmak anlamsız" diyerek yola devam etmenin mümkün olduğunu sanıyoruz.

Sorun çözmekle ilgili sıkıntıların başında, sorun ilk alevini kaybettikten sonra artık konuyu açmak istemeyişimiz vardır. "Hazır konu kapanmışken yeniden açıp da ağzımızın tadını kaçırmayalım" diye düşünürüz. Oysa ortada önemli bir problem varsa konuyu konuşmak ve uzlaşmak için en doğru zaman, suların durulduğu, ağzımızın tadı yerine geldiği zamandır.

Boşanmak Sorunu Çözer mi?

Boşanma istatistiklerine baktığımda aklıma şu soru geliyor: "Acaba bu evliliklerin hepsinde çözülemeyecek kadar derin sorunlar mı vardı, çözülemez miydi, bir çaresi bulunamaz mıydı?"

Hayat devam ederken soruna, acıya, sıkıntıya doyduğumuz bir yer oluyor. Tahammülsüzleşiyor, sabredemiyor, daha fazla dayanamıyoruz. İşte o zaman her şey, herkes bize yük geliyor. En yakınımızdakilerden başlayarak atmak istiyoruz hayatımızdan. Bir şeyler bize yük ama acaba yük olan gerçekten bu evlilik mi, bu adam mı, bu kadın mı? Fatura her zaman en yakınımızdakine ve kendimizden güçsüz gördüğümüz kişiye kesiliyor. Çünkü o daha güçlü olsaydı, daha dik dursaydı acılarımız bir son bulabilirdi gibi geliyor.

Başımıza açtığımız dertlerin, çoğu zaman kendi başımızın altından çıktığı gerçeğiyle yüzleşmek sağlam yürek istiyor.

Mutluluğu bulamadığımız için mutsuz olduğumuzu, bir yerlerde bizi daha mutlu bir hayatın beklediğini düşünüyoruz. Gerçekte beklemiyor ama umut etmesi bile güzel.

Kendimizi aciz, güvensiz ve yaşadığımız yere ait değilmişiz gibi hissediyoruz. Giderek çoğalan sıkıntımıza son vermek için arayışa başlıyoruz. Arayışımız sürdükçe kök salamıyoruz, kök salamadıkça daha kolay savruluyoruz, boşanmak bize çare gibi geliyor.

Birikmiş sorunlardan boşanarak kurtulamayız. Sorunlarımız bize aittir ve boşanma kararı almadan önce sorunlarımızı çözmek zorundayızdır. Boşanmak sorunlardan kurtulmanın ya da mutlu olmanın bir yolu değildir demekle yetineceğim çünkü bu konu ayrı bir kitap konusu olacak kadar derin ve geniş bir konudur.

GÜVENECEK KİMSE YOK MU?

Birine güvenmek demek onun bizim için ve ilişkimiz için her daim doğru kararlar alacağı anlamı taşımaz. Bu sefer değilse de öbür sefere daha iyisini yapacağına inanmayı içerir. Buna istekli ve gönüllü bile olsa, bir ilişkide tüm kararları hep bir tarafın alması, diğerinin "Sana güveniyorum, sen nasıl istersen" demesi, başlangıçta kararları alan tarafa iyi hissettirse de, uzun vadede hiç kimse böyle bir yüke dayanamaz. Bilmiyorum, fark etmez, bana uyar gibi yüksüz cevaplar başlangıçta kulağa hoş gelse de, uzun vadede diğeri üzerinde muazzam bir yük oluşturur.

"Yemeği dışarıda yiyelim mi?"

"Olabilir, fark etmez, evde de olabilir."

"Sence arabayı değiştirme zamanı geldi mi?"

"Bilmiyorum, araba anladığım bir şey değil, sen bilirsin, değişse olabilir."

"Çocuğu bu okuldan alalım mı?"

"Bilmiyorum ama çok sıkıntı var okul idaresinde."

Böylece sorumluluktan kaçarsınız. Diğeri sizin gerçekte ne düşündüğünüzü asla bilemez. İstiyor musunuz, istemiyor musunuz? Cevaplarınızı hep ortada bıraktığınızda, nereye çekseler oraya gidecek gibi durduğunuzda, ellerine verdiğiniz kontrolün ve gücün sarhoşluğundan ayılan diğerleri, kendilerini size karşı müthiş gergin ve öfkeli hissedeceklerdir.

Böylece sizi hiçbir şeyle itham edemezler. İçten içe size kızgın olmalarının nedeni diğerleriyle hayatı paylaşmamanız, elinizi taşın altına sokmamanızdır.

Ama siz böyle yaparak, arabanızı değiştirdiği için parasız kalan eşinize, "Ben senden araba istemedim" deme hakkına sahip olursunuz.

Dışarıda yemek isteyen tembel eş durumuna düşmezsiniz ama o müsrif eş durumuna düşebilir.

"Sen öyle istedin" diyerek kenara çekildiğinizde, diğeri kendini tuzağa düşmüş hissedecektir.

Güvenmek, sorumluluğu paylaşmak anlamına gelir. Hayatlarımızla ilgili tüm kontrolü bir başkasının ellerine bırakmanın, sonra da hayallerimizi unutmanın, pasif bir bekleyiş içinde isteklerimizden vazgeçmenin adına güvenmek denemez.

Teslimiyet, var olanın sınırlarını görmek ve kabul etmektir. Mümkün olanı istememek ise teslimiyet değil, düpedüz tembellik ve korkaklıktır. Neyin mümkün, neyin imkansız olduğunu ayırt etmek ise biraz çaba harcamayı ve ilgili olmayı gerektirir.

Birine güvenmek, kendinden vazgeçmeyi gerektirmez. Güvenmek ve uyum sağlamak için bile, sağlam bir benliğe ihtiyacımız vardır. Bir ilişkide kendini yok sayarak uyum sağlayacağını, huzuru ve güven ortamını koruyacağını sanmak, elinizde enstrüman olmadan müzik yapmaya çalışmak gibidir.

Uyumlu ve huzur dolu bir ilişkiyi ilmek ilmek dokursunuz. İki taraf ellerindeki iplerle ve renklerle sırayla birer ilmek atar ve ortaya bir şeyler çıkar. Elinizdeki ipi saklayarak ve tüm işi diğerine bırakarak mutlu bir ilişki yaratamazsınız.

* * *

"Ben onu çok sevmiştim, ona çok güvenmiştim ama o beni aldattı, kandırdı, bana yalan söyledi, beni terk etti. Demek ki kimseye güvenmemek gerekiyormuş."

Hayal kırıklığı içinde böyle cümleler kurdunuz mu?

O zaman güvenmenin anlamını bir kere daha sorgulayalım.

Güvendiğimiz kişiden hatasız ve kusursuz olmasını bekliyoruz. Birine güvenince hayal kırıklığı yaşamayacağımızı sanıyoruz. Onun ölümlü bir insan olduğunu unutuyoruz. Yaptığı hataları insan olmasına değil de güvenilmez olmasına bağlıyoruz.

Birine güveniyor olmamız ona insanüstü güçler kazandırmaz. Ne kadar güvenirseniz güvenin, karşınızda tıpkı sizin gibi korkuları, egoları, hırsları, eksikleri, kompleksleri olan bir insan duruyor.

Birini çok sevip de güvendiğimizde abartılı beklentiler içine giriyoruz. Elbette güvenilir ve daha az güvenilir insanlar vardır ama bir insan ne kadar güvenilir olursa olsun sizi üzebilir, kırabilir, hayal kırıklığına uğratabilir. Bilerek ve isteyerek, kasıtlı olarak değil; bunu yapmayı hiç istemese de istenmeyenler yaşanabilir.

İnsan hayatta en azından bir kişiye her şeyini, hatta hayatını ellerine teslim edecek kadar çok güvenmek ister. Sırtını dayayabileceği birine ihtiyaç duyar. Ama birine dayanma ihtiyacı insanı hayal kırıklığına uğramaya mahkum eder.

HAYRAN OLABİLECEĞİM BİRİNİ NASIL BULACAĞIM?

Hepimiz bir şeylere hayranlık duymak isteriz. Hayran olunacak bir varlıkla ansızın karşılaşmak insanı mutlu eder. Pencereye konmuş küçük bir kuş, arabasından gülümseyen bebek, çiçeklerle süslü bir balkon, doğadaki kır çiçekleri, muhteşem bir günbatımı, yağmurdan sonraki toprak kokusu... Bunların hepsi insanda hayranlık uyandırır, insanın içini ferahlatır.

Tüm bu güzelliklerin ne sahibiyizdir, ne de sorumlusu. Sorumluluğunu taşımadığımız güzelliklerin tadını çıkarmak güzeldir, bizi mest ederler. Allah hiçbir zahmete katlanmadan keyfini çıkarabileceğimiz güzelliklerle donatmıştır bu dünyayı. İnsan için bu güzelliklerden zevk alabiliyor olmak büyük bir lütuftur.

İnsan emek vermediği bir şeye sahip olamaz, sahip de çıkamaz. Günbatımını, kır çiçeklerini, yıldızları, gökte uçan kuşları severiz. Hiçbiri bizim değildir. Aklını kaçırmış değilse kimse göçmen kuşlara sahip olmaya çalışmaz.

Hayranlık duyduğumuz şeylerin diğer bir kısmı da insan elinden çıkan şeylerdir. Güzel bir resim, iyi bir kitap, yüzyıllara meydan okuyan yapılar ve bu eserleri meydana getiren insanlar. Doğada kendiliğinden oluşan, insanlara bahşedilen ve tüm insanlığın ortak kullanımına sunulan şeyler gibi değildir insan elinden çıkanlar. Üzerinde büyük bir emek vardır hepsinin.

Başkasının eserine sahip olabilir misiniz? Topkapı Sarayı üzerinde hak iddia edebilir misiniz? Anna Karenina'yı ben yazdım diyebilir misiniz? Bu kadar abartmaya gerek yok aslında. Sokakta annesiyle dolaşan ama size gülümsediği için çok sevdiğiniz bebeği o benim olsun diye alıp eve götürebilir misiniz? Yine mi abartılı oldu? O zaman size gerçek bir olaydan bahsedeyim.

İşyerimizin önünde sokağa bakan ve çiçek yetiştirdiğimiz bir alan var. Çok aklı başında görünen kocaman insanlar kendilerine ait olmayan o çiçekleri topluyorlar. Onların kır çiçeği olmadığı belli elbette. Çünkü işyerimiz kırlık alanda değil. Bazıları toprağıyla beraber kökleyip götürüyor çiçekleri. Bazıları izin istiyor çiçek almak için. Sanki izin alınca yapılan şey normalleşiyor gibi. Kırklı yaşlarında bir kadın "Buradan çiçek alsam nasıl olur?" dedi. "Onları ben yetiştiriyorum sizce nasıl olur?" dedim. "Eve götürüp suya ıslatacağım" dedi. Kendinde hak görmenin son noktası. Oysa her köşe başında bir çiçekçi var. Marketlerde toprak, saksı, tohum... Çiçek yetiştirmek için her şey var.

Başkasının baktığı çocuk, başkasının baktığı çiçek, başkasının baktığı hayvan... Hepsi için durum aynı. Başkasının eliyle, emeğiyle yaptığı şeyler çok güzel görünür. Sorumluluğu taşıyan, emek veren, angaryasını yüklenen biri varken bize sadece tadını çıkarmak düşer. Ama çoğu zaman arka plandaki emeği gözden kaçırırız. Gördüğümüze özenir ve hemen biz de aynısından isteriz.

Diğerinin yaptığını yapmaya çalışmakta sorun yoktur. Arkadaşlarımızın bebeğini görüp özenerek, bir bebek dünyaya getirmeye karar vermek normaldir. Arkadaşımızın bebeğini alıp, bu bizim olsun diyerek eve götürmeye kalkmadığımız sürece sorun yoktur. Bebek sahibi olmaya karar verdiysek, bunun bedelini ödemeyi de göze almışız demektir. Emeksiz yemek olmaz. Başkasının emeğini yemeye kalkarsanız, bu size asla yaramaz.

Başkasının karısına, kocasına, sevgilisine hayran olduysanız ne olacak peki? Söz konusu kadın erkek ilişkileri olduğunda hayranlık duyacağınız bir eş istiyorsanız bunun için çaba harcamalısınız. Hayranlık duyduğunuz kişi bir başkasına ait ise onun ikliminde yetişmiştir ve onu oradan koparıp almaya çalıştığınızda sonrasında ne olacağı bilinemez.

Hayran olacağınız evi, çiçeği, hayvanı ve hatta eşinizi siz yaratabilirsiniz. Başkasının elindekini, başkasının emek vererek oluşturduğunu istemek düpedüz hırsızlığa girer.

İNSAN NEDEN SEVER?

"Sevgi anlaşmak değildir, nedensiz de sevilir" diyor bir şarkıda. Evet, sevgi anlaşmak olmayabilir ama nedensiz olmaz.

Mesela gülü mis gibi koktuğu, köpeği sadık bir dost olduğu, bülbülü şakıdığı için seversiniz. İster canlı bir varlık, ister cansız bir nesneyi sevin, sevdiğiniz şey muhakkak içinizde bir yerlere dokunuyordur. Hiçbiri değilse de hatırası vardır, artık o varlığı sevmeseniz bile hatıralarınızı sevdiğiniz için ayrılamıyorsunuzdur. Sevgi kör ya da aptal değildir.

Bazı insanlar ilişkileri çok kötü gitmesine ve ilişki içinde sürekli istismar edilmesine rağmen ilişkilerini bitirmezler. Neden katlandıklarını soranlara da "Ne yapayım elimde değil, çok seviyorum" diyerek cevap verirler.

Bazı insanlar da çok iyi giden bir ilişkide kolaylıkla terk edebilir ve "Çok iyi bir çifttiniz, hiçbir sorun yoktu, neden ayrıldınız?" diyenlere "Artık onu sevmiyorum, elimde değil, duygularım bitti" diyerek cevap verirler.

Sevgi hayatlarımızın temelini oluşturan çok önemli bir duygudur. Ama bizim kontrolümüzde olduğu sürece faydalıdır. Sevgi, ilişkilerimizin akıbetine dayanak olacak güçte bir duygu değildir. İlişkilerimiz hakkındaki kararlarımız "seviyorum" ve "sevmiyorum" ekseninde olmamalıdır.

Birisi sevdiğimizle ilgili "Nesini, neresini sevdin?" diye sorunca gerekçeler saymak çoğumuzun ayıbına gider. "Sevdim çünkü ahlaklıydı, güzeldi, dürüsttü, çalışkandı, parası vardı" gibi nedenler sıralamayı basit buluruz. Sanki sevgi nedensiz olursa daha yüce bir şeydir de, nedenlere sığdırmaya çalışınca ucuzlayıp basitleşiyor gibi gelir.

Bir ilişkiye başlarken ya da evlenmek için birini seçerken sevgimizin nedenlerinin farkında olmak gerekir. Biri sorarsa siz yine saymayın ama bilin bunu. Sonra da hayat arkadaşı olarak seçtiğiniz kişiye onunla hangi nedenlerden dolayı evlendiğinizi söyleyin. Bunda ayıp ya da kırıcı bir durum yoktur.

"Seni sevdiğim için evlendim" demek aynı zamanda şu manaya da gelebilir: "Seni sevdiğim için evlendiysem, sevgim bitince de ayrılabilirim."

Evlilik ömür boyu sürecek bir anlaşmaya imza atmaktır. Anlaşmanın maddeleri imza attığımız nikah defterinde yazmaz. Fakat bu maddeleri sözlü olarak çiftlerin birbirine iletmesinde hiçbir sakınca yoktur. Evlilik kararı verirken hepimizin kafasında hissettiğimiz çekim dışında o çekimi besleyen, hayranlığımızı artıran sebepler vardır.

"Ben seni her halinle seviyorum" demek bir ilişkide yalanların en büyüğüdür. Birini çok sevmek demek her halini sevmek demek değildir. Yalan söylemek, verdiği sözü tutmamak, saygısızlık gibi halleri insan kendi çocuğunda bile görse sevemez. Ama biz yine de her halimizle bizi sevecek birini isteriz ve sevginin gücünü de bu yolla sınarız.

"Eğer beni gerçekten sevseydin..." diye başlayıp devam eden cümleler kurarız.

Sevgi de tüm diğer duygular gibi sürekli ve istikrarlı değildir. Bir duygu çok yoğunken ötekiler kendine yer bulamaz. Çok sevdiğiniz birine sinirlenebilir, kendinizi ondan uzak hissedebilir ve sonra tekrar onu sevebilirsiniz.

Fakat zamanla bu duygular arasında sevgi aleyhine bozulan bir dengesizlik olursa; yani sevgiyi daha az, öfkeyi, kızgınlığı soğukluğu daha fazla hissederseniz, o kişiyle aranızdaki bağlar zayıflar ve bu süre çok uzarsa ilişki kopma noktasına gelebilir.

Eğer birini neden sevdiğinizi bilirseniz, hangi sebeplerden, hangi duygularla ilişkiye başladığınızı hatırlarsanız aranızdaki mesafeler açılmadan, birbirinizden soğumadan ilişkileri toparlamak mümkün olur. İşte bu yüzden bir ilişkiye neden başladığınızı bilin ve karşınızdakine de açık şekilde bildirin.

PANİK BUTONU

Felaket durumlarında soğukkanlı insanların kurtulma olasılığı daha yüksektir. Yürek yangın yeri ise bu da bizim felaketimizdir ve çırpınmayı bırakmamız gerekir.

Bir ilişkide paniklediğiniz bir an geldiğinde, örneğin sevgiliniz telefonunuzu açmadığında ve dokuz saat geçmesine rağmen geri dönmediğinde, ilişkinizi baltalayacak seri hatalar yapmaya en uygun durumdasınızdır. Didem'in hikayesi üzerinden konuya biraz daha yakından bakalım.

Didem ve sevgilisi cumartesi akşamı yemeğe gitmek için sözleşmişlerdi. Didem bütün hafta bu buluşmayı iple çekmişti. Ama ne yazık ki cumartesi öğleden sonra sevgilisinden gelen mesajla bütün hayalleri yıkılmıştı. Mesaj şöyle diyordu: "Hayatım hiç hesapta olmayan bir şey oldu. Çalıştığımız firmalardan birinin sahibi haber vermeden gelmiş, şimdilik çıkamıyorum, sen evde kal, adamdan kurtulmaya çalışıyorum."

Sevgilisi doğru mu söylüyordu yoksa buluşmak istemediği için bahane mi yaratıyordu? İkilemde kalan Didem şöyle bir mesajla sevgilisine geri döndü: "Benim önceden verilmiş bir sözüm var, keşke haber verip gelseydiniz demedin mi?"

Sevgilisinin cevabı tek kelimeydi: "Dedim."

Didem gelen cevap karşısında aslında sevgilisinin bu buluşma için kendisi kadar istekli olmadığını hissetmişti. Ama tavır koymaktan da çekiniyordu, çünkü anlayışsız kadın durumuna düşmek istemiyordu.

Bir sonraki mesajında şöyle yazdı: "Eğer sen gerçekten istersen adamı gönderebilirsin." Didem bu mesajına cevap alamadı ama çok geç bir saatte arayan adam "İstersen yemeğe gidebiliriz" dedi.

Saat yemek saatini çoktan geçmişti ve sevgilisinin sesi buz gibiydi. Belli ki bu yemek Didem'in zorlamasıyla gerçekleşecekti. Didem "Senden haber gelmeyince yemeğimi yedim ve Sedalara geldim" demeyi aklından geçirse de, sevgilisinin kapris yaptığını düşünmesinden çekindi. "Tamam" dedi ve buluştular. Yemek çok kısa ve keyifsiz geçti. Adam, Didem'i evine bıraktı ve gece böylece son buldu. Hikayenin gerisini Didem'in ağzından dinleyelim:

> **İlişkimiz başlayalı on beş gün oldu, hafta başında yemek davetini yapan, buluşmak isteyen bu adamdı. Cuma gününe kadar o da çok istekliydi. Sonra ne oldu da birden değişti anlayamıyorum. Yemekte bunu sordum. "Ne oldu, ne değişti?" dedim. "Çok soru soruyorsun" dedi.**
>
> **"Anlamaya çalışıyorum" dedim.**
>
> **Yorgun olduğunu söyledi. Yemekte rahatsız olduğum başka konuları da konuştuk. "Mesaj yazdığımda dokuz saat cevap vermiyorsun, bunun nedeni ne?" diye sordum. O da işlerinin çok yoğun olduğunu söyledi.**
>
> **"Tuvalete de mi gitmiyorsun, ateş hattında mısın?" dedim. Ben zaten arka arkaya mesaj atan biri değilim; günde bir, en fazla iki mesaj atarım. Bana çok gereksiz sorguladığımı, bu kadar üzerinde durulacak bir şey olmadığını söyledi. O zaman bana desin ki "Ben seninle bu yemeğe çıkmak istemiyorum" ya da "Bana mesaj atma, mesajlaş-**

mak istemiyorum." Ama bunu da demiyor, sadece susuyor ve buz gibi bakıyor. Ben konuşunca erkekler benden uzaklaşıyor.

Şimdi gelin, Didem'in durumuna daha yakından bakalım. Didem, rüya gibi başlayan ilişkisinin on beş gün içinde bu hale gelmesinde nasıl bir paya sahip?

Bize yapılanlar karşısında tavır koymadığımızda, karşımızdakine de duygularıyla baş başa kalma fırsatı vermeyiz. Hoşumuza gitmeyen bir davranışla karşılaştığımızda neden yaptın, yapmayabilirdin, isteseydin böyle olurdu, şöyle olmazdı deyip sorgulamak yerine; kendimizi biraz geri çekip bu davranışa katlanmayacağımız mesajını diğerine verirsek, o da gerçekten bizi istiyor mu yoksa onun için vazgeçilebilir miyiz sorularını kendine sormaya başlar.

İstediklerimizi almak için diğerinin üstüne giderek, onu zorlayarak, itip kakarak ilişkimizi yürütemeyiz. Didem de bu noktada sevgilisinin verdiği mesajı almamış, kendisini zamanında geri çekmek yerine, sevgilisi onun önerilerini akıl edemiyormuş gibi "Öyle deseydin, böyle deseydin" türünden şeyler söylemiştir. O sırada düşündüğü tek şey hayalini kurduğu buluşmanın ne pahasına olursa olsun gerçekleşmesi olduğundan gözleri kör, kulakları sağır olmuştur. Geçmişten gelen duygusal açlıkları o kadar büyüktür ki bu yemeğin gerçekleşmesi için duyduğu isteğin ve ısrarın acısını yaşamaktadır.

Didem buluşmak istemediğini belli eden bir adamla buluşmaya çalışmak yerine, sakin olup kendisine yapılan davranışı anlamaya çalışabilirdi. Aslında bal gibi anladığımız bir şeyi anlamaya çalışmak için sorular sorup durmaya gerek yoktu. Her ne kadar "Ben anlatamıyorum" dese de, esas sorunu kendini anlatamaması değil, anlatılmaya çalışılanı anlamak istememesiydi. Didem, konuşarak kendisini ifade ettiği için erkeklerin kendisinden uzaklaştığını düşünüyordu. Oysa durum tam tersiydi. Erkekler o konuştuğu için uzaklaşmıyordu. Didem erkekler ondan uzaklaştığında, bu uzaklaşmaya engel olmak umuduyla konuşuyordu. Çünkü sevdiği bir insanın kendisinden uzaklaşmasını kabul etmek istemiyordu. Sadece istediğini almak istiyordu, istediğini vermesi için diğerini ikna etmek adına konuşuyordu.

Diğeri bize ne verip ne veremeyeceğini sadece sözleriyle ifade etmez. Davranış ve tutumlarıyla da belli eder. Bu örnekte de erkek, o gece buluşma niyetinde olmadığını belli etmiştir. Biri bizimle buluşmak istemiyorsa buluşmak istemiyordur. Bu durumu deşip sorgulamak sadece bizim daha çok üzülmemize neden olur.

Durum basittir aslında. Demek ki bu adam canı istediğinde görüşüp, istemediğinde vazgeçebilecek, canı isterse arayıp istemezse aramayacak bir adamdır. Kendini ortaya koymuştur. "Sen neden böylesin, neden aramıyorsun?" demek mantıksızdır. Aramak isterse arayabilir, istemediği için aramıyordur.

O zaman dönüp kendimize sormalıyız. Belli ki adam bizimle ciddi bir ilişki istemiyor, sadece takılmak istiyor. Eğer biz de böyle bir ilişkiye razıysak sorun yoktur. Ama razı değilsek verme kapasitesi bu kadar olan bir adamdan bir aile babası yaratmaya çalışmanın da anlamı yoktur. Gerçek budur ve doğru tepkiler verebilmek için gerçeği kabul etmek zorundayızdır.

"Peki ya doğruysa, gerçekten işi çıktıysa ben anlayışsız kadın durumuna düşmez miyim?" İşte Didem'in sıkışıp kaldığı yer burasıdır.

Rahat ve emin olun ki anlayışsız kadın durumuna düşmezsiniz. Ama karşınızdaki sizi anlayışsız olmakla suçlayabilir. Siz dik durmalısınız. Zaten gerçekten işi çıkan biriyle bahane üreten birini ayırt edersiniz. Sonuçta sizinle ilgisi olmayan sebeplerden dolayı sözünü tutamamıştır. O sebepleri ortadan kaldırma sorumluluğu size ait değildir. Kapris ya da kinaye yapmadan kendi benliğimizi ortaya koymayı mutlaka öğrenmeliyiz.

Gerçekten güçlü olan insan, kendine yapılan kötü muamele karşısında, beklentilerinden vazgeçip kendini korumayı bilen insandır.

İşte bu nedenle...

-Sizi aramayan birine "Neden aramıyorsun?" demeyin.

-Mazeretler üreten birine mazeretlerini çözmesi için önerilerde bulunmayın.

-Anlayışsız kadın (ya da adam) durumuna düşmekten korkmayın.

-Hatalı davranarak ilişkiyi mahvedeceğinizden korkmayın. Biri sizi seviyorsa hatalarınızla sevecektir. Sevmiyorsa, dünyanın en mükemmel insanı olsanız bile yine sevmeyecektir. Boşuna kendinizi paralamayın.

-Verecek şeyi olmayan birinden almak için ısrar edip durmayın.

-"Belki de benim aramamı bekliyordur" demeyin. Arkadaşların birbirlerine söyledikleri yalanlardan biri de budur. Sevgilisinin aramasını bekleyen ama sevgilisi tarafından bir türlü aranmayan arkadaşınıza "Belki de senin aramanı bekliyordur" dediğiniz olmuştur. Biri sizi aramak istiyorsa arayacaktır. Aramıyorsa, aramak istemediği için aramıyordur.

Çok iyi davranmamıza, çok sevmemize, çok fazla özveride bulunmamıza rağmen diğerleri bize hak etmediğimiz şekilde kötü davranıyorsa yine durup kendimize bakmalıyız. *Çünkü diğerinin bize karşı davranışını bizim ona olan davranışımız değil, kendimize olan davranışımız belirler. Biz kendimize nasıl davranıyorsak, başkaları da bize öyle davranır.* Kimse bize kendimize davrandığımızdan daha iyi davranmaz. Yani diğerine iyi davrandığımızda değil, kendimize iyi davrandığımızda iyi muameleyle karşılaşırız.

YAKINLIK VE MAHREMİYET ARASINDA DENGE KURMAK MÜMKÜN MÜ?

"Sınırlarınızı koruyun, hayır demeyi öğrenin, sizi sömürmelerine izin vermeyin, bağımlı ilişkilerden kurtulun, herkesi mutlu etmeye çalışmayın, milletin ne düşündüğü önemli değil, bu sizin hayatınız..."

Yukarıdaki cümleler son yılların kişisel gelişim mottoları. Mutlu olmanın önkoşulları, kendini bulma yolundaki temel adımlar olarak bizlere dayatılan cümleler.

Mutluluğun yolunun özerk bir birey olmaktan geçtiğini savunan düşüncelere tam olarak katılmıyorum. Yakınlığa bu kadar çok ihtiyaç duyarken diğer taraftan her tür bağlılıktan ve sorumluluktan kaçmamız gerektiği söyleniyor. Sınırlarımızı korumaya çalışırken yakın bir ilişkinin vereceği huzur ve güvenden yoksun kalıyoruz. Yakınlık ve mahremiyet arasındaki dengeyi bir türlü tutturamıyoruz.

Peki bireysel mahremiyeti korurken yakın ilişkiler kurmak mümkün mü?

Elbette mümkün. Bunun için insanları tanımamız ve kime nasıl davranacağımızı ayırt etmemiz gerekiyor. Fakat duygusal ihtiyaçlarımız yüzünden olmayacak insanlara kapılarımızı açıyoruz. Sonra da sınırlarımızın ihlal edileceğinden, tacize uğramaktan korkup gerçekten yakın ilişkiler kurabileceğimiz kişilere panikle kapılarımızı kapatıyoruz. Tıpkı evi hırsızlar tarafından soyulan birinin hırsız korkusuyla bütün kapıları kilitleyip, alarmları çalıştırıp en yakınlarını bile eve almaması gibi bir durum.

Oysa...

> *Sınır koymakta bir sorun yoktur. Sınır koymamamız gereken insanlara da, dış kapının dış mandallarıyla aynı sınırı koymakta sorun vardır.*
>
> *Bağlanmakta sorun yoktur. Olmayacak insanlara bağlanmakta sorun vardır.*
>
> *Hayır demeyi öğrenmek lazımdır. Evet dememiz gereken yerleri unutmakta sorun vardır.*

Diğer insanlara karşı sorumluluklarımızı tamamen bıraktığımızda, bağımlılıklarımızdan kurtulmak için var gücümüzle çalıştığımızda ve bunu sapla samanı ayırmadan yaptığımızda giderek yalnızlığa mahkum oluruz.

Özgür olmak, kimseye hesap vermeden yaşamak, güçlü olmak, toplumsal baskılara boyun eğmeyecek noktalara gelmek için çok büyük çaba harcar insan. Bedelini ödeyen, bağımsız bir birey olup kendini ispatlayabilir.

Peki ya sonra mutlu ve anlamlı bir hayat mı sürer? Sonrasında onu ne bekler?

İnsanların özgürlük ve bağımsızlık konusundaki en büyük ısrar nedeni temelde koşulsuz kabul edilmeye karşı duydukları arzudur. Oysa bizim istediğimizi yapma hakkımız varsa, başkalarının da yaptıklarımızı beğenmeme ve eleştirme hakkı vardır. "Ben olduğum gibi olayım, insanlar da beni olduğum gibi kabul etsin" demek çocukça bir istektir. Biz canımızın istediğini yaparken, özellikle bazı insanların yaptıklarımızı beğenmesi ve onaylaması için büyük istek duyarız. Beğenmeme hakkını onlara tanımayız. Hâlâ onay bekliyorsak, her duyduğumuzdan etkilenip sinir küpü oluyorsak işte o zaman aslında bu insanlara bağımlıyız demektir.

Bağımlı ilişkilerden kurtulmanın ve kendimizi gerçek anlamda özgür kılmanın ilk koşulu, psikolojik göbek bağlarımızı kesmenin getireceği acıya ve yalnızlığa katlanabilmektir. Bağımlı olduğumuz insanları hayatımızdan çıkarmak, onlara küsmek, tavır almak, mesafe koymak bu bağı koparmak anlamına gelmez. Bağımlı olduğumuz insanlardan kaçarak, kendimizi onların kötü olduğuna inandırarak tamamlanabilecek bir süreç değildir bu.

Bildiğini okumak isteyen insan, sevilmek ve onaylanmak ihtiyacını gözden çıkarabilmelidir. Kimse bizi kayıtsız şartsız, her yaptığımızla, her koşulda kabul etmek zorunda değildir. Ne zaman ki diğerlerinin davranış ve duygularından etkilenmez, onların aldığı olumsuz tavra rağmen bildiğimizi okuruz, işte o zaman gerçekten bağımsız bir birey olduk demektir.

Mutluluğa giden yolun sadece özgürlükten ve birey olmaktan geçtiğine inananlar yalnızlığa, tecrite ve boşluk duygusuna da bir o kadar hazır olmalıdır.

AŞK

İflah olmaz boşluk duygusunun en iyi ilacıdır aşk. Yan etkisi kuvvetli bir ilaçtır. İçildiği sürece iyi hissettiren, etkisi geçince büyümüş bir yarayla bizi baş başa bırakan bir ilaç.

Aşkın en güzel tarafı içinde umudu barındırmasıdır. Aşık olunduğunda en büyük dertler bile önemini yitirir, insan her şeyin üstesinden gelebileceğini düşünür.

Aşk inanmaktır. Bir masala, mucizelerin gerçek olduğuna, herkesten farklı ve özel biri olduğuna inanmak.

Yıllardır beklediğimiz, hayalini kurup özlemini duyduğumuz şeyleri bize vereceğine inandığımız kişiye aşık oluruz.

"Sen yoksan her şey eksik, sen varsan her şey tamam" diyor şarkıda. İhtiyacımız olan ne varsa aşık olduğumuz kişiyle gelecekmiş gibi hissederiz.

Aşık olduğumuz kişinin hiçbir eksiği tamamlamadığını ve tamamlayamayacağını fark ettiğimiz zaman, hayal kırıklığı ve acı alır baş döndüren mutluluğun yerini. Aşk alevini yitirir.

İçimizdeki boşluk, karşılanmamış ihtiyaçlar ve mutlu olma beklentimiz ne kadar yüksek ve diğerinin bunları karşılayabileceğine duyduğumuz inanç ne kadar büyükse aşkın şiddeti de o kadar fazladır.

O zaman özlemini duyduğunuz, ihtiyacınız olan şeyleri düşünün. Hayatınız boyunca istediğiniz şeyleri düşünün ve bir yere yazın. Umarım cevabınız "Beni sevecek birini istiyorum, her yerde arıyorum ama bulamıyorum" değildir. Size hayatınızı geri verecek ve sizi yaşatacak birini aramak dışında bir şeyler yapıyor musunuz? Hayallerinizi gerçekleştirmek için çaba harcadınız mı?

Pek çok kişi hayatında birden çok kere aşık olur. Her seferinde hayal kırıklığı yaşasa da, çok acı çekip bir daha aşık olmamaya yeminler etse de aşka düşmekten kendini kurtaramaz. Bunun en büyük sebebi şu katil düşüncedir:

> ***"Beni mutlu edecek, çok sevecek, sırtımı dayayabileceğim biri var. Ama ben henüz onu bulamadım."***

Sizi üzmek ve umudunuzu kırmak istemem ama emin olun öyle biri yok.

"Bulanlar var ama" diyebilirsiniz. Davulun sesi uzaktan hoş gelir. Bir ilişkide bizim kendimize vermeye gönüllü olmadığımız hiçbir şeyi diğeri bize veremez. "Hayallerimin aşkı, ruh ikizim bir yerlerde yaşıyor ama ben bulamıyorum" düşüncesi elinizdekilerin değerini anlamanıza engel olur, sizi hep arayışta bırakır.

Aşktaki en büyük çelişki şudur: "Neye ihtiyacımız varsa bizimle aynı ihtiyacı duyan insanlara doğru çekiliriz." Yani ihtiyacımızı fark eden ve karşılamayı vadeden kişi en az bizim kadar ihtiyaç içindedir.

İlgiye, sevgiye ve güvende hissetmeye çok ihtiyacımız var diyelim. Karşımıza tam da böyle birinin çıktığını düşünelim. Bizimle çok ilgili, sevgisini gösteriyor, hasta olduğumuzda başımızdan ayrılmıyor, nereye gitse haber ediyor, mesajlarımıza cevap veriyor. "Evet!" diyoruz, "Aradığım kişi tam olarak bu! Çok mutluyum." Ama çok geçmeden rüzgar yön değiştiriyor, peri masalı bitiyor, bir şeyler değişiyor ve biz bu değişikliği anlayamıyoruz.

İhtiyaç duyduğumuz şeyler, vermeyi öğrenmemiz gereken şeylerdir. Ve vermek en önce kendine vermekle başlar. Kendimizi sevmekle, kendi ihtiyaçlarımızı karşılamakla. Çünkü...

Aşk boşluk duygusunu doldurmaz.

Aşk acılarımızı dindirmez.

Aşk ihtiyacımız olanı vermez.

Aşkta beklenti ne kadar yüksek ise hayal kırıklığı da o kadar büyük olur.

Kendini sevmek, kuru kuru kendimi seviyorum ve affediyorum demek değildir. Kendini sevmek, etkin bir şekilde kendine vermek, kendine özen göstermektir. Birine "Seni seviyorum" deyip sonra da ona kötü davranırsanız, o kişi sevginizin gerçek olduğuna inanır mı? Aynı şey kendiniz için de geçerlidir.

Kendini sevmek kendine iyi davranmak, kendi ihtiyaçlarını karşılamaktır.

Kendini seven insan sağlığına dikkat eder.

Kendini seven insan, başkalarına saygılı olduğu kadar kendine de saygılıdır. Başkalarıyla ilgili olduğu kadar kendiyle de ilgilidir.

Gerektiğinde hayır diyebilir.

Kendini seven insan, içinde korunmaya değecek bir şey olduğunu bilen ve sınırlarını koruyan insandır.

Kendinizi şimdi, olduğunuz gibi kabul edin ve sevin. Zayıflayınca, iyi bir okul kazanınca, iş bulunca ya da terfi edince değil.

Bugün kendiniz için çok güzel bir şey yapın. Çok uzun zamandır bir başkasından beklediğiniz bir şeyi kendinize verin. İhtiyaçlarınızı karşılayın. Kendinizi doyurun. Kendinize kendiniz hakkında güzel şeyler söyleyin. Bunu hak ettiğinize inanın.

Çünkü sizden başka hiç kimse, tam istediğiniz şeyi tam istediğiniz zamanda size veremez.

Mutlu Aşk İlişkisinde Denge Nasıl Olmalı?

En çok aşk acısı çekenler en çok çocuk kalmak isteyenler, büyümeyi reddedenlerdir.

> Aşkta mutluğu yakalamak ancak dengeyi yakalamakla mümkündür. Almak ve vermek arasındaki denge taraflardan birinin aleyhine bozulduğunda, aşkı sönen taraf da o olur. Teslim olmak ve teslim almak, çocuk olmak ve büyük olmak, hayran olmak ve hayran olunmak... İnsanın bir ilişkide hepsine ihtiyacı vardır.

Aşkta ilk giden taraf, daha çok veren ama alamayan taraftır. Dışarıdan bakıldığında sanki terk edilen kişi çok çabalamakta, çok şey vermekte ve yapmaktadır da, giden bencil ve zalim olduğu için gitmektedir gibi görünür.

İşin aslı öyle değildir. Veriyormuş gibi yapan taraf aslında diğerinin ihtiyaç duyduklarını vermiyordur. Zira insan kendinde olmayanı ve kendine vermediklerini hiç kimseye veremez.

Örneğin kötü sözlere ve kötü davranışlara maruz kalıp da hâlâ diğerine iyi davranabilmek samimi ve inandırıcı değildir. Kendine iyi davranmayan birinin bize iyi davranması mümkün olamaz. Burada samimiyetsizlik vardır. Bunun adı "Ben onun her şeyine, her lafına, hakaretine katlandım, onu sevdiğim için çektim" değildir.

- **İnsanlar bize kendimize davrandığımız kadar iyi davranırlar.**
- **İnsanlar onlara, kendimize davrandığımız kadar iyi davranacağımıza inanırlar. Eğer birine kendimize davrandığımızdan daha nazik, daha ilgili ve sevgi dolu davranırsak inandırıcı olamayız.**

Somut bir örnekle anlatalım. Eğer evinize ayakkabılarla girerseniz arkadaşlarınız da sizin evinize girerken ayakkabılarını çıkarmaz. Arkadaşınıza "Neden ayakkabıyla giriyorsun, evimi kirletiyorsun diyemezsiniz.

Eğer yediklerinize içtiklerinize, sağlığınıza dikkat etmiyorsanız sevgilinizin sağlığı için gösterdiğiniz özen ve çaba da inandırıcı olmaz. Örneğin kahvaltı etmeyen, aç karnına sigara içen bir kadın, sevgilisi için her sabah muhteşem lezzetli ve sağlıklı kahvaltılar hazırlıyor ama sevgilisi olmadığında günün bu en önemli öğününü atlıyorsa, davranışında samimiyetsizlik hissedilir. Kendisi için kahvaltı hazırlamaya üşenen birinin diğeri için hazırladığı kahvaltıya şüpheyle yaklaşmak doğaldır. Bu kirli bir armağandır. Beklentiyle yapıldığı bellidir.

Denge dedik ya, almak ve vermek arasındaki dengeyi tutturabilenler mutlu bir aşk ilişkisini ömür boyu sürdürebilirler. Nefesin ritmi gibi. Almayı ve vermeyi dengede tutarlar; alış ve veriş sırası bozulmaz bir ritimle ilerler.

Bunun için de...

Özlemini duyduğun şeylere sahip olman için fedakarlık yapacak birini, aynı zamanda özlemlerine kavuşması için fedakarlık yapabileceğin birini seç.

Sırtını dayayabileceğin ama yeri geldiğinde sana sırtını dayamasına da izin verebileceğin birini seç.

Sadece tutunabileceğin değil, sana tutunmasına razı olacağın birini seç.

Sırtına binip gidebileceğin değil, el ele tutuşup yürütebileceğin birini seç.

Allah herkese dengeli bir ilişki kurmayı nasip etsin.

Neden Doğru İnsanı Bulamıyorum?

Eğer bir ilişkiye "Bu insan benim için ne yapabilir, bana ne verebilir, hangi fedakarlıklarda bulunabilir?" diyerek başlıyorsanız hayal kırıklığı ve acı çok yakında gelecek demektir.

Çünkü hiç kimse bu dünyaya bizim ihtiyaçlarımızı karşılamak için gelmemiştir.

Bir kez daha söyleyelim: "Bizim kendimize veremediğimiz şeyi ilişkimiz bize veremez."

Kendi hakkımızda ne düşünüyorsak, bir ilişki bize onu verir. Eğer kendimizle ilgili olumlu duygular içindeysek, bize karşı olumlu duygular hisseden insanlar bizi bulur. Eğer hep bizi üzen, yıpratan, terk eden, bize acı veren insanları buluyorsak bunun anlamı kendimiz hakkındaki fikirlerimizi gözden geçirmemiz gerektiğidir.

> "Doğru insanı bulacağım", "Ruh eşime kavuşacağım" gibi efsaneleri bir kenara bırakın. Aşk ilişkilerinizi boş bir kutu gibi düşünün, içine koymadığınız şeyi alamayacağınız bir kutu. Aramayı bırakın. Kendinize, iyiliğinize, sorunlarınızı çözmeye, kendiniz için bir şeyler yapmaya odaklanın. Romantik aşk hayalini ve doğru insanı bulunca sorunlarınızın ortadan kaybolacağı inancından kurtulun.

Mutsuzluğunuzun sebebi henüz doğru insanı bulamamak değildir. Sizin için doğru olabilecek binlerce insan vardır. Bu insanlarla karşılaşmak için ihtiyacınız olan, içinizdeki doğruları fark etmektir.

Aşkta Kandırılmak

Neye ihtiyacınız olduğunu başkalarından önce siz fark edin. İnsanların sizin zaaflarınız üzerinde yükselmesine izin vermeyin. İhtiyaçlarınız için lazım olan emek miktarının farkında olun ki size verilenlerin, yapılıp edilenlerin ederini gerçekçi bir şekilde değerlendirebilin, gereğinden fazla bedel ödemeyin.

Bir şeye çok ihtiyacınızın olması ve birinin o ihtiyacınızı tam da o anda karşılaması, yapılanın değerini belki biraz artırır. Ama sadece biraz...

Çok susamış ya da hiç susamamış olabiliriz. Bir bardak suyun değeri her durumda aynıdır; eğer çölün ortasında yaya kalmamışsak....

Bazen diğeri yüreğimizde küçük bir noktaya dokunur ve bize dünyaları vermiş gibi hissederiz. Yaptığı küçücük eylemle ruhumuzda büyük fetihler yapmasına izin verir, ona minnettar kalırız.

Ama bazen de diğerinin bizim için harcadığı tonlarca çabayı görmeyiz, o ne yapsa bize az gelir.

Oysa biri bizi çölden kurtarmıştır, daha fazlasını yapmayı akıl edememiş, belki de gerek görmemiştir; diğeri sadece bir bardak su vermiştir. Biri kendi suyumuzu alabileceğimiz zemine bizi kavuştururken, diğeri bir bardak suyla şeytanımız olmuştur. Ve biz şeytanlarımızı kahramanımız gibi görmeye meyilliyizdir.

Ona İyi Davranıyorum, Bana Kötü Davranıyor

Aşk ilişkileri içinde herkes özel biri olduğunu hissetmek ister. Sevdiğimiz kişi tarafından prens ya da prenses gibi hissettirilmek büyük mutluluktur.

"Onun için her şeyi yaptım ama o beni terk etti", "Her şeyiyle ilgilendim, onun için nelerden vazgeçtim ama şimdi bana bir pislikmişim gibi davranıyor" diyenlerdenseniz bir kölenin fedakarlığını gösterip prens ya da prenses olmaya çalışıyorsunuzdur. Eğer köle gibi davranırsanız köle muamelesi görürsünüz. İşte bu yüzden önce siz prens ya da prenses olduğunuza inanın ve davranışlarınız da buna yakışır şekilde olsun.

Bir köle gibi davranarak prenses muamelesi göremezsiniz. Bir kölenin tavrıyla karşınızdakine prenses gibi davranırsanız, o da büyük olasılıkla kendi prensini aramaya başlayacaktır.

İLİŞKİDE OLDUĞUNUZ İNSANLAR SİZİ NASIL YÖNETİYOR?

İnsanların bizi yönetme ve istediklerini yaptırma yollarından biri de bizi olmadığımız şeylerle itham etmeleridir. Biz de böyle biri olmadığımızı ispat etmek için çabalarız. İnsanların kafasında, olmadığımız biri gibi algı yaratmak istemeyiz. Anlamıyormuş gibi yapan insanlara karşı kendimizi anlatma tuzağına düşeriz.

Evde yemek olmadığı bir gün eşiniz şöyle diyebilir: "Sen zaten ne zaman yemek yaptın ki?"

Ya da davetine icabet etmediğiniz bir arkadaşınız "Sen zaten ne zaman benimle bir yere geldin ki?" diye sitem edebilir.

Sürekli ziyaret ettiğiniz anneniz, bir tatil gününü arkadaşlarınızla geçirdiğinizde "Senin için arkadaşların annenden daha önemli zaten" diyerek üzüntüsünü dile getirebilir.

Hep karşı tarafın isteklerine boyun eğdiğiniz bir ilişkide "Her şey senin istediğin gibi olsun istiyorsun" gibi cümleler duymamız mümkündür.

Örnekleri daha da çoğaltabiliriz.

İnsanların düşüncelerini değiştirmeye çalışmak dünyanın en boş ve gereksiz çabasıdır. Hak etmediğimiz şekilde bizi suçlayan biri karşısında açıklama yapmaya başladığımız an kontrolümüzü kaybetmeye de az kalmıştır.

Suçlamalara maruz kaldığımızda diğerine saldırmadan ya da sinip bir köşeye çekilmeden önce durup düşünmeliyiz. "Bu söylenenler doğru mu? Karşımdaki kişi haklı mı?" sorularını kendimize sormalıyız.

Eğer söylenenlerin doğru olmadığına kanaat getirirsek "Seninle aynı fikirde değilim, böyle düşünmene üzüldüm ama elimden gelen bu" ya da "Böyle düşünmene sebebiyet verecek başka hangi söz ve davranışlarımı gördün, açıklayabilir misin?" diyebiliriz.

Mutlu bir ilişki, güven dolu bir yuva yaratmak için iyi insan olmak, iyi niyetli olmak, çok sevmek, çok fedakarlık yapmak yetmez.

İlişkide olduğunuz insanlar sizi;

Surat asarak,
Suçlayarak,
Acizleşerek,
Anlamıyormuş gibi yaparak,
Size inanmayarak,
Değersizleştirerek,
Aşırı motive ederek,

yönetmeye çalışabilirler.

İşte bu nedenle istediğinizi elde etmek, kırıldığınızı belli etmek, diğerini yola getirmek, kendinizi ifade etmek ya da her ne sebeple olursa olsun:

Hiç kimseye surat asmayın, kimsenin de size surat asmasına izin vermeyin; surat asarlarsa assınlar, siz yolunuza bakın, etkilenmeyin.

Surat asarak istediğinizi elde edemeyeceğinizi bilin, surat asanlara istediklerini vermeyin.

Hiç kimseyi suçlamayın, hiç kimsenin de sizi suçlamasına izin vermeyin.

Suçlayarak elinize hiçbir şey geçmeyeceğini bilin. Sizi suçlayanlara gerekli açıklamayı sadece bir kere yapın. Kendinizi savunma konusunda ısrar etmeyin. Bırakın nasıl istiyorlarsa öyle düşünsünler. Suçlu olduğunuzu düşünen birini, kendinizi savunarak ikna edemezsiniz.

Acizmiş gibi yapmayın, kurban rolü oynamayın. Kurban rolü oynayanlara acımayın. Aciz durumdakileri kurtarmaya çalışmayın, kurtarılacak duruma düşen siz olabilirsiniz. Acizlik büyük ve kötü bir güçtür. Bu gücü kullanmayın, kullananlara acımayın.

Hiç kimseyi anlamazlıktan gelmeyin. Kalbinizi açarak dinleyin ve anlamaya çalışın. Sizi anlamıyormuş gibi yapan insanın zekasını kontrol etmek amaçlı birkaç soru sorun. Zekasının normal olduğuna kanaat ederseniz, artık ona anlatmayı bırakın ve açıklama yapmayın. Anlamıyorsa anlamayacaktır, kendinizi boşuna tüketmeyin.

İnsanlar size doğruyu söylüyorsa onlara inanın, inanmıyorsanız aranıza mesafe koyun, yalancılarla uğraşmayın. Siz doğru söylüyorsanız ama size inanmıyorlarsa sadece bir kere söyleyin. Bir cümlede gerçeği anlatın. Saatlerce, günlerce ikna etmeye çalışmayın. Yalancı olduğunuzu düşünenlerle aranıza mesafe koyun, hatta size yalancı muamelesi yapanlarla ilişkinizi mutlaka bitirin.

İnsanlara hak ettikleri değeri verin. Ne eksik ne de fazla olsun. Tamı tamına herkesin değeri ne ise o kadarını verin. Kendi değerinizi bilin. Kimsenin size hak etmediğiniz şekilde davranmasına izin vermeyin. Değerinizi düşüren insanlar, kendinize güvenmenize engel olacağından bu insanlarla -kim olursa olsunlar- aranıza mesafe koyun.

İnsanları hak ettiklerinden fazla övmeyin. Kimseyi pohpohlamayın, abartmayın. İnsanların sizin hakkınızda gereğinden fazla övgüde bulunmalarına izin vermeyin. Sen iyisin, sen yaparsın, iyi ki varsın, sen olmasaydın gibi cümlelerin ardından gelen talepler karşısında hayır deme gücümüzü kaybederiz. Dalkavuklardan uzak durun, kendinizi olduğunuzdan büyük görmenize neden olan aynalara bakmayın.

HER TÜR İLİŞKİ BİR SINIR MÜCADELESİDİR

İki insan birbirine yaklaştığında sınır komşusu olurlar ve bir savaş başlar. Atalarımız boşuna dememiş: "Komşunun tavuğu komşuya kaz görünür." Daha güçlü olan diğerinin topraklarına girmek ister.

Komşuyla paylaşmak iyidir; mesela onun tavuğu yoksa bizim tavukların yumurtasından ona verebiliriz ya da ağaçlarımızdan topladığımız meyveleri paylaşabiliriz. Ama insan nefsiyle yaratılmış bir varlıktır ve kendisine verilenle yetinmez, sınırlara saygı duymaz, muhakkak şansını dener, daha fazlasını ister.

Bu yeni gelen komşu bizi o kadar mutlu etmektedir ki onu kaybetmek ve kırmak istemeyerek ona bir miktar toprak veririz. Böylece o topraktaki ağaçlarımız da diğerine geçer. Ağaç sayımız toprak miktarıyla beraber azaldığından, ürünümüz de azalmıştır. Ama verdiklerimiz diğerine yetmez. Bir kere istediğini almıştır. Bir zaman sonra ikinci bir hamle yapar. Onu durdurmak için hâlâ bir şansımız vardır ama kaybetme korkusuyla biraz daha toprak verip sınırlarımızı geri çekeriz. Bu oyun bir süre böyle devam eder. Ta ki komşumuz bizim bütün topraklarımızı ele geçirinceye kadar.

Sonunda ne mi olur? Komşumuz bizden sıkılır, ona yeterince toprak veremediğimiz için öfkelenir, bizi sıkıcı ve yetersiz bulur. Tüm bahçemiz içindekilerle beraber ona geçtiğinden, artık ona ağaçlarımızdan meyve ikram edemeyiz, mis kokulu çiçeklerimiz, yumurtasını topladığımız tavuklarımız yoktur. Aslında komşumuz bizim tarafımızdan yetiştirilen mis kokulu çiçeklerimize hayran olmuştur, topraklar onun eline geçince çiçekler solmuş, hayvanlar telef olmuş, ağaçlar kurumuştur. Biz böylece topraksız, aç ve diğerinden gelen bir parça kırıntıya bile muhtaç hale gelirken, komşumuz ise işgal edecek yeni topraklar aramaya çıkmıştır.

ÇEKİRDEK DEĞERLERİ KORUMAK

Çekirdek değerler bizi biz yapan niteliklerimizdir. Üretkenliğimizin ve yaratıcılığımızın devamını sağlarl, yaşam enerjimizi yükseltirken iç huzurumuzu dengeye getirir. Köklerimizle bağlantıda kalmamıza yarar ve kişisel bütünlüğümüzü korumamıza hizmet eder. Ancak bazen bağımlısı olduğumuz haz veren alışkanlıklarla karıştırılabilir.

> *Küçük yaşlarda, en geç ergenlik dönemine kadar tanıştığımız kavramlar bizim değerler sistemimizin çekirdeğini oluşturur. Girdiğimiz her tür ilişkide bu çekirdeği korumak bizim en önemli sorumluluğumuzdur. Eğer çekirdeğimize girip onu parçalamayı başarırlarsa dağılırız, un ufak oluruz, ondan sonra da ömür boyu bize sunulan hazlara bağımlı bir yaşam süreriz.*

Günümüzde modern dünya anlayışı insanların çekirdeklerini hedefler, çünkü çekirdeği dağılan insan hazza, dolayısıyla tüketime bağımlı hale gelir. Yemek, alışveriş, sosyal medya, seks, alkol, güzellik arayışı, hız ve başarı arzusu günümüzde en çok kullanılan haz kaynaklarıdır. Tatminsizliğimiz, sürekli bir şeyler elde etme arzusuyla kendini gösterir.

İnsanları arzularının esiri etmek, mevcut sistemin adeta görevlerinden biridir. Çekirdeğinden yoksun insan yolunu kaybeder ve böylece yolunu kaybeden insanı, yolunu bulma umuduyla kandırıp istediğiniz yöne çekersiniz. Bu kadar çok kaybolmuş insanın olduğu bir dünyada bir o kadar da umut taciri vardır. İnsanlara yol gösterme vaadinde bulunan, oysaki kendi yolunu bulmaktan aciz insanlar ve hatta ciddi kurumlardan oluşan yapılar size rehberlik etmeye niyetlenirler.

İnsan bir kere kaybolmuştur, evine dönme umudu tükenmiştir. Ormanda kaybolmuş bir çocuk gibi korku doludur. Ama inanmaya ihtiyacı vardır, çünkü vaktiyle acıdan kaçmak için inandığı tüm değerleri silip atmıştır. O zaman umut tacirlerinin ona verdiklerine inanmak zorundadır.

Vaatlerin Peşinden

Çekirdeğimiz parçalandığında ve değer yargılarımızı kaybettiğimizde kim olduğumuzu unuturuz. Bize neymişiz gibi davranıyorlarsa o olduğumuza inanır ve kendimizi öyle sayarız. Bize iyi davranıyorlarsa, bizi arayıp soruyorlarsa iyi hissederiz. Ruh hallerimiz diğerlerinin davranışlarının esiri olmuştur.

Örneğin kötü seçimler yapar, bize zarar veren ilişkimizi ne pahasına olursa olsun sürdürmek isteriz. Yeterince sabredip çabalarsak her şeyin iyi olacağına dair masal tadında bir umut taşırız. Diğerinin bizden uzaklaşması, bize karanlık zindanlara düşmüşüz gibi hissettirir. Kapatıldığı zindandan kurtarılmayı bekleyen bir köle gibi yaşamaya devam ederken, prenses muamelesi göreceğimiz günün geleceğine inanırız.

Hayatımızdaki tek ışık, diğerinden gelecek bir telefon, onun bir tek gülüşü, onu bir kere daha görmek hatta resimlerine bakmak haline geldiyse ve o ışık da diğerinin elindeyse vay halimize.

Bir köle gibi davranarak prenses muamelesi göremezsiniz. Bu yüzden ne olmak istiyorsanız öyle davranın. Size biçilen rolü değil, kendi seçtiğiniz rolü oynayın. Kim olduğunuz konusundaki son kararı başkalarına bırakmayın, siz söyleyin.

"Bana böyle davranamazsın, sen kim oluyorsun da benimle böyle konuşabiliyorsun" demeyi öğrenin. Eğer ilişkinizde prenses olmak istiyorsanız, prensese yakışır şekilde davranın. Bir prenses kendisine verilen kırıntılarla ilgilenmez, ne istediğini bilir, beklemez ama bekletir, ışığı aramaz çünkü ışığın kendisi olduğunu söyler, kendine bakar, kendini sever.

Her şeye rağmen bir ilişkiyi sürdürme davranışının altında yatan duygu sevgi değildir. **"Onu çok seviyorum, onsuz yapamam"** deseniz de yapamadığınız şey onsuz olmak değil, **onunla beraberken tarifsiz güzel duygular hissetmektir.**

Diğerini sadece mutluluğunuzun nesnesi haline getirmişsinizdir ve bu bencilce bir duygudur, diğeri tarafından hissedilir. "Ben onun için bunu yaptım, şunu yaptım, bunu da yapmaya hazırdım ama o beni terk etti" dersiniz, gözyaşı dökersiniz. Diğeri gerçekten sevilenin kendisi olmadığını bilinçaltı düzeyde hissederken, siz gerçekten sevdiğinizin, peşinde koştuğunuzun o olduğuna inanırsınız. Halbuki diğeriyle gelen mutlu, zamanın durduğu, sonsuzluğu hissettiren, aşkla dünyadan koptuğunuz anların peşindesinizdir.

Hayal Kırıklıkları

Hayatta geçirilen zor zamanlardan sonra ya da korktuğumuz bir şeylerin yaklaşan tarihinden önce yaşadığımız ilişkilerde özellikle daha tavizkar oluruz. Çok özlenen, çok beklenen bu ilişkiyi kaybetmemek için her şeyi yaparız. Hayat bizi öyle yormuş, öyle acılar çekmişizdir ki, şimdi en sonunda bir armağan gibi karşımıza çıkan, hiç kimselere benzemeyen, bize değer veren, bizi çok mutlu eden bu kişiyi kaybetmemek için her fedakarlığı yaparız.

Artık değerlendirmeler yapmayız. "Ben aslında böyle birini istiyor muyum, bu kişi bana uyar mı, bana böyle davranılmasına izin vermeli miyim?" soruları ortadan kalkar. O ne yaparsa iyi yapıyordur, o ne yapsa ona yakışıyordur. Arama derse aramayız, gelme derse gitmeyiz, olmadık zamanda çağırır gideriz, sanki öl dese öleceğizdir.

Ama bu durum fazla uzun sürmez. En sonunda kırılan kalbimizin acısı dayanılmaz olduğunda, bu kişiyi bizim büyük aşkımızın değerini anlamayan şerefsizin teki olarak ilan ederiz ama o şerefsiz gel dese yine gideriz.

Açlığımız, boşluğumuz, korkumuz öyle büyüktür ki "Ben bunu asla yapmam" dediğimiz ne varsa yaparız. Dağılırız.

Üç Kadın

Kötü bir evliliğin ardından boşanan ve ilişkilerinde yıllarca mutluluğu bulamayan, hayal kırıklığı yaşamaktan yorulmuş bir kadın tanıyordum. Bir gün hayallerinin aşkıyla tanıştı. Çok büyük bir aşk yaşamaya başladılar ama mutlulukları sadece iki ay sürdü. Bir gün adama ulaşamadı, telefonları kapalıydı. Deliye döndü, bir kez daha terk edildiğini düşündü, bir hayal kırıklığına daha dayanacak gücü kalmamıştı. O sırada en yakın kız arkadaşı aradı ve gazeteye bakmasını söyledi. Gazetenin üçüncü sayfasında okuduğu haberde, çok sevdiği bu adamın geçen yıl iki çocuğunun annesi olan karısını öldürdüğü ve sahte kimlikle yaşadığı, tutuklanarak cezaevine girdiği yazıyordu. Hayatının şokunu yaşamıştı, meğerse gerçek adını bile bilmediği bir katille evlenme planları yapmıştı.

Bu kadın "Verilmiş sadakam varmış, Allah'a şükürler olsun, ya bana da bir şey yapsaydı, ucuz kurtulmuşum, iyi ki yakalandı. Bir katille hem de karısını öldürmüş bir adamla nasıl beraber oldum, bunları nasıl anlayamadım?" dedi sanmayın. Meslek sahibi, kariyerli, üniversite mezunu bu kadın bunların hiçbirini demedi. Adam tam on yedi yıl hapse mahkum olmuştu. İlişkisini sürdürmeye devam etti. Onun cezaevinden çıkacağı ve yeniden mutlu olacakları günün hayalini kuruyordu ve bu böyle tam beş yıl sürdü. Cezaevinden gelen mektuplar onu hayata bağlıyordu. Her fırsatta on saat yol gidip cezaevinde bu adamı ziyaret ediyor, ona para veriyor, kıyafet taşıyor, mektuplar yazıyordu.

Elbette bu uç bir örnek. Sadece hayat taşıyamayacağımız kadar ağır göründüğünde, kendimizi yorgun hissettiğimizde ya da gelecekten çok korktuğumuzda, bir ilişkiden medet umma halinin nereye kadar varacağını göstermek istedim. Sahip olduğumuz ilişki hayattaki tek umudumuz olduğunda, aslında artık karşımızdakiyle ilgilenmiyoruzdur. Sözü biraz daha ileri götürürsek, çok sevdiğimizi söylediğimiz diğeri gerçek anlamda umurumuzda bile değildir. Çünkü öyle olsa bir katille, hele de bir kadın katiliyle ilişki sürdürmeye devam edilebilir mi? Böyle bir olayı göz görmez olsa da yürek kabul edebilir mi? Bunlar kabul edilebilir şeyler değildir. Zaten yarım kalan mutluluğumuzun peşindeysek, neyin kabul edilebilir neyin edilemez olduğuyla ilgili sorgulama içine de girmeyiz. Mutlu olmak ve aşkı yaşamak her şeyin üstünde bir değer haline gelir.

Yaşadığı olaydan önce bu kadına "Karısını öldürmüş bir adamla beraber olur musun?" diye sorsaydınız, cevabı "Hayır" olurdu. Hatta "Bu ne biçim soru böyle?" diye bir de bizi azarlardı.

* * *

Başka bir kadın yedi aydır devam eden ilişkisinde üç kere terk edilmişti. Birinin sebebi sevgilisinin limondan nefret ettiğini unutup mercimek çorbasının yanına yarım limon koymasıydı.

Erkek, "Sen beni hiç dinlemiyorsun, bugün bunu unutursan yarın her şeyi unutursun, benimle ilgilenmezsin" demiş ve ilişkiyi bitirmişti.

Kadına "Bir çorbadan buralara gelen bir adamla mutlu olabilir misin? Nereden ne huzursuzluk çıkaracağı belli olmayan bir adamla yaşamak çok yorucu bir iştir" dedim.

"Evet haklısın, ben böyle bir adamla yapamam, bu yaştan sonra rahat etmem lazım, bu adam bana huzur vermiyor" dedi.

Adam on beş gün sonra aradı; pişman filan değildi. "Sen daha dikkatli olsaydın, on beş gün ayrı kalmazdık" dedi.

Kadın, "Bir limon yüzünden benim hakkımda yargısız infazla hüküm veren, on beş gün beni aramayan, aradığımda açmayan, on beş gündür ne yaptığını bilmediğim, ihtiyaç duyduğumda ulaşamadığım bir adam benim sevgilim olamaz" diyeceği yerde kendini suçlu hissetti ve "Haklısın, daha dikkatli olmalıyım" diyerek adamı bağrına bastı.

* * *

Bir başka genç kız, erkek arkadaşıyla ilişkiye girmiş ve bekaretini kaybetmişti. Erkek arkadaşını o kadar seviyordu ki onun için değil bekaretini, canını bile verebilirdi. Yine de üzgündü, çünkü annesine verdiği sözü tutamamış, ilk cinsel ilişkisini evlenmeden önce yaşamıştı. Erkek arkadaşından biraz şefkat, ilgi, alaka belki de teselli ya da evlenme teklifi bekliyordu. Ama erkek arkadaşı ona inanmadı.

"Sen bakire değilsin" dedi. Bununla da yetinmedi; kızdı, bağırdı, bir dolu hakaretler etti ve sonrasında bir hafta aramadı.

Genç kız, o bir hafta boyunca yataklara düştü, yemeden içmeden kesildi, hastanelik oldu. Kimseye bir şey söyleyemedi.

"Lütfen inan, senin seçtiğin bir doktora gidelim, ben hayatımda ilk kez seninle oldum" dese de nafileydi, sevgilisini bakire olduğuna inandıramadı.

Sonra erkek arkadaşı hiçbir şey olmamış gibi geri döndü, "Seni özledim" dedi ve tekrar beraber oldular.

Kız çok mutluydu ama erkek arkadaşı hâlâ ona inanmıyordu. Kadın doğum doktorundan aldığı raporları gösterdi, erkek yine inanmadı. Kız "Olsun, en azından benim yanımda" diye düşünerek erkek arkadaşının kendisine inanmamasına çok üzülse de ilişkiye devam etti.

Bu arada beraberlikleri başlamıştı. Kız hâlâ çok mutsuzdu, çünkü sevgilisine her istediğinde ulaşamıyordu, adam sadece "Seni özledim" diye arıyor, ilişkiye giriyorlar ve bir daha özleyene kadar görüşmüyorlardı. Sevgilisi, anne babasının da yakından tanıdığı biriydi. Adam kızın anne babasıyla görüşüyor, onlar evde yokken eve gelip kızla ilişkiye giriyor, evleneceğiz diyor ama kız, "Annemle konuşacağım, ilişkimizi söyleyeceğim" dediği zaman "Olmaz, daha erken, biraz daha bekleyelim" diyordu.

Böyle devam eden üç ayın sonunda genç kız annesine her şeyi olduğu gibi anlattı. "Sana verdiğim sözü tutamadım anne" diyerek annesinden özür diledi. Anne yüreği dayanamadı, kızını affetti. Yaşananları kendi içine sindiremese de kızına "Tamam sen istiyorsan olur, babana da söyleyelim, gelip istesinler" dedi.

Genç kız annesiyle konuştuktan sonra erkek arkadaşının da bu haber karşısında rahatlayacağını umarak "Annemle konuştum, çok kızdı ama siniri geçti. Sorun yok, beni sana verecekler" dedi. Adam buna çok sinirlendi ve kızı terk etti. "Sen beni çiğnedin, benim sözümü dinlemedin, annene söylemek için erken olduğunu söylemiştim" diyerek çekip gitti. Kız kendini o kadar suçlu hissediyordu ki "Ben nasıl yaptım, neden anneme söyledim, nasıl böyle bir hata yapabildim?" diyerek kendini kahretti. Sanki en başından beri ortada çok iyi giden bir ilişki varmış gibi, annesine söylemeseydi sevgilisini kaybetmeyeceğini düşünüyordu. Bu sefer de sevgilisini onu çiğnemediğine, asla çiğnemeyeceğine ikna etmeye çalışıyor, adeta adama yalvarıyordu. Adam yine ara ara kızı ziyaret ediyordu. Malum ya, özlüyordu.

Hata Nerede?

Kavgada bile ilk vuran kazanır. Bir kere yere yıkıldığımızda ardı ardına gelen saldırılar karşısında kendimizi toparlayamayız. Bu nedenle ilişkinin en başlarında, özellikle de bize yapılan ilk psikolojik saldırı karşısında alacağımız tavır çok önemlidir.

Bu hikayedeki genç kız, ilişkinin en başında sevgilisine "Bana inanmayan, güvenmeyen biriyle benim işim olmaz" demeliydi.

Diğer kadın "Tamam bir daha olmaz, çok dikkat ederim, unutmam" demek yerine "Ben de insanım. Bunlar küçük şeyler. Bu kadar küçük bir hatada beni idam eden bir adamla beraber olacağımı sanmıyorum" demeliydi.

Zaten bu kadınlara, bu ilişkilere başlamadan, bunları yaşamadan önce bu hikayeleri anlatsak ve böyle bir ilişkiye katlanıp katlanmayacaklarını sorsak hepsinin de cevabı hayır olacaktır.

Yukarıdaki genç kızın hikayesinde olduğu gibi, biri bize inanmıyorsa ya da diğer hikayedeki gibi en ufak hatamızdan yola çıkıp bizimle ilgili hak etmediğimiz çıkarımlarda bulunuyorsa bunun anlamı "bize haksızlık yapıldığıdır."

> *Kendi değerimizi bilmediğimizde kaybetmeyi göze alamayız. Bize haksızlık yapsalar bile kaybetme korkumuzdan ötürü hakkımızı savunamayız. Suçluluk ve değersizlik duyguları kendi hakkımızdaki görüşümüzü bozar, kendimizi asla yeterince iyi hissedemez, neyi hak edip neyi hak etmediğimizi bilemeyiz.*

Az önceki örneklerde görüldüğü gibi bize yapılan haksızlık ve kötü muamele karşısında gerçekçi bir durum değerlendirmesi yapamayız. Kendi duygularımızı bir kenara koyup diğerini aslında iyi niyetli olduğumuza, onu sevdiğimize, mutlu olabileceğimize ikna etmeye çalışırız.

Oysa ortada, kendini bilen hiç kimse tarafından kabul edilemeyecek suçlamalar vardır. Yarım limondan yola çıkan adam kadını düşüncesiz, ilgisiz, ihmalkar biri olmakla suçlamış ve bunun üzerine on beş gün aramayarak ona ceza vermiştir. Kadın hak etmediği sözlere ve suçlamalara maruz kalmıştır.

Diğer hikayedeki genç kız da sevgilisi tarafından dürüst olmamakla, kendisini kandırmaya çalışmakla, yalancılıkla suçlanmıştır.

Şimdi hayal edin. Birisi gelse ve hiç beklemediğiniz anda gözünüzün üstüne bir yumruk atsa ne yaparsınız? Ona bakıp, insanlara vurmanın kötü bir şey olduğunu mu anlatırsınız yoksa kendinizi toplayıp bir tane de siz mi vurursunuz? Peki diğeri gözünüze çok güçlü göründüyse ne yaparsınız? Sanıyorum arkanıza bakmadan kaçarsınız. Yoksa diğeri size vurmaya devam ederken, hâlâ orada öylece durup, dayak yemeyi hak edecek bir şey yapmadığınızı, suçlu olmadığınızı anlatmaya, diğerini ikna etmeye mi çalışırsınız?

Az önce hikayelerini okuduğunuz kadınların yaptığı tam olarak budur. Kendilerini duygusal olarak pataklayıp duran adamların karşısında öylece durmakta, adamlar pataklamaktan sıkılana kadar ilişkilerini sürdürmektedirler. Hatta bir kumarbaz gibi bu problemli duruma karşı bağımlılık geliştirip, bir gün karşılarındaki kişiyi kendilerine vurmamaya ikna edebileceklerine dair bitmeyen bir umut taşırlar. Çünkü diğeri "Eğer sen yeterince çabalasaydın, beni dinleseydin, anlasaydın, daha iyi, daha dürüst, daha dikkatli ya da daha her ne ise o olsaydın şimdi çok mutlu olabilirdik" diyerek önümüze sürekli yeni bir hedef koymaktadır. Böylece zaman geçmektedir ve biz sürekli yüzüp yüzüp kuyruğuna geldiğimizi, çok emek verdiğimizi, biraz daha çabalarsak karşımızdakini yola getirip mutlu olacağımızı, bu sefer kazanacağımızı düşünürüz. Umut etmek kahır dolu bir bekleyişe dönüşür. Biz çabaladıkça diğeri bizi suçlamaya devam eder; "Sen mahvettin, senin yüzünden, çok mutlu olacaktık ama sen hata yaptın" deyip durur. Biz onun koyduğu çıtayı yakaladığımızda, o çoktan daha yükseğe yeni bir çıta koymuştur bile.

Çok fazla kaybetmişizdir ve kaybettiklerimizi bu elde geri alacağımıza inanıyoruzdur. Bağımlılık nesneleri sadece içki, sigara, uyuşturucu değildir. Kumar sadece Las Vegas'ta parayla oynanmaz. En büyük bağımlılığı hastalıklı ilişkilere karşı geliştirip en yüksek bedeli de burada öderiz, farkına bile varmadan en büyük kayıpları yaşarız.

Bize zarar veren ilişkiyi sürdürmek suretiyle hayatımızı mahvedecek kumarı oynarız. Zararın neresinden dönersek kardır diye düşünemediğimizde, bize vuran insanlara arkamızı dönemediğimizde bunun bedelini kaybolan yıllarımızla öderiz. Bir adamın ya da bir kadının peşinde giden, kaybolan yıllar...

Hırsızı Durdurmak

İnsanlar bize iyi ya da kötü davranabilir. İyiyi de, kötüyü de karşılıksız bırakmayın. Biz dünyanın en iyi, en dürüst, en doğru insanı bile olsak hak etmediğimiz davranışlara maruz kalabiliriz.

Benim hırsızlık yapmamam, evime hırsız girmeyeceği anlamına gelmez. Ama biz çoğu zaman hırsızların peşinde koşmaktan, nasıl olur da benim gibi namuslu bir insanın eşyalarını çalarlar diye feryat etmekten kapımızı kilitlemeyi unuturuz.

Sonuçta kendi sınırlarımızı korumakla sorumluyuz. Bize bunu neden yaptılar diye isyan etmeden önce, bize bunu yapmamaları için önlemimizi almalıyız. Kuralları ve sınırları belirsiz ilişkiler kurduğumuzda ne yaparsak yapalım suçlu duruma düşmekten kurtulamayız.

Hırsızlar önce bahçe kapısından girerler, onları durduran olmazsa apartman kapısına gelirler, yine durduramazsak dairemizin kapısına ilerlerler. Bu onları durdurmak için son şansımızdır. Eğer daire kapımızdan da içeri girip yatak odamızda bizi sıkıştırırlarsa, kendi malımızı ve canımızı korumak için bağırmaya başlarız. Feryatlarımız fayda etmiyorsa son çare olarak hırsızı vurmak ya da pencereden atmak zorunda kalırız ki işte o zaman da suçlu biz oluruz.

Her şeye "Peki, tamam" dediğiniz bir ilişkide gün gelir, gidecek yeriniz kalmaz, köşeye sıkışırsınız. Sonra da kontrolünüzü kaybetmekle, diğerini yaralamakla suçlanırsınız.

Bu nedenle her tür ilişkide önlemlerinizi en başta alın.

Paranızı çalan hırsızlar belki de en masum olanlarıdır. Onlara karşı önleminizi alabilir ve gereğini yaparsınız. En azından kendinizi koruyamadığınızda ne kaybettiğinizi bilirsiniz; "Dört bilezik, bin dolar para ve bir bilgisayar" çaldırdım der, polise durumu bildirirsiniz. Eşyalarınız bulunmazsa kendinize yeni bir bilgisayar satın alabilir, altın ve paraların üstüne bir bardak soğuk su içebilirsiniz.

Oysa hayatınızı çalan hırsızlara karşı sınırlarınızı korumak çok zordur. Çünkü onlar sınırlarınızı hiç fark ettirmeden çiğnerler. Bizden alıp götürdüklerini fark edemeyiz. Bazı insanlar vardır ki mikrop gibi bulaşırlar. Kanser hücresi gibidirler. Ruhumuzun kanseri olan kişilerden kurtulmak, onları hayatımızdan söküp atmak zorundayız.

Diğer taraftan, canımızı acıtan diğerleri değil, diğerlerinin bize yaptıklarını kabul edemeyişimizdir. Hayatımızın hiç de azımsanmayacak kadar büyük bir zamanında, başımıza gelen sorunların gerçekliğini idrak edemeyiz. Hayatın, olan bitenin, başımıza gelenin gerçek olduğunu fark etmeden kabullenme aşamasına geçemeyiz. Ancak gerçekleri kabul ettiğimizde o durumla ilgili ne yapacağımıza dair karar verme gücümüzü açığa çıkarabiliriz. Farkına varılıp kabul edilemeyen sorunlar haliyle çözümlenemez. Bize yapılan kötü şeylere karşı tavır koyabilme gücüne kavuşmak için "Benim bir sorunum var, bana kötü davranıyorlar" diyebilmek gerekir. Kabul edemediğimizde yalanlara inanırız. Beş yaşındaki bir çocuğun inanmayacağı şeylere inanır, yapılmaması gereken hatalar yaparız.

Bazen en kötü şeyler başımıza çok güzel şeyler kılığında gelir. Örneğin bizi mutlu etmeye aday bir sevgili hatta hayatımızın aşkı kılığında karşımıza çıkan biri, bir de bakmışız ki hayatımızın en büyük hırsızı oluvermiş. Bize bir şeyler vermek için hayatımıza gelmiş insanlar bizi en çok eksilten insanlar olabilir. Sağlıklı bir ilişki için diğerinin bize verdiklerine bakmak yetmez, bizden aldıklarını da gözden kaçırmamak gerekir.

SEVİLDİĞİNİZİ NASIL ÖLÇÜYORSUNUZ?

Termometreyle depodaki benzin miktarını, barometreyle hava sıcaklığını ölçemeyiz. Fakat duygular söz konusu olduğunda hatalı ölçme yöntemleriyle sevdiklerimizin duygularını anlamaya çalışıp ilişkilerimizi yorarız.

"Beni seviyorsa olduğum gibi sevmelidir. Her halimle kabul etmelidir. Koşulsuz sevgi böyle bir şeydir" diyorsanız ben de size "O zaman daha çok beklemeniz gerekiyor" derim. Böyle bir şey mümkün değildir. Sizi her halinizle, her yaptığınızla, olduğunuz gibi seven tek kişi annenizdir ve o da sadece siz iki yaşına gelene kadar olur. Hoş olmayan davranışlarınızı şimdiki yaşınızda, annenizin gözüne soka soka yaparsanız annenizi de çıldırtabilirsiniz.

Öyleyse insanlar neden bizi çıldırtan davranışlarını gözümüze sokarlar? Çünkü sevgimizi ve ilişkinin gücünü sınarlar. Ne kadar değerli ve vazgeçilmez olduklarını ölçmeye çalışırlar. Oysaki sevgiyi böyle davranışlarla sınayamazsınız. Çok olsa yıpratırsınız. Hayatın getirdiği doğal sıkıntılar zaten ilişkilerin sağlamlığını zorlarken ekstra çabaya hiç gerek yoktur.

Kadın anlatıyor: "Eşimin ayağı kötü kokar. Ben ilk başlarda bunu eşime söylemeye bile utanıyordum. Ama o yaptığından hiç utanmıyor ve ayaklarını sehpaya uzatıp televizyon seyrediyor. Ayağı kokmasın diye sunduğum çözümleri reddediyor. Artık iyice yüz göz olduk ve aramızda saygı kalmadı. Ayağını yıkayıp gelmesini söylediğimde o kadar çok kızıyor ki... Yani normalde utanıp sıkılması gerekir. Biri bana böyle bir şey söylese yerin dibine geçerim."

Bunun gibi çok örnek var. Ter kokusunu, sigara kokusunu, fazla kilolarını, pasaklılığını eşine, sevgilisine ya da annesine kabul ettirmeye çalışan insanları çevrenizde görebilirsiniz. Belki siz de zaman zaman bu türden davranışları sergiliyor olabilirsiniz.

Bir adam eşiyle ilgili şöyle demişti: "Beni rahatsız eden şey eşimin kiloları değil aslında. Esas sıkıntım kilolarından kurtulmak için çaba göstermemesi. Daha da ilginç olanı bir diyetisyene gitmesini ve beraber bir spor salonuna yazılmamızı önerdiğimden beri 'Tamam bakarız' deyip on kilo daha alması."

İstenmeyen ve hoş olmayan davranışlarını, çevredekiler tarafından uyarı alınca iki katına çıkaran insanlar bunu neden yaparlar? Sevimsiz olduklarının farkına varmazlar mı? Yoksa itici olmaya mı çalışıyorlardır?

Elbette hiç kimse itici ve sevimsiz olmak istemez. Bu kişilerin tek amacı kendilerini oldukları gibi kabul ettirmek ve koşulsuz sevilmektir. Temelde yoğun bir değersizlik duygusu yaşarlar.. Büyük olasılıkla erken çocukluk yıllarında yeterince sevgi ve ilgi görmemişler, anne babaları tarafından kabul edilmemişlerdir. Bu nedenle şimdi kurdukları her ilişkide, oldukları gibi kabul edilip edilmeyeceklerini sınamak isterler. Kabul görmeyen şeyin kendileri değil, davranışları ve bağımlılıkları olduğunu anlayamazlar. Kendilerini bağımlı ve olumsuz davranışlarıyla özdeşleştirirler. Kendilerine yapılan en ufak bir uyarıyı, hatta ricayı kişiliklerine yönelik saldırı olarak algılarlar. Bu nedenle olumsuz davranışlarına daha sıkı sarılırlar.

"Sigaranın dumanı geliyor", "Duş alsan iyi olur", "Çamaşırlarını daha sık değiştirebilirsin", "Bu saatten sonra bir şeyler yemek kilo yapar", "Spor ayakkabı ayak kokusuna neden oluyor", "Bulaşıkları sabaha bırakmasan iyi olur" gibi basit önerileri ve ricaları kişiliklerine açık saldırı olarak görürler.

Bazı insanların değersizlik duygusu o kadar fazladır ki ancak kundaktaki bebeğin kabul gördüğü şekilde kabul edilirlerse kendilerini değerli hissedebilirler. Elbette böyle bir şey olası değildir. Öz anneleri bile bunu kabul etmez.

Anlamsız zorlamalarla ilişkilerinizin gücünü sınamayın. Karşınızdaki kişinin sizi ne kadar sevdiğinin ölçüsü her halinizle kabul edilmeniz değildir. Davranışlarınızın ve alışkanlıklarınızın bir kısmı, iyi bir ilişki uğruna feda edilebilir ve bu sizin değerinizden hiçbir şey eksiltmez.

ÇOCUKLUK ZAMANLARIMIZ BUGÜNKÜ İLİŞKİLERİMİZİ NASIL ETKİLİYOR?

Küçük bir çocukken son derece savunmasız ve kırılgandık. Çok da bilinçli bir toplumda, sağlıklı aileler tarafından büyütülmediğimiz içindir ki savunmasız ve kırılgan çocuk ruhumuz biz büyürken sayısız yara aldı. Hayatta kalmak zorunda olduğumuzdan, aldığımız yaralarla birlikte yaşamaya devam ettik. Nasıl mı? Elbette onları yok sayarak ve üstlerini örtecek sargı bezleri, yani stratejiler kullanarak. Çok küçüktük ve bizi kıranlarla baş edebilecek durumda değildik, hatta onlara muhtaçtık. O zaman da istediğimizi almak ve hayatta kalabilmek için stratejiler geliştirmeye başladık. Bazıları işe yaradı, bazıları felaketle sonuçlandı.

Örneğin ağlamak çocukların kullandığı güçlü bir stratejidir. Bazı ailelerde işe yarar, çocuk ağlayarak her istediğine ulaşır. Bazı ailelerde işe yaramaz, hatta ağlayan çocuğa tahammül gösterilmez, ağlayan çocuk bir de annesi tarafından dayak yer.

Kullandığımız yöntemler işe yararsa bunları benimseyip içselleştiririz ve yetişkinlik zamanlarımıza taşırız. Çoğumuz, artık küçük bir çocuk olmamamıza rağmen, çocukluk zamanlarında geliştirdiğimiz stratejileri kullanmaya devam ederiz.

Çocukluk Zamanlarımızda Nasıl Yaralanırız?

Çocukluk yaralarımız her zaman büyük travmalara, tacizlere, istismarlara dayanmaz. Yaşanan günlük ve sıradan olaylar karşısında annemizin sergilediği, dışarıdan bakıldığında olağan görülen tutumlar da bizi yaralamış olabilir.

Şimdi elindeki bardağı düşürüp kıran iki yaşında bir çocuk düşünün. Aslında kendisi de ruhsal olarak yeterince sağlıklı olmayan anne "Sakar şey, bir bardağı tutmayı beceremedin, çekil şuradan gözüm görmesin, kaybol ayağımın altından" diyerek, çocuğu kolundan sertçe tutup itti diyelim.

Böyle bir durum yaşayan çocuk biraz korkacak, biraz utanacak, belki biraz ağlayacak ama beş dakika sonra hayatına kaldığı yerden devam edecektir. Oyun oynayacak, televizyon seyredecek ve az önce kendisini böylesine aşağılayan annesine sarılacak, hatta onu öpecektir. Ancak ortada az önce anneden çocuğa gelen çok sert bir enerji, yaralayıcı ve küçük düşürücü bir muamele vardır. Çocuk, sizin bu yaşınızda bile asla katlanamayacağınız muameleye katlanmıştır.

Bu olay son derece basit, olağan, sıradan ve her evde yaşanabilecek bir durum gibi görünebilir. Çocuk dikkat etmediği için bardağı kırmış, annesi de ona kızmıştır. Zaten hiçbir şey olmamış çocuk hayatına kaldığı yerden devam etmiştir. Peki evrende hiçbir şey kaybolmadığına göre, anneden çocuğa yönelen bu çirkin muamelenin yarattığı duygusal enerji nereye gitmiştir? İşte sorulması gereken soru budur. Anneden çocuğa yönelen bu sert enerji, daha sonra bilinçaltı diye tanımlanacak olan, çocuğun duygusal bedeninde bir yara açmış ve fark edilip iyileştirileceği zamanı beklemeye geçmiştir.

Bu yara nasıl mı iyileşecek? Şu anda iki yaşındaki bir çocuk bu yarayı bilinçli olarak fark edemez ama kaydeder. Bu yarayı fark etse de onu iyileştirecek gücü yoktur.

Çocuk acıyı hisseder mi diye merak edebilirsiniz. Eğer kendine izin verirse hisseder. Ama baş edemeyeceğimiz şeyleri hissetme iznini kendimize vermeyiz, hem de hayatımız boyunca. Ne iki, ne yirmi ne de elli yaşında buna müsaade ederiz.

Bu durumda çocuk, annesinin acı veren, inciten davranışlarına maruz kalmamak için hata yapmaması gerektiğini, hatalarının bedelinin anne sevgisini kaybetmek olduğunu öğrenir. Annenin sevgisini, ilgisini, desteğini kaybetmek çocuk için çok korkutucu ve hatta ölüme eşdeğer bir durumdur. Çocuklar anne babaları olmadan hayatta kalamayacaklarını bilirler.

Dolayısıyla bu çocuğun yetişkin hayatında hem kendi hem de başkalarının hatalarına tahammülsüz bir yetişkin olma olasılığı yüksektir. Çünkü hatalı davranışı ölümcül bir durum olarak bilinçaltına kaydetmiştir. Her şeyde ve herkeste mükemmeli arayacak, bulamadığında huzursuz olacaktır. En küçük hatasını affedemeyecek, işlerini iyi yapmayan insanlara kızgın olacaktır. Özellikle sevdiği insanlar hata yaptığında onların hata yapmasına engel olmak için işlerine burnunu sokacak ve onları kontrol etmeye çalışacaktır. "İnsan hata yapar, herkes hata yapar" gibi cümleler onu teskin etmeyecektir. Bilinçaltındaki "Hata, yaşamak için lazım olanı kaybetmek demektir" denklemini çözmediği sürece ruhu huzura kavuşmayacaktır. (Not: Bir tek olaydan yola çıkarak böyle yorumlar yapmayın. Bir anne olabilirsiniz ve daha önce çocuğunuza böyle davranışlarınız olmuş olabilir. Tek bir olay bilinçaltımızı mahvetmez, sürekli maruz kalınan kötü enerjilerle yaralarımız derinleşir.)

Bazı çocuklar çok usludur, çekingendir, içe dönüktür. Karşılaştıkları sert muameleden kendilerini korumak için böyle bir strateji geliştirmişlerdir. Bazı çocuklar yaramaz, hırçın, etrafa zarar veren bir yapıya sahiptir. Annesine muhtaç olduğu ve ona bir şey yapamadığı için onun en sevdiği eşyaya zarar verir. Bazı çocuklar sert enerjilerden korunmak için başarılı olma yolunu seçerler ve çok çalışırlar. Bazıları onay alma umudunu kestiklerinden olsa gerek anne babalarının üzülecekleri, öğretmenlerinin sinir oldukları ne varsa yaparlar. Bazıları içlerine attıklarını tutamayacakları bir zaman geldiğinde, çocukluk çağına özgü birtakım psikolojik sıkıntılar yaşarlar. Tırnak yeme, gece işemesi, kekemelik, parmak emme, kaka kaçırma gibi pek çok problemin altında anne babadan gelen yıkıcı enerjilerle baş edememenin isyanı vardır.

Eğer çocuklar çok ilgisiz anne babalar tarafından büyütülüyorsa dayak ve hakareti ilgi sanabilirler. Sadece zarar verdiklerinde, yaramazlık yaptıklarında, ortalığı dağıttıklarında, okulda olay çıkardıklarında anne babalarının ilgisini çeken çocuklar yetişkin olduklarında da aynı ezberi yaşarlar.

Çocuklukta Oluşan Yaralarımızı Ne Zaman Fark Ederiz?

Çocukluk yaralarımız biz onları çözecek güce ve zamana ulaşana kadar iyileştirilmeyi sabırla beklerler. En çok da bu yüzden çocukluk yıllarından kalan yaraların acısını bize bugün hatırlatan insanlara daha güçlü bir çekim duyarız. Bu tür ilişkilere bağımlılık geliştirir ve bu ilişkileri kaybetmemek için her şeyi yaparız.

Diğerinin en ufak ilgisizliği, uzaklaşması karşısında yetişkin, aklı başında biri gibi değil de küçük bir çocuk gibi davranırız. Öfkemiz de, korkumuz da, kırılganlığımız da yaşımıza uygun değildir. Aklımızı ve mantığımızı kaybederiz.

Gerçekte olan şey, çocukluk zamanlarından kalan yaralarımızın kendilerini hatırlatıp, dikkatimizi çekmeye çalışmasıdır. Çünkü artık muhtaç değilizdir ve bilinçaltımız "Büyüdün. Eski yaralarını iyileştirmenin, stratejileri bir tarafa bırakıp kendinle ilgilenmenin zamanı geldi" mesajını bize hatırlatıyordur. Bu hatırlatmayı da en yakın ilişkilerimiz, özellikle aşk ilişkilerimizde ortaya çıkardığı sorunlar yoluyla yapmaktadır.

Hata yaptığımız için hak etmediğimiz şekilde cezalandıran annemizin enerjisi şimdi sevgilimizin davranışlarında can bulur.

"Eğer yeterince uslu bir kız olsaydın, sen de bizimle gezmeye gelebilirdin" diyen annemizin sesi, sevgilimizin dudaklarından "Eğer sen yeterince iyi bir sevgili olsaydın, belki her şey çok daha güzel olabilirdi" şekline dönüşebilir.

> Küçük bir çocukken yeterince güçlü olmadığımız ve bize kötü davranan insanlara muhtaç olduğumuz için kötü davranışlara, istismar edilmeye katlanmıştık. Ama artık küçük bir çocuk değiliz. Muhtaç da değiliz. Sevgilimiz bizi terk ederse, hatta terk etmek bir yana dursun, biraz ilgisiz ve uzak davranırsa ölecekmişiz gibi panikleyip onu aramak istemek ya da telefona yapışıp aramasını beklemek çocukluk zamanından kalan enerjinin kendisini tekrar etmesinden başka bir şey değildir.

Sevgilimiz bizden biraz uzaklaştığında hissettiğimiz ve yetişkin bir insana yakışmayan panik duygusunu, kendi yaralarımızı sarmak için bir araç olarak kullanmalıyız. Ama çoğu insan yaşadığı bu panik duygusuyla tamamen ilişkisine odaklanıp, kendini değil de ilişkisini kurtarmaya çalışır.

Hissedilen korku üç dört yaşlarındaki bir çocuğun lunapark gibi kalabalık ve büyük bir alanda annesini kaybetmesinin yarattığı korkuya benzer. Yaşı başı, işi gücü yerinde bir insan olmak, korkuları hissetmeye engel değildir. Üç yaşında çocuğun korkusunu, otuz yaşındaki insanın bilinci ve söylemiyle gidermek pek de mümkün olmaz. Hissedilen korku yaşımızla, konumumuzla uyumlu bir korku değildir. Saçma olduğunu biliriz. "Kendine gel, aramazsa aramasın, zaten sen bu insanı en başında hiç beğenmiyordun, dünyanın sonu değil" desek de beş dakika bile geçmeden kendimizi aynı karabasanın içinde buluruz. Otuz, kırk ya da yaşımız her ne ise, üç yaşa göre çok büyüktür ve oradan duyduğumuz çağrının sesi, içimizdeki çocuk tarafından duyulmaz.

Çocuklar korkar çünkü korkmak için haklı nedenleri vardır: Muhtaçtırlar. Sevgilisi telefonuna on dakika geç cevap veren birinin korkması içinse görünürde hiç neden yoktur. Ama içimizdeki çocuk hafızası kontrolü ele aldıysa korku kaçınılmazdır. Çünkü üç yaşındaki çocuk, değil on dakika, on saniye bile annesini göremezse aklını kaçırmış gibi hisseder.

Deneyimi olduğundan daha kötü ya da farklı gösteren bizim geçmişten gelen içsel durumumuzdur. Çocukluk yaralarımız çok fazlaysa, iyi niyetli bir sevgi gösterisini hain bir kötülük planı olarak algılayıp karşımızdakiyle kavgaya tutuşabiliriz. İlişkide bulunduğumuz diğerinin davranışını objektif olarak algılayabilmemiz için kendimizi her yönden tanımamız lazımdır.

Diyelim ki diğeri koluma sevgiyle dokundu. Ama benim kolum yaralıydı ve birden "Ah" diye bağırarak kolumu çektim. Sonra da "Ne yapıyorsun be adam?" diyerek çıkıştım ona. İşte bunun gibi, yaralarımızın farkında olmazsak etrafımızdaki insanların niyetlerinden her zaman şüphe duyarız, bize yapılan davranışların gerçek manasını çözemeyiz.

Kendimizi bilirsek diğerleriyle ilişkimizde mesafemizi koruruz ve canımızı acıtmalarına izin vermeyiz. "Kolum yaralı, biraz uzak dur, dokunma" uyarısında bulunabiliriz. Fakat çoğu zaman sorunun bizim iyileştirilmemiş yaralarımız olduğunu göremeyiz. Diğeri bize dokunmuş ve canımızı acıtmıştır. Diğerini "Hep senin yüzünden" diyerek suçlarız.

Büyürken, tüm kararları ebeveyni tarafından alınmış olan kadın danışanım, sevgilisi restoranda "Tavuk çorbasını çok güzel yapıyorlar" dediğinde çok sinirlendiğini anlatmıştı. "Ne yiyeceğimi de mi sana soracağım?" diyerek hiddetli bir tepki vermişti. Sevgilisi öneride bile bulunmamış, sadece basit bir bilgi vermişti. Ayrıca adam "Tavuk çorbası içebilirsin" deseydi bile, bu sadece basit bir öneri olurdu. Kadının sanki hayatındaki en önemli kararı sevgilisinin eline bırakmış gibi tepki vermesine gerek yoktu. Ama bu basit olay onun çocukluğundan kalan yarasını kaşımaya yetmişti.

Yaralarımızı bizden başka hiç kimse göremediği için, bizden başka hiç kimse de iyileştiremez. İlişkilerimiz geçmişten kalan alacaklarımızı tahsil edeceğimiz vezneler değildir. Varlığımızın derinlerindeki yaraları fark edip, kokuşmuş sargı bezlerini atıp, cesur bir iyileştirme planını göze almadığımız sürece etrafa anlamsız tepkiler verip durabiliriz.

Psikologların dediği gibi, çocukluğumuza dönmek ve yaralarımızı iyileştirmek zorundayız.

Bunun için yardım alacak imkanınız yoksa, korkuyu hissettiğiniz an iyileşmek için en doğru andır. Böyle zamanlarda durun. Arkadaşınızı aramadan, sevgilinizin arkadaşına ulaşmadan, mesaj atmadan, ondan haber almaya çalışmadan önce durun.

Sessiz sakin bir köşeye çekilin. Bu panik duygusunu yaşadığınızda evdeyseniz çok iyidir. Evde değilseniz kimsenin sizi rahatsız etmeyeceği bir yer bulmaya çalışın. Gözlerinizi kapatın, burnunuzdan yavaş ve sessiz nefesler alın, kaslarınız gevşesin. Duygunuza odaklanın. Ne hissediyorsunuz?

Bu duyguyu izleyin. Bu sırada tamamen kendinize odaklı olun. Şimdi bu duyguyu daha önce hissettiğiniz bir anı hatırlamaya çalışın. Neredesiniz, kaç yaşındasınız, yanınızda kimler var? Duyguyu hissetmek için kendinize izin verin. Kötü hissedebilir, çok gülebilir ya da çok ağlayabilirsiniz. Kendinizi serbest bırakın.

3. BÖLÜM

ÇOCUKLAR

Terapi odasına en çok taşınan konulardan biri de çocuklardır. Kadın ya da erkek fark etmez, insanları terapiye getiren esas konu da... Kişinin çocuğu varsa söz döner dolaşır çocuklara gelir. O zaman şimdi biraz çocuklar hakkında konuşalım.

ANNE BABALARIN KENDİLERİNE SORMALARI GEREKEN SORULAR NELERDİR?

Ağaç yaşken eğilir diye boşuna dememişler. Bir çocuk hayata dair en önemli becerileri büyüklerini gözleyerek öğrenir. Bazı şeyleri büyüyünce öğrenmek zordur. Çocukları dil, üniversite veya bilgisayar kursuna gönderebilirsiniz. Ama çocuklar hayata karşı temel davranış ve tutumları kursa giderek öğrenemezler. Bunlar anne babanın ve yakın çevrenin çocuk ergenlik çağını bitirmeden çocuğa öğretmesi gereken konulardır.

Alışveriş yaparken, telefonla konuşurken, pazarlık yaparken, restoranda sipariş verirken, araba kullanırken, selamlaşırken, misafir ağırlarken, yemek yerken, yolda yürürken, oturup kalkarken ve bunun gibi pek çok günlük olay karşısında nasıl davranılacağı ile ilgili davranış altyapıları çocuklukta oluşur. Bu süreç tıpkı usta çırak ilişkisinde olduğu gibi bilinçsizdir ve kendiliğinden işler.

Hiçbir usta yanındaki çırağa günde iki saat eğitim vermez. Kuaförün çırağı yerdeki saçları süpürür, fön tutar, saç yıkar, çay getirir. Böylece yıllar geçer. Bir gün eline fönü aldığında tek başına fön çekebildiğini görür. Kurs, okul, ders görmemiştir ama mesleği öğrenir. Meslek öğrenmenin en iyi yoludur bir ustanın yanında çekirdekten yetişmek.

Yaşama sanatını öğrenmek de usta çırak ilişkisindeki gibi bir süreçtir. Çocuklar çırak, anne babalarsa yaşama sanatının ustalarıdır. Sadece üniversite bitirip iyi maaşlı bir iş bulmak yaşamın inceliklerine vakıf olmak için yeterli değildir.

Şimdi kendinize sorun. Çocuklarımız hayatın geri kalanını öğrenebiliyor mu?

Evlilik nedir?
Anne babalık nedir?
Çalışmak nedir?
Pazarlık nedir?
Vicdan nedir?
Sadakat nedir?
Bağlılık nedir?
Zaman nedir?
Değer nedir?
Bayram nedir?
Güven nedir?
Para nedir?
Selamlaşmak nedir?
Teşekkür nedir?
Minnet nedir?
Adalet nedir?
Sorumluluk nedir?
Tüm bunların birbirleriyle ilişkisi nasıl olmalıdır?

Yukarıdaki listeyi daha da uzatabilirsiniz. Bunların hiçbirini kitaplardan öğrenmezsiniz. Hayatta asıl olan bunlardır ve bunları ancak örnek olarak ve yaşatarak çocuklarınıza öğretirsiniz.

Hepimiz bunları çok iyi bildiğimizi ve çocuklarımızın da bunları zaten bileceğini sanırız. Bu, piyano çalan birini seyredip "Evet bu çok kolay, şuraya oturuyorsun, ellerini tuşlara vuruyorsun ve şarkı çalınıyor" demek gibidir. Dışarıdan ve uzaktan bakınca kolay gibi görünen konularda ustalaşmak zaman, emek ve sabır işidir. Çocuk büyütmek de böyle bir iştir. En basit gibi görünenler, hayatımızın yolunda devam etmesi için en gerekli olanlardır.

Çocukların hayatına zamanında yerleşmeyen kazanımları çocuğu alıp psikoloğa götürmekle halledemezsiniz. Ne yazık ki pek çok anne baba, psikolojik sorunlardan çok, çocukların zamanında kazanamadığı alışkanlıklar yüzünden psikologların kapısını çalıyor. En çok görülen başvuru nedenlerini şöyle sıralayabiliriz:

Çocuğum ödev yapmıyor, ders çalışmıyor, odasını toplamıyor, kardeşini dövüyor, arkadaş edinemiyor, kurallara uymuyor, eşyalarının kıymetini bilmiyor, çok fazla bilgisayarın başında kalıyor.

Çocuğunuzun iyi bir meslek sahibi olması kadar önemli bir konu da o mesleği icra etmesini sağlayacak sosyal özellikleridir.

Doktor olabilir ama çocuğunuzun hastalarla iletişim kurması, personeli yönetmesi gerekecek.

Mimar olabilir ama çocuğunuzun evlenmesi ve eşinin ailesiyle iletişim kurmayı öğrenmesi gerekecek.

Çok para kazanabilir ama çocuğunuzun lüks bir restorana gittiğinde garsonla konuşmayı, düzgünce yemek yemeyi, oturup kalkmayı bilmesi gerekecek.

Fakat şimdiki çocukların büyük bir kısmı akademik yönden başarılı ve çok akıllı olsalar da sosyal yönden aynı başarıyı gösteremiyorlar. Yolda bir arkadaşını gördüğünde, eve misafir geldiğinde, resmi daireye işi düştüğünde ve bunun gibi pek çok yerde uygun davranışların ne olduğunu bilmeyen çocuklar var.

Çocuklarının gözlem yapmasına olanak sağlayacak ortamı yaratmayan anne babalar bu durumun en büyük sorumlusu. Çünkü çocuk gördüğünü ve yaşadığını öğrenir. Fakat büyüme çağındaki çocuklarımız okul, dershane ve bilumum spor, sanat kursu dışında bir ortama çıkmıyor. Geri kalan zamanları da cep telefonu ve bilgisayar başında geçiyor.

Benim önerim şu yönde. Çocuklarınızla zaman geçirin. Gittiğiniz yerlere mümkün olduğu kadar onları da götürün. Diyeceksiniz ki gelmek istemiyor. Evet doğrudur. Çocukların çoğunluğu evde bilgisayar başında kalmayı tercih ediyor. Ama siz anne baba olduğunuza göre önce sizin sözünüz geçmeli. Pazara, markete, araba pazarına, kurban pazarına, kasaba, işyerinize, aile toplantılarına, balıkçıya... Yani aklınıza neresi geliyorsa, gözlem yapabilecekleri yerlere giderken onları yanınıza alın. İyi et nasıl seçilir, taze balık nasıl anlaşılır, büyüklerle nasıl konuşulur, elemana nasıl davranılır, işler nasıl bitirilir, insanlar nasıl çalışır? Gerisini size bırakıyorum.

Özetle çocuklarınızı sanal dünyadan çıkarın ve gerçek dünyanın içine atın.

ÇOCUKTA SORUMLULUK DUYGUSU NASIL GELİŞİR?

Çocuklarınızın sorumluluk duygusunun gelişmediğinden mi yakınıyorsunuz? O zaman onlara sorumluluk verin.

Karın kası istiyorsanız mekik çekin, kol kası istiyorsanız ağırlık kaldırın. Bu iş böyledir.

İlk denemede yüz mekik çekemez, beş yüz tane ip atlayamazsınız. İşe azar azar başlar, gücünüzü her gün biraz daha zorlarsınız. Bu hafta yirmi, sonraki hafta otuz, daha sonra kırk taneye çıkarsınız. Kaslarınız zamanla güçlenir. Kasları hızlıca kuvvetlendirmek için limitleri fazla zorlarsanız sakatlanırsınız.

Davranışlarımızın ve olumlu alışkanlıklarımızın gelişme prensibi de böyledir. Hiçbir alışkanlık bir günde oluşmaz. Baklavalı karın kasının bir günde oluşmaması gibi.

Çocuklarınıza taşıyabilecekleri kadar ya da onun biraz üzerinde sorumluluk verin. Eğer çocuklarınıza zamanında sorumluluk vermez, onlar adına bütün sorumlulukları taşırsanız sorumluluk almayı öğrenemezler. Zaman geçer ve yaşlarıyla beraber dertleri de büyür. Sorumluluklar zaman içinde anne babaların taşıyamayacağı noktaya ulaşır. Yorulur ve yük taşımaktan bıkarsınız. O noktada çocuğa dönüp "Tamam artık büyüdün, kendi sorumluluklarını alma zamanın geldi. Senin yaşındakiler neler yapıyor..." dediğinizde çocuk eşekten düşmüş ya da sudan çıkmış balık gibi olur. Çünkü hazır değildir. Kendini ıssız bir adaya, yanına üç şey almadan ve çırılçıplak gönderilmiş gibi hisseder.

Hayatla baş etme gücünü belirleyen şey takvim yaşı değildir ama anne babaların beklentileri takvim yaşıyla beraber büyür. Hayatının bu döneminde yüz kilo taşıması gereken birine, zamanında iki kilo bile taşıtmamış ve güçlenmesine engel olmuş anne babalar, farkına varmadan evlatlarına büyük zarar vermişlerdir. Çocuk kendisinden beklenenleri yapamayacağını bilir, depresif hale gelir, içe kapanır. "Yaparsın edersin" gibi motivasyon cümleleri işe yaramaz, çocuk bir şeyler denemeye cesaret bile edemez.

Bazıları size "Bırakın ne hali varsa görsün, siz yapmazsanız mecburen yapar" der. Çocuklar küçükken bu yaklaşım doğru olabilir. Ama donanım yüklemediğimiz çocuklarımızı ilerleyen yaşlarda birden kendi hallerine bırakmak doğru değildir. Muhakkak kademeli bir program içinde bu geçiş sağlanmalıdır.

Sorumluluk duygusu beyne takılan çiple gelişmez. Çok tekrarladığınız şeyi zamanla iyi yaparsınız. Çocuklarınıza iş yaptırın. Kötü mü yaptılar, bir daha yaptırın. Zamanla iyi yapmayı öğreneceklerdir.

Yapmak istemediler ya da isyan mı ettiler? Oralı olmayın. Daha mı ileri gittiler? Anlatın onlara. Hayatın görev ve sorumluluklardan oluştuğunu, beleş olmadığını. Her zaman istedikleri şeyleri yapamayacaklarını, bazen istemediğimiz şeyleri yapmak zorunda olduğumuzu. Sonra işinize bakın. Endişe etmeyin, çocuğunuzdan korkmayın, ipleri onun eline bırakmayın.

Siz iyi anne, iyi babasınız.

Gereksiz merhametin iyi bir şey olmadığını unutmayın.

ÇOCUKLARA BU KADAR DOĞRU DAVRANMAK NE KADAR DOĞRU?

Şimdiki şehirli ve modern anne babaların en büyük korkusu çocuklarının psikolojisine zarar vermek. Sıfır hata ve sıfır travmayla çocuk büyütmek için ellerinden ne gerekiyorsa yapmaya çalışıyorlar. Anne baba olmak artık pek çok insan için kariyer planlarının bir parçası gibi algılanıyor.

Boşandıkları halde çocukları etkilenmesin diye boşandıklarını çocuklarından saklayan anne babalar biliyorum. Her sabah çocuk uyanmadan önce eve gelen, sanki aynı evde uyuyormuş gibi yapan, sabah çocuğu ve boşandığı karısıyla birlikte kahvaltı edip evden çıkan babalar var. Çocuk, akşamları neden görüşemediklerini sorduğunda, "Babacığım, eve geç geliyorum, sen uyumuş oluyorsun" diyen babalar.

Mesela aileden biri vefat ediyor. Anne babalar kendi acılarını bırakıp "Çocuğa nasıl söyleyeceğiz, ne söylesek de çocuk etkilenmese?" diyerek psikologların yolunu tutuyorlar. "Aman bir hata yapmayalım, bir bilene soralım, yeter ki çocuklar etkilenmesin" diyorlar.

Her an bozulacak, hassas elektronik bir eşya gibi davranıyoruz çocuklara. Onlar da boş durmuyorlar. Kendilerine yapılan muamelenin karşılığını bol bol sorun çıkararak ama beklentileri boşa çıkarmayarak veriyorlar.

Çocuklarımıza adil davranıyoruz.

Onların hakkını yemiyoruz.

Çocuklarımızın hakkını yemeye kalkan biri olursa önlemimizi alıyoruz.

Sınıfını değiştiriyoruz. Adil olmayan öğretmeni, problemli sınıf arkadaşını derhal tepikliyoruz.

Eşimize, annemize, dostlarımıza, kimselere göstermediğimiz özeni, sabrı, saygıyı ve anlayışı onlara gösteriyoruz.

Ve en sonunda küçük, sevimsiz canavarlar yaratıyoruz.

Ne yalan söyleyeyim, şimdiki çocukları sevmekte zorlanıyorum. Çocuk gibi hissedemiyorum pek çoğunu. Hani deriz ya "çocuklar gibi şen..." Bu deyim sanırım tarihe karışacak. Çünkü çocuklar şen değiller; kaygılı ve tatminsizler.

Her şeyin küçüğü sevimlidir ya, şimdinin çocuklarında çocuk saflığını ve hesapsızlığını göremiyorum. Bir çocuğun beş yetişkini yönettiği bir ortamda "Ben yetişkinim" demeye utanıyorum. Anneler çocukların tefinde oynuyor. Bir ortamda çocuk varsa oraya gitmeden önce iki kere düşünüyorum. Zaten kısıtlı ve değerli olan zamanımı bir çocuğun yönetmesini istemiyorum. Eskiden annelerinin söz dinletemediği çocuklara ortamdaki teyzeler bir şeyler söyler, çocuklar söz dinlerdi. Ama artık ne annelere ne de çocuklarına laf söylenebiliyor.

Çocuğu parka götürüyorsunuz, beş dakika sonra size gelip "Eve dönünce bilgisayar oynayabilir miyim?" diye soruyor. Eve geliyorsunuz, arkadaşını ne zaman çağırabileceğini soruyor. Arkadaşı geliyor, "Hamburger yemeye gidecek miyiz?"diye soruyor. Gittiği yerde duramayan, halinden memnun olmayan, kendini oyalayamayan, huzursuz ve anneye bağımlı çocuklar, henüz çocuğu olmayanların gözünü korkutuyor, insanı annelikten soğutuyor. Anneler o kadar yoruluyor ki, bir daha çocuk doğurmaya tövbe ediyorlar.

Ve tüm bunların sebebi mükemmel çocuk yetiştirmeye çalışırken çocuklarının ayarlarını bozan anne babalar. Mükemmeli ararken korkak, huzursuz, bağımlı çocuklar yetiştiriyoruz.

Çocukluk çağına özgü psikolojik sorunlar artıyor. Mesela okul fobisi. Eskiden de okula başlarken ağlayan çocuklar olurdu. Bir iki gün sonra herkes okula alışırdı. Şimdi aylarca hatta yıllarca, her yıl okul açıldığında aynı sorunu yaşayan çocuklar var.

Tüm bunların en önemli nedeni çocuklara sunduğumuz aşırı güvenli ve adil dünya.

Çocuğuna haksız yere bağırdığı için suçluluk duygusu içinde kıvranan ve çocuğundan defalarca özür dileyen ama pişmanlığı yine de geçmeyen annelere sesleniyorum.

Çocuğunuzun hakkını yemiş olabilirsiniz. Haksızlık ederek hata yapmış olabilirsiniz. Olabilir. Hatta böyle hatalar her zaman yapmadığınız sürece iyi bile olabilir. Çünkü dünyada bunlar da var. Dünyada haksızlık diye bir şey var. Siz ara sıra böyle hatalar yaparak bir anlamda çocuğunuzu duygusal olarak aşılamış oluyorsunuz. Çocuk, bazen haklı olsa da haksızlığa uğrayabileceğini, hak etmediği muamelelere maruz kalabileceğini görüyor. Aslında bir anlamda hayatın provasını yapma fırsatı buluyor. Hakkını koruması gerektiğini öğreniyor.

Çocuklar duymasın diye sürekli fısıldayan anne babalara sesleniyorum. Çocuklar duysun ve de bilsinler. Yüksek sesi ilk kez kreşte ya da okulda duyan çocuk okula gitmek istemez. Gerçekte olmayan bir dünyayı yani kavgasız, gürültüsüz, hakkaniyetli, sorunsuz bir dünya ortamını sürekli biçimde evde korumaya çalışırsanız gerçek dünya çocuklarınızı korkutur. O zaman hep evde olmak isterler. En ufak bir sorun onları sarsar. Giderek daha bağımlı olurlar. Evin dışındaki tüm alanlar çocuklara güvensiz gelir. Çünkü evdeki gerçek dışı ortam en az ana rahmi kadar güvenlidir ve yine ana rahmi kadar sonludur.

Çocuğu bugün kivisini yemedi diye depresyona giren annelere sesleniyorum. Abartmayın.

Çocuklarınıza hayır demekten korkmayın. Çocukların psikolojisi bozulmasın derken antidepresanlarla yaşar hale geldiniz. Ne yapıyoruz ki, alt tarafı çocuk büyütüyoruz, bu kadar abartılacak bir durum yok. Bütün memeli canlılar gibi taşıyor, doğuruyor ve emziriyoruz. Nedir bu telaş, bu abartı, bu mükemmellik çabası?

Çocuklarınızın kızamık, boğmaca, verem aşısını bebekken yaptırmanız gibi, sosyal hayata karşı da aşılarını yapacaksınız. Ve bu aşıları siz evde yapacaksınız. Aşı nedir? O hastalığa neden olan virüsü bedeninizin baş edebileceği ve antikor üretebileceği dozda vücuda vermektir. Hiç mikropla karşılaşmadan hep steril ortamda büyüyen çocukların okula başlar başlamaz sürekli hasta olmaları gibi düşünün. Yüksek ses duyduğunda veya biri ters baktığında ağlarsa, elinden oyuncağını alan çocuk karşısında ne yapacak?

Sonuçta...

Hayat devam ettikçe, kendinizi kötü hissetmenize neden olacak, hoşunuza gitmeyecek şeyler yapacaksınız. Tıpkı geçmişte yaptığınız gibi. Çünkü insan hata yapan ve hata yapma hakkına sahip olan bir varlıktır.

Hatalarınızı fark edin.

Sonra telafi edin.

Pişmanlığın getirdiği acıyı hissedin.

Son olarak kendinizi affedin ve konuyu kapatıp yaşamaya devam edin.

SINAVA HAZIRLANAN ÇOCUKLARINIZA DEYİN Kİ...

"Hayatın bu sınava bağlı değil, sadece gideceğin okul bu sınava bağlı. Hayatın gideceğin okula bağlı mı dersen buna kesinlikle hayır derim. Hayat dolu dizgin koşup gider; biz her ne kadar onu bir yerlere bağlamaya uğraşsak da...

Hayatı bir yerlere bağlamaya kalkma, hayat öyle bir şey değil.

Yarın sınavın var. Sınava ve sorulara olduklarından fazla bir anlam yükleme. Bir matematik sorusu, bir matematik sorusudur. Cevabı biliyorsan yaparsın, bilmiyorsan yapmazsın. Bir matematik ya da Türkçe sorusunun seni heyecanlandırma, bildiklerini unutturma gücü yoktur. İstersen şimdi bir tanesini açıp bak. Heyecanlanmadığını göreceksin. Sınavdaki sorular şu an elinde tuttuklarından farklı değil. Aydan, uzaydan gelmedi o sorular. Sorumlu olduğun yerden gelecekler.

Çok basit düşün. Şu dakikadan sonra yapabileceğin bir şey yok. Kendini uyumak için zorlama, uykun gelince yatarsın. Sabah güzel bir kahvaltıyla güne başlarsın. Rahat ol, dua et. Her şey olması gerektiği gibi olacaktır."

Sevgili anne babalar, belki de en önce kendimiz çocuklarımızın hayatlarının sınavlara bağlı olmadığına ikna olmalıyız.

Hayatta başarılı olmuş insanların en önemli özelliği sınavlardan aldıkları iyi sonuçlar değildir. Sorumluluk duygusu gelişmiş, karar verebilen, yaptığı her işin hakkını veren, kendine inanan, manevi değerleri olan çocuklar bu hayatta her daim güzel sonuçlar elde ederler.

ÇOCUKLUK TUTKULARININ ÖNEMİ

Çocuklarınızın yüreğine aşkla bağlanacakları bir şey koyun.

Tutkuyla bağlı olunan şeyler çocuklukta başlar. Mesela takım tutmak. Bir takıma çocukken gönülden bağlandığınızda, sonrasında hiç futbolla ilgilenmeseniz bile o takım şampiyon olduğunda içten içe sevinirsiniz. Tüm aşklar unutulsa da çocukluk aşkınızı unutmazsınız. Çocukluktan elimize arta kalan, o yıllardan sıkı sıkıya tutunduğumuz ne varsa çok kıymetlidir.

Her çocuk okula gider ancak hiçbir çocuk okuldaki derslere tutkuyla bağlanmaz. Derslerini dört dörtlük yapsa da bağlanmaz. Çünkü dersler sıkıcıdır ve bir yerde biter. Dersleri başarıyla bitirenlerin ödülü yüksek statülü mesleklere kavuşmak olur.

Hem derslerinde hem de başka bir faaliyette aynı anda başarılı çocuklar vardır. Hem çok iyi yüzen hem de dersleri çok iyi olabilen. Çok iyi resim yapan, şarkı söyleyen, dans eden, futbol oynayan. Ama antrenman saati ders saatiyle çakışınca sporu bırakmak zorunda kalan çocukların durumu bir hayli üzücüdür.

Okulun amacı çocuğa disiplin kazandırmak, sorumluluk duygusu aşılamaktır. Amaç ödevini bitirmesi değil, ödevini bitirme sorumluluğu kazanmasıdır. Hayattaki ödevler okuldan ibaret değildir. Hayatı bütünüyle ele almak gerekir. Sadece ders ve okul başarısı odaklı yetişen bir çocuk, tüm okullar bittiğinde zevk aldığı hobileri yoksa boşluğa düşecektir. Belli bir yaştan sonra sosyalleşmek için tenis oynayacak, kışın kayak, yazın sörf yapacak. Tango, çaça, rumba. Ama artık çok geç. Belli bir saatten sonra hepsi eğreti duracak, hiçbirine gönülden bağlanamayacak.

Derslere bağlanmanın yolu hayata bağlanmaktan geçer. Hayata dair sorumluklar önemlidir.

> *Çocuklarınıza hayatın ne olduğunu anlatın. Sonuç odaklı, hep bir hedefe doğru koşan çocuklar yetiştirmemeye özen gösterin. Tüm hedefler gerçekleştiğinde düşülen boşluk duygusunu hatırlayın. İnsan en iyi okullarda da okusa, istediği mesleği de seçse, tüm hayallerine de kavuşsa özünde yine aynı insan oluyor. Hayaller gerçek olunca havai fişekler patlamıyor.*

ÇOCUKLARA SINIR KOYMAK

Çocuklar büyürken bu büyüme rasgele ve gelişigüzel olursa, ortaya çıkan sonuç çok da memnun edici olmayabilir. Müdahale edilecek yerde müdahale etmek, edilemeyecek yerleri de ayırt etmek gerekir.

Çocuğunuzu bir ağaç gibi düşünün. Ağaç kendi hızında, mevsimin durumuna göre büyür. Siz su verirsiniz, gübre atarsınız, dibini çapalarsınız. İşte bu yaptığınız sevgi, şefkat ve ilgidir. Ne kadar düzenli sular, dibini çapalar, gübresini zamanında atarsanız ağaç o kadar hızlı büyür. Ağaca dilediği gibi büyüme özgürlüğü vermezsiniz, aynı zamanda budarsınız da. Budamanın amacı ağacın dallarını kesip atmak, ona zarar vermek değildir. Budama yapmak ağacı eksiltmez, aksine çoğaltır. Ağacın dallarını şekillendirirsiniz; daha çok güneş alsın, daha çok meyve tutsun diye.

Çocuk yetiştirirken de budama dediğimiz şey çocuğa sınır koyarak aşırılıkların önüne geçmektir.

Şimdiki anne babalar belki de bireysel hakları ezilen bir neslin evlatları oldukları için çocuklarının bireyselliğinin gelişmesine ve özgüvenlerinin güçlenmesine çok önem veriyorlar.

Bana kalırsa psikologların "Her çocuk kendine özgü bir bireydir" sözü biraz abartılıyor ve yanlış anlaşılıyor.

Özgüven her koşulda iyi midir? Çocuğun kararları sorgulanmadan desteklenmeli midir? Çocuğun bireyselleşmesi tüm değerlerin üzerinde midir? Çocuğun mahremiyeti ile ebeveynin otoritesi arasındaki dengeyi tutturabiliyor muyuz? Örneğimizi inceleyelim ve sorularımızın cevaplarını arayalım.

Danışanımın on yaşındaki çocuğu bir karar almış. Biriktirdiği parayla çok istediği tablet bilgisayar yerine köpek almayı seçmiş. Ama bu kararı alırken ne annesine ne de babasına danışmış. Danışanım olan baba, eve gelip köpeği görünce "Bana sormadan bu eve nasıl köpek alınıyor, bu evde hep beraber yaşıyoruz" diyerek çok kızmış.

Anne ise hemen kocasını bir kenara çekmiş ve "Aman ha sakın bir şey deme, sakın kızma çocuğa, oğlumuz çok güzel bir davranış sergiledi. Psikologlar çocuklarınızın karar verme becerisini geliştirin diyor. Çocuğumuz da burada karar vermiş, ikisini de istiyorum diye tutturmamış, çok istediği halde tabletten vazgeçmiş" demiş.

Babanın kafası karışmış ve sormuş: "On yaşındaki oğlum bana ve annesine danışmadan, kardeşinin fikrini sormadan böyle bir karar alıyorsa çok güzel yapmışsın, aferin mi diyeceğiz? Karım doğru mu söylüyor, psikologlar da böyle mi düşünüyor?"

Elbette ev halkını hesaba katmadan, babasının sözünü hiçe sayarak karar veren çocuğa aferin demeyeceğiz. Çünkü bu koşullarda elde edilen bireysellikten ne o aileye ne vatana millete hayır gelir. Eğer çocuklarımıza özgüven aşılamakta aşırıya kaçarsak, onlar da bizi parmaklarında oynatırlar.

Bireyselleşmiş ve özgüveni yüksek çocuk yetiştirmeye çalışırken abartıya kaçarsak ve çocuklarımıza gerekli yerde sınır koyamazsak başına buyruk, başkalarının duygu ve düşüncelerini hiçe sayan, bencil bir nesil ortaya çıkmasına neden oluruz.

Başka bir danışanımın üniversiteyi kazanan oğlu yetmiş bin lira değerinde bir otomobil istiyor. Danışanım baba "Zaten gittiğin okul, gitmeyeni dövdükleri dandik bir özel okul, sen bunu hak edecek ne yaptın, nasıl istersin, ne yüzle?" diyerek çocuğu hırpalıyor.

Şimdiki çocukların kendilerinde böyle bir hak görme durumları var gerçekten. Bunun sorumlusu da yine doğduklarından itibaren çocukların istemesine bile fırsat vermeden her imkanı onlara sunan anne babalar. Arabayı hak etmeyen çocuk, beş yaşındayken sahip olduğu uzaktan kumandalı arabayı hak etmek için ne yapmıştı?

Belki heves ettiğimiz, belki kendimizde olmayan imkanları onlara sunmak ya da zihin gelişimlerine katkıda bulunmak için çocuklarımıza verdikçe veriyoruz. Kullanmayı bilmedikleri oyuncaklarla onları eğlendirmeye çalışıyoruz. Onlar büyüdükçe biz de almaya devam ediyoruz. Çocuklar elde ettikleri şeyleri hak etmeleri, bazı şeyleri kaybetmemek için bedel ödemeleri gerektiğini bilmiyorlar. En çok da, yaptıklarımızı başlarına kakıyormuşuz gibi düşünmelerinden korkuyoruz. Oysa onları en iyi şartlarda yetiştirmek için sarf ettiğimiz çabayı çocuklarımızın da bilmesinde hiçbir sakınca yoktur. Hatta sahip olduklarının değerini bilmeleri için faydası bile vardır.

KIZ ÇOCUKLARINI YETİŞTİRİRKEN NELERE DİKKAT ETMELİYİZ?

"Ben okumadım, bak babanın eline bakıyorum, sen oku, kendini kurtar. Senin okuman için ne gerekiyorsa yaparım" diyen çok sayıda anne var. Hepsini takdir ve tebrik ediyorum. Hepsi harikalar. Benim annem de o annelerden biriydi. Lise son sınıfa giderken beni dersaneye göndermek için yaptığı fedakarlıkları hatırlıyorum.

Kız çocuklarının meslek sahibi olması, eğitim seviyelerinin yükselmesi için gösterilen çabalar, bu konuda toplumu bilinçlendirmeye yönelik çalışmalar ve bu çabalara yanıt veren ailelerin olması toplumumuzun geleceği açısından umut veriyor.

Anneler kızlarını okumaları yönünde teşvik ederek onları hayata karşı güçlü kılacak desteği veriyorlar. İyi bir eğitimden geçmek, meslek sahibi olmak, para kazanabilmek kadını hayatın getirdiği zorluklar karşısında güçlü kılar. Ancak **hayata karşı güçlü olmakla bir ilişki içinde, erkeğin karşısında güçlü olmak apayrı şeylerdir.** İyi eğitimli, kariyerli, para kazanan pek çok kadın, erkeklerle ilişkisinde son derece aciz, kırılgan, güçsüz olup erkeklerin kötü davranışlarına -ki buna şiddet dahil- maruz kalabiliyor.

> Anneler kız çocuklarını büyütürken onları ilişkiler konusunda da eğitmelidirler.
>
> Çünkü okullarda karşı cinsle ilişkilerde nelere dikkat edilmesi gerektiği öğretilmiyor. Bir erkeğin, kadının kalbini kırmasına nasıl engel olacağını, özdeğeri, özsaygıyı anlatmıyorlar. O nedenle bu eğitim mutlaka aile içinde verilmeli. Eğer biz çocuklarımızı hazırlamazsak, "Okuyunca iyi eş bulur" diye bir şey yok.

Babalara da burada büyük iş düşüyor. Eğer ailede baba yoksa, amca, dayı veya dede gibi bir erkek model de olabilir. Kız çocukları babaları tarafından kesinlikle kabul, sevgi ve saygı görmeli. Çok küçük yaştan itibaren değerli olduklarını hissetmeliler. Kız çocuklarındaki sevgi açlığı ilerleyen zamanlarda ciddi sorunlar doğurabilir. Ama sadece sevgi yetmez. Sonra bu duygunun mutlaka doğru telkinlerle harmanlanması gerekir. Eş seçimi, erkek arkadaş seçimi gibi konularda doğru bir yönlendirme yapılmalıdır.

Kızlarımızın iyi bir okulu kazanmaları için gösterilen özen ve çabalar, iyi bir erkek arkadaş seçimi konusunda da gösterilmelidir. Karşı cinsle olan ilişkinin kuralları ve bir ilişkide benlik değerinin korunmasının önemi anlatılmalıdır. Maddi özgürlük, ekonomik olarak ayaklarının üzerinde durabilmek, kimseye muhtaç olmamak ne kadar önemliyse, duygusal olarak da hiç kimseye muhtaç olmamak, bağımlı ilişkiler geliştirmemek bir o kadar önemlidir. Kadınların ekonomik özgürlüğü kadar duygusal özgürlüğü de geliştirilmelidir ve bu konuda en büyük görev kız çocuğu büyüten anne babalara düşmektedir.

İlişki içinde kendi sınırlarını nasıl korursun?

Sınırlarına saygı göstermeyen insanlardan kendini nasıl korursun?

Erkeğe ne zaman hayır demek gerekir?

Değerlerimizi korumak için nasıl bir yol izlemeli?

Karşı tarafın aile yapısı neden çok önemlidir?

Karşı tarafın annesiyle ve varsa kız kardeşiyle ilişkilerinin nasıl olduğu neden çok önemlidir?

İlişkide şiddet göstermeye meyilli bir erkeği nasıl tanırsın?

Bunun gibi soruların cevaplarını, her aile kendi değer yargıları doğrultusunda kız evlatlarına vermelidir.

Elbette erkek çocuklarını da erken yaşlarda bu tür değerlerle tanıştırmak gerekir. Ne istediğini bilmek, onu bulmak yolundaki en önemli adımdır.

ÇOCUKLARIMIZA KARŞI NEDEN BU KADAR SUÇLU HİSSEDİYORUZ?

Sadece çocuklarımıza karşı mı suçluluk hissediyoruz? Hayır. Kendi içsel merkezimizle olan bağımızı kopardığımızdan beri, en doğal içgüdülerimizin hepsiyle ilgili suçluluk hissediyoruz. Yemek yeme davranışımız, tuvalet alışkanlığımız, uyku düzenimiz, cinselliğimizle ilgili çokça sorunumuz var. Ruh sağlığı profesyonellerinin kapılarını çalma nedenlerimizin başında içgüdülerimizde yaşanan bozulmalar geliyor. Çünkü artık bunların hiçbiri tam olarak içgüdüsel değil, bizim tarafımızdan görev olarak algılanıp icra edilmeye çalışılan faaliyetlere dönüşmüş durumda.

"Şu kadar saat uyumam lazım" diyoruz. Uyuyamazsak kendimizi kötü hissetmeye ve suçlamaya başlıyoruz. "Yatmadan önce bu kadar çok kahve içersen uyuyamazsın tabii" diyerek kendimize kızıyoruz.

Beslenmek de görev bilinciyle yaptığımız bir eyleme dönüştü. "Bugün hiç meyve yemedim ya da makarnayı fazla kaçırdım" gibi cümlelerle kafamızın içini meşgul ediyoruz.

Yediklerimiz için de, yemediklerimiz için de sürekli kendimize kızgın ve gereksiz bir suçluluk duygusu içindeyiz.

"Tuvalete çıkmam lazım" diyoruz, çıkamıyorsak yine kendimize kızıyoruz. "Pilav yediğimde böyle oluyor ama kahretsin yine yedim" diye söyleniyoruz.

Uyku, yemek, tuvalet ya da cinsel içgüdülerimiz bozulmaz, sadece biz onlarla olan bağlantımızı koparırız. İçeriden gelen tokluk sinyalini alamadığımız için doyduğumuz halde yemek yemeye devam ederiz. Diyet listemizde balık eti olduğu için o gün balık yeriz. Oysaki bünyemizin balığa değil de yoğurt yemeye ihtiyacı vardır. Ama biz içeriden gelen seslere kapalı olduğumuz için, az ve sık yemek metodunu ya da protein ağırlıklı öğünler gibi bir modeli takip ediyoruzdur. Bize dayatılan sistemlere tabi oldukça iç sesimiz daha da duyulmaz hale gelir, kendimizden uzaklaşmaya devam ederiz.

Eğer bir şey görevse, o görevin yerine getirilmesi ya da getirilmemesi genelde iradi bir çabayı gerektirir. Eğer görev istenilen şekilde sonuçlanmadıysa da suçluluk yaratır.

İçgüdülerimizin bozulmaya başlaması ve içgüdüleri tamir eden bir sürü mesleğin olması, insanın doğasından ne kadar koptuğunun bir işareti. Doğadan kopan insan kaçınılmaz olarak kendi doğasından da koptu. Psikologlara yapılan başvurulara bakın. Uyuyamıyorum, iştahımı kontrol edemiyorum, bağırsaklarım iyi çalışmıyor, ikimizde de sorun yok ama bebeğimiz olmuyor, cinsel ilişkiye giremiyorum gibi şikayetler, derinlerde bir şeylerin yolunda gitmediğinin işareti.

Uykusuzluk kendimizle bağlantıya geçmemiz gerektiğiyle ilgili işarettir. Ama biz o işareti takip etmek yerine hemen bir ilaç alıp kendimizi uyutmaya çalışırız. Bizi uyutmayan şey hayatımızda olan ve çözüm bekleyen bir konu olabilir. Belki de ifade bulamayan bir duygudur. Düşünmemiz, kafa yormamız ve belki de geceleri dua etmemiz gerekiyordur. Belki de fiziksel olarak enerji harcamadığımız için uyuyamıyoruzdur. Uykusuzluk ya da diğer içgüdülerdeki bozulmalar mutlaka bir işarettir ama biz işaretlerin anlamını çözmeye çalışmak yerine onları ortadan kaldırmayı seçeriz. Çünkü diğer türlüsü acı verir ve biz acı çekmek istemeyiz.

İnsan kendi merkeziyle bağlantıdaysa, irade gücünü daha az kullanır. İnsan tüm içgüdülerini düzenleyen bilinçaltı bir programa sahiptir. Bu programa göre acıkınca yer, doyunca yemeği bırakırız. Eğer protein ihtiyacınız varsa canınız et, yumurta, süt çeker. Bilinçaltı programınızın sizi yönetmesine izin verirseniz iradi çaba harcamadan ideal kiloda kalırsınız, bağırsaklarınız mükemmel şekilde çalışır, ihtiyacınız kadar uyursunuz.

Ama günümüz insanı acı çekmekten, kendiyle yüzleşmekten, hatalarını görmekten öyle çok korkuyor ki, kendi varlığının derinlerine inme iznini kendine vermiyor.

İşin ilginç yanı da şudur. Gerçekten suçlu hissetmemiz gereken hiçbir konuda suçlu hissetmezken hiçbir şekilde suçumuzun olmadığı konularda suçlu hissederiz. Çok yedim, az yedim, cinsel isteğim çok, cinsel isteğim yok, ishal oldum, kabız oldum gibi...

Bu zamanın insanı kendine güvenli bir dünya yaratıyor, diyetisyen ve psikoloğun işbirliği içinde çalıştığı bir merkezde kilo kontrolü yaptırıyor, uyuyamıyorsa psikiyatrist ona renkli reçeteler yazıyor, yılda iki kere beş yıldızlı otel hizmetiyle beraber detoks programlarına katılıyor, detoksla bedenini, meditasyonla ruhunu arındırıyor.

Yani kendisiyle olan içsel bağlantısını koparalı uzun zaman olan insan, dışarıda son derece güvenli sistemlere emanet yaşıyor. Allah'a emanet değil, uzmanlara emanet bir yaşamı sürdürmeyi tercih ediyoruz. Tüm bunların sonucunda geldiğimiz noktadaysa kendimizi bir kez daha kaygı ve endişe çukurunun içinde buluyoruz.

Artık kadınlar çocuk sahibi olmak istiyor. Ama bu istek içinden gelen sesi kabul edişten çok, "Her şeyim var, hadi bir de çocuğum olsun" ya da "Herkesin var, benim de olsun" düşüncesinin sonucu gelişiyor. Çünkü iç seslerimizi duyamayacak kadar meşgulüz. "Evimiz var, arabamız var, kariyerimiz var ama çocuk yok." Çocuk sahip olunması gereken, herkeste var olan ve sanki bizde eksik kalan bir şey gibi düşünülüyor.

Kitapçıya gidin ve bir bakın. Çocuk gelişimi ve eğitimiyle ilgili ne kadar çok kitap var. Her yaştaki çocuk için kocaman kitaplar. Nasıl yemek yedirmek lazımdan tutun da zekası için ne yapmanız gerektiğine kadar, çocuğunuzu nasıl büyüteceğinizi anlatan kitaplar raflar boyunca dizilmiş. Hani annelik içgüdüydü? İçgüdüsel olarak anneler bebeklerini nasıl büyütmeleri gerektiğini bilmiyorlar mı? Eğer içgüdüleriyle bağlantıda iseler biliyorlar. Ama içgüdülerden gelen ses kesildiyse kitaplara sığınmaktan başka çare yok. İçimizden gelen sesi dinleyebilirsek o ses her durumda, en zor durumda bile bize ne yapmamız gerektiğini fısıldar.

Çocuk yetiştirmeyi kutsal görevimiz olarak gördüğümüz, kadınca içgüdülerimizden gelen anaçlığı hissedemediğimiz için olsa gerek, çocuklarımıza karşı yoğun bir suçluluk hissediyoruz.

Bir şeyi görev olarak yapıyorsak yeterince keyif alamayız. Tahammül edemediğimiz çocuklarımıza karşı yaşadığımız suçluluk duygusunun AVM'lerde son bulduğunu görebiliyoruz. Buluğ çağına erişmemiş çocuklarımızı en son model teknolojik oyuncaklarla avutmaya, böylece vicdanlarımızı da rahatlatmaya çalışıyoruz. Bilgisayarı, tableti, akıllı telefonu, oyun konsolları ve diğerleri. Çocuklarımıza hamburger yedirip teknolojik market alışverişi yaptırıyor, bin bir zorlukla kazandığımız paraları bu şekilde harcıyoruz. Çocuklarımızın geleceği için çalışıyoruz, onların bugün de bize ihtiyaç duyduklarını unutarak. Oysaki bugün yarattığımız açığın hiçbir şekilde telafisi yok.

Çocuklarımız psikologlara, özel okullara, çocuk yogası uzmanlarına, nefes koçlarına emanet. Bizim bıraktığımız boşluğu birtakım yeni moda akımlarının sözde uzmanları tarafından doldurulmasını bekliyoruz. Çocukların yüzünü güldürmeyi unutan anne babalar kahkaha yogası yapan uzmandan medet umuyor. Oysaki bizim bıraktığımız açığı dünyanın tüm uzmanları bir araya gelse kapatamaz. Olsa olsa çocuklarımızı oyalarlar, çocuklarımıza faydaları olmasa da bize zaman kazandırırlar.

KADININ KORKULARI ÇOCUK SAHİBİ OLMAYI NASIL ENGELLER?

"Çocuk doğurmak istiyorum ama özgürlüğüme çok alıştım, çocuk doğunca bir sürü şeyden taviz vermem gerekecek. Geleceğe dair planlarım var ve onları bir süre daha ertelemek zorunda kalacağım. Çocuğum olursa belki de hayallerim hiçbir zaman gerçekleşmeyecek."

Bir danışanımın ağzından çıkan bu cümleler aslında çocuk sahibi olmayı düşünen pek çok kadının da düşüncesini yansıtıyor.

"Çocuk olunca kariyerime ara vermek zorundayım, istediğim zaman arkadaşlarımla buluşamam, tatile gidemem, istediğim kursa katılamam, hayatımızı çocuğa göre planlamak gerekir" diye düşünen kadın, çocuk doğurmayı hayatındaki en önemli şeylerin eksik kalmasına sebep olacak bir zorunluluk olarak görüyor. Çocuk, karı kocadan oluşan çekirdek ailenin içinde kendine yer bulmakta zorlanıyor.

On yıllık ilişkisine ve otuz beş yaşında olmasına rağmen hâlâ bebek sahibi olup olmayacağına karar veremeyen bir danışanım, "Etrafımdaki annelere bakıyorum ve iştahım kaçıyor" demişti.

Haklıydı. Çünkü etrafındaki annelerin hiçbiri annelikten keyif alıyor gibi görünmüyordu. Sadece bir görevi yerine getiriyorlar, çocuk büyüdüğünde yeniden kavuşacakları özgürlükleri için gün sayan mahkumlara benziyorlardı.

Modern zamanlarda kadınlar üstlerine vazife olmayan öyle çok sorumluluk aldılar ki kendi doğalarında var olan kadınca yetenekleri unuttular. Güç ve yeteneklerinden bihaber kadınlar, kadına ait sorumluluklardan da böylece korkmaya başladılar. En basiti, çocuk doğurmak ve yetiştirmek. Büyük şehirlerde, normal doğum yapan kadınlara adeta kahraman kadın gözüyle bakılır oldu.

Kendinden kaçmasının sonucunda içinde oluşan boşluğu doldurmak amacıyla hayatında bir dizi faaliyetler yaratan kadın, bir süre sonra yaptıklarını özgürlüğünün sembolü olarak algılayıp, kendi yarattıklarının vazgeçilmez gereklilikler olduğuna, çocuk büyütürken geçen anlarınsa hayatın kayıp zamanlarını temsil ettiğine inanır.

Zamanı geldiğinde özümüze uygun davranışları yapmadığımızda hayatımızda büyük boşluklar oluşur. Örneğin zamanı geldiğinde evlenmediysek, çocuk doğurmadıysak hayatta bolca zamanımız kalır. Biz de bu boş zamanları doldurmak için kendimize birtakım faaliyetler yaratırız. Sonra da yarattığımız bu faaliyetlerin temel ihtiyaçlarımız ve özgürlüğümüz olduğuna inanır, kendimizi oyalamak için yaptığımız şeyleri hayatımızın kendisi sanma yanılgısına düşeriz.

İşte o zaman bizim rahata alışmak dediğimiz şey, aslında kendimizden uzaklaşmaktan, rotamızı şaşırmaktan başka bir şey değildir. İstediğimizde film seyredersek, kitap okursak, kahve içmeye gidersek, hafta sonu öğlene kadar uyursak, istediğimizde kaymaya istediğimizde yüzmeye gidersek rahat olduğumuza inanırız. Tüm korkularımıza rağmen çocuk sahibi olursak da çocuklar bir an önce büyüsün ve biz de özgürlüğümüze kavuşalım isteriz.

Doğum kontrol yöntemlerinin yaygınlaşmasından sonra kadınlar anne olma zamanlarına artık kendileri karar verebiliyorlar. Yeni evli çiftler için bebek sahibi olmak son derece planlı bir eylem haline geldi. Ancak bazen evdeki hesap çarşıya uymuyor ve işler planlandığı gibi gitmeyebiliyor. Çocuk sahibi olmayı bilinçli olarak erteleyip, çocuk sahibi olmaya karar verdikten sonra da hiçbir tıbbi sorunu olmamasına rağmen hamile kalamayan kadınların sayısında ciddi oranda artış var. Çünkü hamile kalmak alt beynimizin yönetiminde bir olaydır. Alt beyin sosyal kimliğimizin planlarıyla ilgilenmez. Aynı şekilde acıkmak, doymak, susamak, tuvalet ihtiyacı duymak, uyumak da alt beyin tarafından programlanan güdülerimizdir.

Doğuştan gelen programımızda hamile kalmak için ihtiyaç duyduğumuz her şeye sahibiz. İçgüdüsel sistemimizin işleyişini tahrip ediyoruz ve sonra da kendimiz bu sistemi yönetmeye çalışıyoruz.

Sonuçta zayıflamaya çalıştıkça daha çok kilo alıyoruz. Uyumaya çalıştıkça uykularımız kaçıyor, bağırsaklarımız tembel dedikçe daha çok kabız oluyoruz. Aynı şey bebek sahibi olmaya çalışırken de oluyor. Biz kovaladıkça hedef bizden kaçıyor.

İçimizdeki seslerin bizi bulma çabasına o kadar çok engel koyuyoruz ki gün gelip biz onlarla buluşmak istediğimizde onlar da bize aynısını yapıyorlar.

İçgüdülerimizle temasa geçmek, özümüze dönmek, esas doğamızla bağlantı kurmak için biraz çaba gereklidir. Bu durumu küstürdüğünüz bir arkadaşınızın gönlünü almaya çalışmak gibi düşünün. Özür dilemelisiniz, sizi affetmesini beklemelisiniz, eski samimiyetiniz yeniden oluşana kadar sabırlı olmalısınız.

Bilinçaltımız basit ama naziktir. Bilinçaltına yönelik çalışmalarla doğal ritmimize yeniden kavuşmak mümkündür.

Hamile kalan içinizdeki dişidir. Onunla bağlantı kurmadan, sosyal kimliğinize uyacak bir figür olarak bebek sahibi olmak için çalışıyorsanız (çocuk düşünenler bu kelimeyi kullanıyorlar) sıkıntılarınız olabilir. "Çalışmaya başladık" enteresan bir tabir. Her canlının kendiliğinden ulaştığı, doğanın en normal işleyişine çalışarak ulaşmak insana özgü garip olgulardan biri.

"Evlenmekten, hamile kalmaktan, doğum yapmaktan korkuyorum. Kendimi bir çocuk büyütmek, anne olmak için gerçekten de hazır hissetmiyorum, böyle bir gücüm yok" diyebilirsiniz. Oysa insan kendisini hiçbir zaman hazır hissetmez. "Doğum yapmaya, emzirmeye, uykusuz gecelere dayanamam" derken, bu günkü bilinç hallerimize göre konuşuruz. Çünkü sahip olduğumuz içsel güçlerin hepsini aynı anda hissedemeyiz. Bu güçler zamanı geldiğinde, biz harekete geçmeye karar verdiğimizde açığa çıkar. İçsel kaynaklarımız içimizde yığılı paketler halinde durur ve sırası geldiğinde o paketi açmamıza izin verilir. Deneyimi yaşamak için kendimize izin verdiğimiz anda mucize gibi değişimler gerçekleşir. "Ben bunu nasıl yaparım, ben buna nasıl dayanırım?" demek, içimizdeki güçlerin varlığına güvenmemekten kaynaklanır.

ANNELER VE OĞULLARI ARASINDAKİ İLİŞKİLER EVLİLİKLERİ NASIL ETKİLİYOR?

Annelerin erkek çocuklarına karşı "benim tek dayanağım", "yaşama sebebim" tarzındaki yaklaşımları, bu çocukların ileride kuracakları ilişkileri olumsuz yönde etkiler.

Hiçbir erkek çocuğu annesinin ona yüklediği sorumluluğu taşıyamaz, annesini kurtaramaz ve bu nedenle içinde bir yetersizlik duygusu taşır. Bu çocuklar büyüdüklerinde içlerinde taşıdıkları yetersizlik duygusunu yenebilmek için, ilişki yaşadıkları kadınları mutlu etmek uğruna ellerinden geleni yaparlar. Kadının mutluluğunu bütünüyle kendi sorumlulukları olarak görürler.

Annelerin sırtını yasladığı, umut olarak gördükleri bu çocuklar büyüyüp de ciddi ilişkiler içine girdiklerinde hayatlarına giren kadınların mutsuzluğu, istekleri, talepleri ya da en ufak bir şikayetleri karşısında öfkelenirler. Kadın ne kadar mutluysa kendilerini o kadar güçlü hissederler. İnsanların doğal sebeplerden durgunlaşabileceği, hüzünlenebileceği, ağlayabileceği, farklı hissedebileceği gerçeğini kabul etmezler, hayatlarındaki kadınlara bu hakkı vermezler.

"Ben senin mutluluğun için bu kadar çok çabalıyorsam, sen de mutlu olmak zorundasın" mesajını kadına vererek kadın üzerinde büyük bir baskı oluştururlar. Bu tür erkeklerle ilişkiye giren kadınların durumu gerçekten zordur. Çünkü eşleri gerçekten çok çabalamaktadır. Bir şey söyleyecek olsalar kendilerini tatminsiz, nankör, açgözlü gibi hissederler. Buradaki sorun şudur: Erkek gerçekten çok çabalamaktadır. Ama bunu kadının duygularını, isteklerini hiçe sayarak yapmaktadır.

Kadına vermektedir ama kadın aslında ne istemektedir? Verdikleri, kadının ihtiyacı olan şeyler midir? Kadına sormaz ve dinlemez. Çünkü talep ve ihtiyaç içindeki kadın bu erkeklere çocukluk yıllarındaki yetersizliklerini hatırlatır ve korkutucu gelir.

İşte tüm bu sebeplerle erkek çocuk yetiştiren annelere büyük sorumluluk düşüyor. Oğullarınıza sırtınızı dayamayın. Onlarla rollerinizi değişmeyin. "Her şeyi senin için yapıyorum", "Senin için bu evliliğe katlanıyorum", "Hayattaki tek dayanağım sensin", "Sen benim her şeyimsin" gibi cümlelerin çocukların omuzlarına altından kalkamayacakları yükler yüklediğini unutmayın.

4. BÖLÜM

KADIN

KADINININ GÜÇ YANILGISI

"Eğer bu hayatta var olmak istiyorsan oku, eline mesleğini al, kolunda altın bileziğin olsun. Kocanın eline bakma, kimseye kendini ezdirme. İkiniz de çalışıyorsunuz, her işi sana yıkmasına izin verme."

Bu tür telkinlerle büyüdüyseniz, çalışarak sahip olduğunuz her şeyi güç sanma yanılgısına düşersiniz. Daha fazla şeye sahip olarak sınırlarınızı koruyabileceğinize inanırsınız.

Bu telkinler kadını güçlendirmek ve böylece mutlu kılmak adına yapılır. Ancak bu şekilde **sahip olduğunuz şeyler sizi sadece güçlü gösterir, güçlü yapmaya yetmez.**

Güçlü görünmeye çalışarak güçlü olamazsınız, sağlıklı görünmeye çalışıp sağlıklı olamayacağınız gibi. Çünkü değişim her zaman içeriden başlar ve dışarı yayılır. Sağlıklıysanız sağlıklı görünürsünüz, hastaysanız bunu ancak kısa bir süre gizleyebilirsiniz.

Bu nedenle, strateji olarak oluşturulan güç gösterileri işe yaramaz ve stratejileri sürdürmek zamanla çok ağır gelir.

GÜÇLÜ GÖRÜNME STRATEJİSİNİ SEÇEN KADINLARI NASIL TANIRIZ?

Korkularıyla baş edebilmek için kendilerini güçlü göstermeyi seçen kadınlar, zaaflarını göstermek istemezler ve daha çok aşağıdaki gibi tavırlar sergilerler:

Öfkelenmekten çekinmezler.

Düşüncelerini rahatça ifade ederler.

Her zaman haklı olmaya çalışırlar.

Anlaşılmak ve haklı olmak mutluluğun önüne kolayca geçebilir.

Uzun uzun anlatmak ve anlattıklarını onaylatmak ihtiyacı duyarlar.

Eleştiriye açık olduklarını söyleseler de eleştiri karşısında çabuk sinirlenirler ve haksızlığa uğradıklarını düşünürler.

Sanki her an dışarıdan bir saldırı gelecekmiş gibi savunmada yaşarlar.

Kendilerinden emin ve yüksek sesle konuşurlar.

Öfkelerini kontrol etmekte zorlanırlar.

Erkekler tarafından dırdırcı olmakla suçlanırlar.

Eğer kendilerine ait kariyerleri yoksa başkalarının işlerine çok fazla karışırlar ve onları yönlendirmeye çalışırlar.

En doğrusunun kendi bildikleri olduğuna inanırlar.

Genelde hırslı ve başarma isteği olan kadınlardır.

GERÇEK ANLAMDAKİ KADINLIK GÜCÜMÜZÜ NASIL KAYBETTİK?

İki evlilikten sonra tek başına boğuşan otuz yedi yaşındaki danışanım erkekler dünyasında hayat mücadelesi veriyordu. Giderek erkekleşiyordu ama farkında değildi. "Kadın deyince aklına gelenleri sayar mısın?" dediğimde hiç düşünmeden şunları saydı: "Pasif, aptal, aciz, yetenekleri sınırlı, kafası çalışmayan, dedikoducu, kıskanç, güvensiz, açgözlü, şımarık, salak, sınırlı, pireyi deve yapan, abartan, dikkat çekmek isteyen, sabırsız." Asla böyle bir kadın olmak istemediğini de ekledi.

Aynı soruyu sorduğum diğer bir danışanımsa şöyle cevap verdi: "Kadın olmaktan çok korkuyorum, kadınlar yalnız varlıklar, kadın deyince aklıma yavruları için yemek arayan sokak köpekleri geliyor."

Kadınlık gücünden mahrum kalmak, kadınlar için bireysel bir tercih olmadı. Kadınlar sistemin dayatmaları karşısında, dişi güçlerini bir tarafa bırakmanın kendilerinin hayrına olacağına inandı, inandırıldı. Kadınlık olgusu seksi görünmekten, topuklu ayakkabı giyip, kırmızı ruj sürmekten ibaretmiş gibi görünmeye başlayınca pek çok kadın bu durumdan rahatsız oldu. Köprünün diğer yakasında ise ev hanımı görünümlü ama ne ev işlerinde ne iş hayatında varlık gösteren, tamamen tüketici bir grup kadın vardı. Cinsel bir obje ya da evde atıl bir nesne olarak sınıflandırılan kadın ihlal ediliyor, aciz hissediyor, kendini koruyamıyordu. Sonuçta erkek dünyası kadınları evlenilecek ve eğlenilecek kadınlar olarak ayırmıştı.

Kadın olmanın ne anlama geldiğiyle ilgili yaratılan yanılsamalardan sonra, cinsel obje gibi algılanmak istemeyen, aynı zamanda pasif, zayıf, kafası çalışmayan, işe yaramaz bir varlık gibi görülmekten de korkan kadınlar çareyi alternatif bir kadın modeli üretmekte buldular.

Bu iki hatalı modelden kaçmaya çalışırken üretilen üçüncü model de kadınların hayatını kolaylaştırmadı. Erkeklere ait gibi görünen dış dünyada daha fazla varlık göstermeye, erkek kıyafetleriyle, erkeklerin yaptığı işleri erkeklerle eşit ücret alarak yapmaya başladılar. Bu arada pek çok kadın görev bilinciyle aile kurmaya ve üremeye de gayret gösterdi.

Böylelikle, bu noktada devreye giren hatalı öğretilerle kadınlar, yaratılan kadın algısından kurtulmaya çalışırken farkına varmadan özlerinden uzaklaşmaya başladılar; kadınlığın gerçekten ne demek olduğunu hiç bilmeden. Cinsiyet rollerini ön plana çıkarmadan çocuk da, kariyer de yapan süper kadınlar böylece ortaya çıkmış oldu.

Bizi kadınlığın gerçek gücünden mahrum bırakan en belirgin düşünce örneklerini sıralamadan önce vajinismus sorunu yaşayan bir danışanımın ağzından kadın olmak hakkındaki bir yazıyı paylaşmak istiyorum.

Kadın Olmak ...

Kadın olmak, bir daha saçlarını mora boyatamamak demek ya da başının iki yanına toplayamamak. Bir rock konserine gidip başını sallaya sallaya saatlerce eğlenememek, kız kıza gece gezmelerine çıkamamak, evine çat kapı sevdiğin bir arkadaşını kabul edememek, babanın dizlerine yatamamak, annenin göğsünde uyuyamamak demek. Birbirleriyle alakasız bir yığın giysiyi üzerine geçirip sokağa çıkamamak. Televizyonda izlediğin bir aktöre asılamamak, bir daha asla "kız çocuğu" diye seslenilmemek.

Kadın olmak âşık olduğun adamın elinden korkusuzca tutabilmek. Sokakta boynuna rahatça sarılabilmek, ailenin evinde olsan bile yeni güne onun kollarında uyanabilmek demek. Kadın olmak işine eşinin bıraktığını göğsünü gere gere söyleyebilmek demek. Geceyi onunla geçirdiğin için kimseden utanmamak demek. Kadın olmak âdetin geciktiğinde hamile olabileceğini gönül rahatlığıyla düşünebilmek demek. Komşuların seninle sohbet etmesi, fikirlerinin daha fazla ciddiye alınması demek.

Eşime geçenlerde genç kızla kadın arasında ne fark olduğunu sordum. Birinin dalında yeni tomurcuklanmış ve el değmemiş, diğerinin ise koparılıp vazoya konulmuş bir çiçek olduğunu söyledi. Kafam zaten bu kadar karışıkken onun bu cevabı vermesi daha çok üzdü beni. Ama sonra düşündüm ki dalından hiç koparılmayıp uzun ömrünü yalnız başına ve yine solarak geçirecek olmaktansa belki kısa sürecek ömrünü bambaşka lezzetler tadarak ve ayrıcalıklı olduğunu hissederek sonlandırmak daha denemeye değer değil mi?

Aynı sorunu yaşayan diğer bir danışanım da şöyle anlatıyor:

Aslında kadın kelimesi bile beni rahatsız ediyor. Bunun nedeni toplumun kadına bakış açısında. Kadınların toplumda cinsel bir obje olarak görülmesi ya da eşinden şiddet görmesi ya da eşinin bile ona ikinci sınıf insan muamelesi yapması içimi acıtıyor. Ekonomik özgürlüğünü kazananların bile bu durumlarda hayat sürmesi canımı sıkıyor. Her türlü şeyi alttan almak ya da her şeyin sıkıntısını kadınların çekmek zorunda olması benim kadın kelimesine bakışımı karartıyor. Belki de bu sebeplerle kadın olmayı istemiyorum. Ben her kadının eşiyle eşit şartlarda yaşamasını, toplumda da her şeyi alttan almak durumunda bırakılmamasını istiyorum. Kadınlardaki kabullenmişlik beni rahatsız ediyor. Eşimdir yapar, erkektir yapar, erkek hep yapar. Belki de en büyük zaafım bu, karşıma belki de hep bu şekilde evlilikler çıktı. Belki de hep kadınların kabullenişiydi. Onun için kadın kelimesini duyunca tüylerim ürperiyor.

Kadınlar artık sezgileriyle ve içgüdüleriyle davranmıyor, daha çok korkuları tarafından yönetiliyorlar. Bizi kadınlığın gerçek gücünden mahrum bırakan, korku hamurundan yapılı düşünce örneklerinden bazılarını şöyle sıralayabiliriz...

Erkekler Tarafından Ezilmek İstemiyorsak Güçlü Olmalıyız

Kadınlara daha fazla eğitim fırsatı verilmesi, bazı görevlerde kadınlara verilen kadroların artırılması, kadın sığınma evleri, kadınlara tahsis edilen koruma polisleri... Kanunlar kadınlardan yana. Kadınların korunması ve kadının da kendini koruması üzerine politikalar gerek medyada gerek bakanlık düzeyinde çalışmalarla yürütülüyor.

Peki kadını kimden koruyoruz? Kocasından, sevgilisinden, babasından, abisinden. Yani erkeklerden.

Dişilik gücü öyle bir güç ki, erkek dünyası bu gücün ışığını ucundan bile görse korkuyor. Hele de bu güç artık erkeğin kontrolünde değilse, erkek kadını yönetemiyorsa

"Kontrolsüz güç, güç değildir" diyen erkek bu gücü yok etmeye çalışıyor.

Sevgilisinden ayrılan, boşanmayı seçen, baba evinden izinsiz ayrılan kadın, erkek tarafından kontrol edilemez, takip edilemez, yönetilemez, zapt edilemez olarak algılanıyor. Erkekler kontrol edemedikleri bu gücü, dolayısıyla da bu gücün kaynağını ortadan kaldırmak istiyorlar. Erkeği korkutan bu güç temelde dişiliğin gücüdür. Pek çok erkek, kadın kelimesini telaffuz etmekten bile kaçınır, kelimenin kendisi rahatsız edici gelir. Bayan demeyi tercih eder. Erkek kadını baskılamak, kontrol etmek, dizginlemek ister. Eğer kadın, bu izni erkeğe vermiyorsa da, erkek gerekirse kadının kendisini ortadan kaldırarak bu güçten kurtulmaya çalışabilir.

Hal böyle olunca erkeklerden gelen bu baskıyı, kontrol edilmeyi istemeyen kadın bir çare olarak dişi enerjisiyle bağlantısını bilinçdışı olarak kesmeye başlar. Bunun sonucunda ya erkeksi ya çocuksu ya da cinsiyetsiz bir tavır içine girer.

Erkekler Kadınları Kullanıp Atarlar

Bu telkinle büyüyen kadınlar kendilerini kullandırtmaktan son derece korkarlar. Bu sözün manasını yeterince benimseyemedikleri için karşılarındaki erkeği beslemeyi unuturlar. Ya da sen beni değil, ben seni kullanırım diye düşünürler. Sonuçta üzülen taraf yine kadın olur.

Çocukluk Yıllarında Anne Babadan Gelen Yansıtmalar

Kız çocuklarının cinsel uyanışı anne babalar için son derece rahatsız edici olabilir. Tam da cinsel kimliğin oluşmaya başladığı zamanlarda kız çocuklarının cinsel içerikli soruları, mastürbasyon davranışı, odak noktalarının değişmesi, bedenini merak etmesi karşısında anne baba büyük huzursuzluk yaşayarak, yaşadıkları bu huzursuzluğu çocuklarına yansıtabilirler. Bunun sonucunda kız çocuğu ayıplanır, reddedilir ve hatta cezalandırır.

Kadınca güçlerimizle kurmamız gereken bağlantı en büyük darbelerden birini çocuk yaşlarda anne babasından gelen bilinçdışı yansıtmalardan alır. Toplumumuzda sıkça görülen vajinismus yani cinsel ilişki kuramama sorununun nedenlerinden biri de budur. Kız çocukları büyüyüp yetişkin bir kadın olduklarında da cinsel istek duymayı kendilerine yasak ederler.

Genç Kız ve Kadın Ayrımları: Kız Gibi Kalmalıyız

Genç kız ve kadın kavramları toplumumuzda çok kesin çizgilerle ayrılmıştır. "Kız" kelimesi olumlu anlamları ifade etmek için kullanılırken, "kadın" kelimesi daha çok olumsuzluğu ifade etmek için kullanılır. Örneğin arabasını satmak isteyen satıcı, arabanın çok iyi ve temiz olduğunu ifade etmek için "kız gibi araba" der. Bununla beraber kuaförde saçını yaptırmış, makyaj yapmış birine "kadın saçı gibi olmuş" dediğinizde bunun anlamı saçın kötü olmuş demektir.

Özellikle vajinismus gibi cinsel sorunlar yaşayan kadınlarda genç kızlık döneminin bitmesi ve kadınlık döneminin başlaması, kızlık zarının kaybedilmesine yani cinsel birleşmeye indirgenmiştir. Cinsel ilişkinin onu kadın yapacağı düşüncesi çok korkutucu gelir. Sanki kadın olmak çirkinleşmek, buruşmak, yaşlanmak ve şişmanlamakla eşanlamlıdır. Tazeliği geçecek ve buruşup solacakmış gibi düşünülür.

Oysaki hayatta hiçbir şey kaybolmaz, sadece dönüşür. Tırtıl önce koza olur, sonra da kelebek. Tırtıl kaybolmamıştır; sürünen bir varlıktan uçabilen, çok daha muhteşem bir varlığa dönüşmüştür.

Yaşlanmak, buruşmak, şişmanlamak, çirkinleşmek, kadın olmakla değil yaşlanmakla ya da kendine iyi bakmamakla gelişen süreçlerdir. Gerçek bir kadın son derece güçlü ve çekicidir. Genç kızla kıyaslanmayacak kadar alımlıdır. Geçirdiği değişim onu çok daha güçlü ve özel bir varlık yapmıştır. Tabii eğer geçirdiği değişimle barışık ve kabullenici bir yaşam sürdürüyorsa.

Çocukluktan beri bilinçaltı hafızamıza kazınan bu ayrım, dişilik güçleriyle bağlantımızı azaltır. Eğer zamanı geldiğinde yaşamamız gereken dönüşümleri yaşama iznini kendimize vermezsek çiğ kalırız, gerçek gücümüzden kendimizi mahrum bırakırız. Yapılacak en iyi şey kendimizi, kadınlığımızı ve kadınca içgüdülerimizi fark etmek, kabul etmek ve kendimize yaşama izni vermektir.

Erkek Yaparsa Ben de Yaparım

Cinsel özgürlük adı altında gelişigüzel cinsel birleşmeler, tek gecelik ilişkiler yaşamak, cinsel yönden rahat olmak, evlilik öncesi ve çok erken yaşlarda cinsel yaşamın başlaması, sanki kadın olmakla barışmanın yolu gibi anlatıldı kadınlara. Eğer kadın ve erkek eşitse, erkekler cinselliği zevk için ve keyfi olarak yaşıyorsa kadın da aynı hakka sahiptir gibi çarpık bir düşünce sistemi, kadının dişilik gücünü büyük ölçüde zayıflattı.

Bir zamanların popüler şarkısında "Aşk her şeyi affeder mi?" diye soruyordu kadın şarkıcı. Her şeyle kastedilen "istemediği halde, bağlanmaktan korktuğu için erkeği aldatmış" olmasıydı.

Özgürlük, modernlik ve erkekle eşit olma adına yaşanan, yaşanması normal karşılanan her ilişki kadını yaraladı, adını koyamadığı bir şeylerin kadından eksilmesine neden oldu. Kadın aslında kendi doğasına uymayan, özüne ters öğretileri rehber edindiğinde kendinden uzaklaşmaya başladı. Bu uzaklaşma kadında korkular oluşturdu. Kadın, evinden giderek uzaklaşan ve evini bulma umudunu tamamen kaybeden bir varlığa dönüştü.

Özümüze ters davranış modelleri bizi kendimizden uzaklaştırır. Hayat karşısında giderek artan kaygı seviyemizin nedenini bilemeyiz. Her şey yolunda gibi görünse de hissettiğimiz boşluk ve kendine yabancılaşma, cinsel hazları yaşamamıza izin verse de kadınlık gücünden bizi mahrum bırakır. Bunun sonucunda yaşadığımız cinsel beraberlikler ruhsuzlaşır ve erkekler bizimleyken çok mutlu olsalar da biz kendi benliğimizden kopuk olduğumuz için onlar da bizden kolayca koparlar.

Bu noktada en önemli şey, kaybolmuşluk duygusunun yarattığı kaygıdan kurtulmak için cinselliği kullanıp kullanmıyor olduğumuzdur. Cinsel ilişki kararı çok önemli bir karardır. Çapkınlık, gecelik ilişki, kadınlara özgü davranışlar değildir. Eğer hayatımızda böyle bir döngü varsa psikolojik yardım almak yerinde olur.

Cinsiyet Ayrımcılığına ve Kadınların Aşağılanmasına Şahit Olmak

Küçük yaşlarda sadece kız çocuğu olduğunuz için size ayrımcılık yapıldı mı? Mesela abiniz sadece erkek olduğu için bayramda daha çok harçlık aldı mı? Belki de erkek kardeşinize sunulan eğitim imkanları size sunulmadı.

Çevrenizde dayak yiyen, ezilen, kötü muamele gören kadınları görerek mi büyüdünüz?

Böyle olduğunda, henüz küçücük bir kız çocuğuyken yaşamaya başladığımız haksızlıklar karşısında içimiz öfkeyle dolmaya başlar.

Üçü kız, biri erkek toplam dört çocuğu olan bir aile tanıyorum. Erkek çocuk tüm hayatı boyunca son derece hatalı işler yaptı, iflas etti, anne babasına ait ne varsa tüketti. Kız kardeşleri de kendisine destek oldu ama erkek toparlayamadı. Kardeşlerden biri son derece öfkeliydi ve şöyle anlatıyordu: "Anne babamın mallarında bizim de hakkımız vardı ama annemler bir kere olsun 'Oğlum kız kardeşlerinin de hakkı var bu mülklerde, sana düşecek olan payı verdik, başka hakkın yok' diyemediler. Hatta bizim de ona yardım etmemizi istediler. Ama ben artık dayanamıyorum."

İsyan eden bu kadın öfke doluydu ve kendini haksızlığa uğramış hissediyordu. Çocukluğundan başlayan ve kırk yaşına gelmesine rağmen hâlâ devam eden bu sorun, onun da dişilik güçleriyle bağlantısını koparmasına neden olmuştu. Bilinçaltında *"kadınların hakkı yenir"* gibi defolu bir öğrenme vardı. Bu düşüncesi kocasıyla olan ilişkisinde de son derece öfkeli olmasına ve sanki kocası her an ona bir zarar verecekmiş gibi savunmada kalmasına neden oluyordu.

Eğer çocukluğumuzda bu tarz davranışlara maruz kaldıysak biraz kendimiz hakkında düşünmeli ve bu konunun günümüze, karşı cinsle olan bugünkü ilişkilerimize nasıl yansıdığına göz atmalıyız.

Bunun yanında küçük yaşta yaşadığımız istismar, cinsel taciz, tecavüz gibi travmatik yaşantılar da bugünümüzü etkiler. Eğer çocukluğumuzda herhangi bir şekilde özellikle de cinsel içerikli istismara uğradıysak ve bu yaşantıyla yüzleşmeye gücümüz yoksa kadınlık gücümüzü reddetme eğilimi içinde olabiliriz. Ancak kadınlık gücümüzü reddetmekle cinselliğimizi reddetmek aynı şey değildir. Cinselliği yaşamak için kendimize izin verirken kadınlığın getirdiği içgüdüleri yaşamayı ve hissetmeyi reddedebiliriz.

Umutsuz Ev Kadını Olmaktan Korkmak

Bazı kadınlara ne iş yaptıklarını sorduğumda çalışmıyorum cevabını alıyorum. Bu cevap can sıkıcı ve aynı zamanda insanı kadın olmaktan da utandıran bir cevap. Şu dünyada çalışmayan değil bir insan, bir bitki, çiçek ya da bir hayvan bile bulamazsınız. Toprak çalışır, su çalışır, hayvanlar çalışır. Tüm yaratılanlar ve evren hiç durmadan çalışırken insan neslinin iki türünden biri için böyle bir tabir kullanılamaz.

Çalışmak demek ille de sabah kalkıp mesaili bir işe giderek masa başına oturmak değil elbette.

Ev hanımlığı da layıkıyla yapılması gereken önemli bir iştir. Ev hanımları da çalışan kadındır. "Kadının çalışma hayatına girmesiyle" diye başlayan cümleleri manasız buluyorum. Buna olsa olsa "Kadının erkek dünyasına girmesiyle" denebilir. Çünkü kadınlar tarihin en eski zamanlarından beri çalışır ve üretirdi. Tarlaya gider, ekmek yapar, çocuk bakar, yük taşır ve daha pek çok sorumluluğu yüklenirlerdi. Ev hanımlığı mesleğinin itibar kaybetmesinde yeni nesil ev hanımlarının rolü büyük. Son zamanlarda genç kızlar iyi bir koca bulup evde oturmayı hayattan yırtmanın en kolay yolu gibi görmeye başladılar. "Tatlı hayat, oh ne rahat. Ver yiyeyim, ört uyuyayım" mantığıyla hayatlarını sürdürmeye çalışan kadınlar en çok da hemcinslerini rahatsız ettiler.

DIŞ DÜNYADA GÜÇLÜ GÖRÜNEN, İÇ DÜNYALARINDA KIRILGAN VE TAVİZKAR KADINLAR

Başlayalı henüz on gün olmuş ilişkisinde sevgilisi Elif'i aramıyordu. Bu ilişkiden ne bekliyorsun, ne istiyorsun diye sorduğumda cevabı "Aramasını istiyorum" oldu. Bu kadar yeni bir ilişki içinde hiçbir açıklama yapmadan ve gerekçe göstermeden aramayan, aranıldığında telefonunu açmayan, mesajlara cevap yazmayan bu adam eğer olur da Elif'i arayacak olursa Elif telefonu açacak ve ilişkiyi sürdürmeye devam edecekti. Her şeye rağmen bir ilişkiyi sürdürmeyi istemenin, o ilişkinin sürmesi önündeki en büyük engel olduğunu bilmeden.

Bu kadınları şu cümlelerden tanıyabiliriz:

> Beni seveni ben sevmiyorum, benim sevdiğim beni sevmiyor.
>
> Erkeklere iyi davranmaya gelmiyor.
>
> Erkekler neden bu kadar dengesiz?

Bu kadınlar bağlandıkları bir ilişkiyi ne pahasına olursa olsun sürdürmek isterler. İlişki başladıktan sonra bir kere bile panik olmaları ve terk edilme korkusu yaşamaları o ilişkiye bağlanmaları için yeterli olur.

İç dünyalarındaki boşluğu saklamak için parlak kariyerlerin, başarıların arkasına saklanmışlardır. İçlerindeki boşlukla yüzleşmek yerine, bu boşluğun yarattığı acıyı tetikleyen kişilerin peşinde koşarak yaşarlar. Paniklerini en çok artıran kişiye en fazla bağlanırlar ve ümitsizce bu ilişkiye yapışırlar.

Kendilerini seven, onlara değer veren, üzmeyen erkeklerden özellikle de "Ten uyumumuz yok" diyerek uzaklaşırlar. Hastalıklı ilişkiler içindelerse cinsel yönden çok mutlu olurlar.

Dışarıdan bakanların yaklaşmaktan korktukları bu kadınlar, yakın ilişki içinde bambaşka bir kişiliğe bürünürler. Çok fazla uyumlu ve tavizkar olurlar.

Dışı sert, içi yumuşak kadınlardaki en büyük sıkıntı terk edildiklerinde, ilişki içinde acı çektiklerinde dış dünyada güç elde etmek için daha fazla iş hayatlarına sarılmalarıdır. Çünkü sorunun güçsüz ve aciz olmaları olduğunu fark ederler. Ama gücü yanlış yerde ararlar.

HEM DIŞ DÜNYADA HEM DE İLİŞKİLERİNDE GÜÇLÜ GÖRÜNMEYE ÇALIŞAN KADINLAR

Bu kadınları şu söylemlerinden rahatça tanıyabilirsiniz:

- Ben yapmazsam kim yapacak?

- Her şeyi ben mi düşünmek zorundayım?

- Bıktım, usandım, çok yoruldum.

- Her şeyi ben yapıyorsam erkek ne işe yarıyor, erkeğe ne gerek var?

- Şu hayatta sırtımı dayayabileceğim hiç kimse yok.

Bu kadınlar aslında böyle olmak istemediklerini, böyle olmak zorunda olduklarını söylerler. Eşleri, sevgilileri sorumluluk almadıkları, hep sorumsuz insanlara denk geldikleri için omuzlarına bu kadar çok yük almak zorunda kalmışlardır. Çevrelerindeki insanlar yeterli olsa, onların ihtiyacını karşılasa sanki hiçbir şey yapmalarına, bu kadar çok çabalamalarına gerek kalmayacaktır.

Her işi en iyi kendilerinin yapacağına inanırlar. Diğerlerinin yeteri kadar özenli ve kendileri kadar dikkatli olmadığını düşünürler. Diğerlerinin işleri çözümleme yöntemlerine inanmazlar;

dahası diğerlerinin yöntemlerini çoğu zaman yöntem olarak bile görmezler. Çok zor güvenirler ya da güvenmezler.

"Ben aslında eşimin plan yapmasını, onun karar almasını istiyorum, sürekli karar alan taraf olmaktan yoruldum" deseler de, karşı tarafın kararlarına uymayı reddederler. Bu durumla yüzleştirildiklerinde "Mantıklı bir şey olsa tabii ki uyarım ama saçma sapan şeyler planlıyor" diyebilirler. En doğrusunu kendilerinin bildiklerine inandıkları için mevcut durumu diğerinin teklifini reddetmek gibi görmezler. Sadece yanlış bir şeyi düzelttiklerini düşünürler.

Bir erkek tarafından kollanmaya, gözetilmeye ihtiyaç duyar, kendilerine sahip çıkacak, sırtlarını dayayabilecekleri bir erkeğin özlemini çekerler. Hayatta hiçbir sorumluluk almadan tüm sorumlulukları eşlerine devretmiş, sırtını bir erkeğe dayamış kadınların sırlarını merak ederler. "Nasıl oluyor da onun kocası böyle her şeyi düşünüyor, bende olmayan ne var o kadınlarda?" gibi düşünceleri içlerinden geçirirler. Eşlerini sorumsuzlukla, düşüncesizlikle, kendisine sahip çıkmamakla suçlarlar. Karşılarındaki erkeğe kolayca seslerini yükseltebilirler ve hatta hakaretler edebilirler.

Aslında bu kadınlar bir erkek tarafından sınırlandırılmaya ihtiyaç duymaktadırlar. Eşine her türlü hakareti edebilmesi, ağzına geleni söyleyebilmesi ve erkeğin susması karşısında huzursuzlukları giderek artar. Sınırları zorlarlar çünkü nereye kadar gidebileceğini bilmek isterler. Bir danışanıma sormuştum: "Siz böyle bağırıp çağırdığınızda eşiniz ne yapıyor?"

"Bir şey yapmıyor ama bir keresinde sinirlenip televizyonu kırmıştı, sonra da küfrederek apartmanın merdivenlerinden inip gitmişti" derken gözlerinden bir an geçen aydınlığı fark edip, "Sanki bu durumdan hoşnut olmuşsunuz" dediğimde ikimiz de gülmüştük. İlginç bir biçimde bunun hoşuna gittiğini fark etmişti. Çünkü bu davranışı yapma dirayeti gösteren bir adam gerektiğinde onu korumak için de bunu yapabilir diye düşünmüştü.

Bir danışanım on yıllık evliliği boyunca her şeyi üstlenmek zorunda kaldığından bahsediyordu.

"Eşim çok sorumsuz biri. Faturaları zamanında ödemez, akılsızca işler yapar, tüm maddi yükü ben taşıyorum, kirayı bile ben ödüyorum, çocukların bakıcı parasını veriyorum. Bazen eşime de para verdiğim oluyor. Her işi yapmaktan artık çok yoruldum."

Eğer kendimize karşı dürüst olursak şu gerçeği görebiliriz. "Hem her şeyi yönetmekten, kontrol etmekten ve işlerin istediğimiz gibi gitmesinden hoşnut hem de bu gücün getirdiği sorumluluktan yorgun" durumdayızdır. Aksi halde hiçbir çıkarımız olmadan bu kadar çok ve delice sorumluğu yüklenmeyiz. Sorun kontrolü elden bırakamamaktır. Temel problem, "Ben yapmazsam kim yapacak?" değil, "Ben yapmazsam benim istediğim gibi yapacaklar mı?" problemidir.

"Eşim çocuklarla ilgilenmiyor, vakit geçirmiyor. Bu yüzden hem çocuklarla arası iyi değil hem de çocuklar baba sevgisinden mahrum kalıyor. Benim de yüküm çok artıyor haliyle. Çocuklara yemek yedirmek çok zamanımı alıyor. Eşim en azından çocukların sabah kahvaltılarını yaptırıp servise bindirse ben biraz uyurum, bana da çok iyi gelir" diyen danışanım bir karar almış ve sabah çocukların okula hazırlanması sorumluluğunu eşine devretmişti.

Eşi bu sorumluluğu aldı; sabah kalktı, çocukları uyandırdı, kahvaltıyı hazırladı ve çocukları servise bindirip gönderdi. Danışanımın uyuduğu falan yoktu, huzursuzdu. Yatakta uzanmış mutfaktan gelen sesleri dinliyor, işlerin yolunda olup olmadığını anlamaya çalışıyordu. Çocuklar gittikten sonra yataktan kalktı ve eşinin toplamaya koyulduğu kahvaltı sofrasına baktı:

"Bunu mu yedirdin çocuklara?" diye çıkıştı.

"Evet bunu yedirdim, sordum ne yerseniz diye, bundan istediler."

"Biri beş, öteki yedi yaşında çocuk, onlara mı sorulur ne istedikleri? Doğru düzgün bir şey hazırlasana. Ama tabii en kolayı bu değil mi, pardon ben düşünemedim bunu" diyerek kinayeli laflarını sokuşturdu.

"Tamam, ne yenmesi lazımsa söyle, yarın onu hazırlarım" dedi eşi.

Sonra portmantoda büyük oğlunun beresini gördü ve deliye dönerek kocasına yöneldi.

"Berk'e beresini giydirmemişsin Ahmet, bu soğuk havada çocuğu nasıl beresiz gönderdin?" diyerek söylendi.

"Tamam, yarın giydiririm" dedi eşi ve uzaklaştı. Ama kadın hız kesmiyordu, söylenmeye devam etti.

"Yarın belki bereye gerek olmayacak, bu sefer de terletirsin çocuğu. Dikkat edeceksin, bakacaksın, ona göre giydireceksin."

Ertesi gün oldu ve Ahmet yine uyandı, çocuklarını uyandırdı ve karısının istediği kahvaltıyı hazırladı. Haşlanmış yumurta, tereyağlı ballı ekmek, peynir ve adaçayından oluşan bir kahvaltıydı. Ama çocuklar ekmeği yemiş, yumurtalarının yarısını bile bitirmemişlerdi. Bunu gören kadın yine deliye döndü. Eşiyse anlamayan gözlerle bakıyordu karısına.

"Hazırladım işte ne dediysen, bu sefer ne oldu?"

"Yumurtalarını bitirmemişler."

"Yemediler, ne yapayım?" dedi adam.

"Ben yediriyorum ama sen demek ki uğraşmadın. Önlerine tabağı koydun, kendin televizyona daldın. Bir işi istemeden yapınca böyle oluyor tabii, gönülden yapmadığını biliyorum zaten. Ben söylediğim için yapıyorsun. Yemeyeceklerse neden yumurta pişiriyoruz?"

Ahmet hiçbir şey söylemeden evden çıkıp gitti.

Eşinin bu işi beceremeyeceğine kanaat eden kadın, üçüncü gün olduğunda çocuklarını kendisi okula göndermeye devam ediyordu.

* * *

Başka bir danışanımın evliliğinde elektrik, su, telefon faturası, araba vergileri, trafik cezaları ödemeleri kriz haline dönüşmüştü. Danışanım şöyle diyordu:

"Tülay Hanım siz söyleyin, ben haklı değil miyim? İşin normali bu faturaların son ödeme tarihi geçmeden ödenmesi değil midir? Her seferinde elektriğimizi kesmeye mi gelmeleri gerekiyor? Hem neden cezalı yatırıyoruz bu faturaları?"

Evet haklıydı. Söyledikleri kulağa mantıklı geliyordu. Kadın son derece sağlıklı bir düşünce yapısı içinde mantıklı bir talepte bulunuyordu. Kocasına göre ise durum şöyleydi: "Sonuçta o faturaları ben ödüyorum, cezalıysa da ben yatırıyorum, hallediyorum. Ama benim ona göre daha önemli başka işlerim var. Karım beni beklemeden gidip faturaları yatırıyor, sonra da bir ton söyleniyor. Eğer uğraşmak istemiyorsa, biraz sabırlı olsun ve işleri benim halletmemi beklesin."

Başımıza gelen her neyse bunda bizim payımız vardır. Hep sorumsuz davranan insanlara denk geliyorsak, öğrenmemiz gereken şey sorumluluklarımızın bir kısmını bırakmaktır. Biz doğru düşünüyor olabiliriz ama herkesin kendine göre bir doğrusu, her yiğidin bir yoğurt yiyişi vardır.

Eğer her şeyin tam olarak bizim istediğimiz gibi olmasını istiyorsak o zaman her şeyi biz yapmalıyız. Her şeyin istediğimiz gibi olmasının bedeli her şeyi kendimizin yapmasıdır. O zaman da şikayet etmeye hakkımız yoktur. Her şeyi düşünmekten yorulduysak da güvenmek, bırakmak, eğer diğerleri hatalı işler yapıyorlarsa da buna katlanmayı öğrenmek zorundayızdır. Bir konuda sorumluluğu karşımızdakine bırakıyorsak, bunun anlamı aynı zamanda o konudaki gücümüzden de vazgeçmiş olduğumuzdur. Büyük güç büyük sorumluluk gerektirir. Sorumluluğu kocam alsın ama işleri benim istediği şekilde yapsın dediğimizde imkansızı istemiş oluruz.

Hayatta her şeyin bir bedeli vardır. Sadece nasıl bir bedel ödemek istediğimize karar vermek zorundayız. Yukarıdaki örneklerden birine tekrar dönecek olursak; anne, çocuklarının kendi istediği kahvaltıyı yapmasıyla sabahları biraz daha uyumak isteği arasında bir karar vermek zorundadır.

Sorumlu ya da sorumsuz davranma gibi özellikler ne kaderdir, ne yazgıdır ne de taşa yazılmıştır. En sorumsuz gibi görünen insan bile eğer akıl hastası değilse, mecbur kalırsa ve izin verilirse kendi hayatıyla ya da sevdiklerinin hayatıyla ilgili sorumluluk alabilecektir. Bu sorumluluğu alırken de kendi bildiği şekilde, kendi doğrularına göre, kendi tarzında davranacaktır.

Karşımızdaki kişiye fırsat vermek, diğerlerine de hata yapma hakkı tanımak, tahammül sınırlarımızı yükseltmek ve her zaman haklı olamayacağımızı fark etmek zorundayız.

Aksi takdirde diğerlerine öyle çok yükleniriz ki bir süre sonra "her şeyi ben yapıyorsam erkeğe ne gerek var" gibi bir düstur edinir; ya çok mutsuz bir yaşam süreriz ya da tahammül edemediğimiz için ilişkimize son vermek isteriz.

Kontrol bende olsun tutkusuyla beslenen, "bana kalsa, ben yapsam daha iyisini yapardım" duygusuyla hiçbir erkek yarışamaz. Keşke ben yapsam daha iyisini yapardım zehirli bir duygudur ve bir daha bir erkeğe güvenmeyi imkansız kılar.

UYUMLU GÖRÜNEN KADINLAR

Uyumlu imaj sergilemeyi strateji olarak seçen kadınları nasıl tanırsınız?

İstek ve ihtiyaçlarını erteler ya da tamamen bastırırlar.

En temelde yoğun bir terk edilme korkuları vardır.

Hayır demekte zorlanırlar.

Diğerlerinin iyi hissetmesini sağlamaktan sorumlu olduklarını düşünürler.

Hayattan ne istediklerini bilmezler.

Bilmiyorum, olabilir, fark etmez en çok kullandıkları kelimelerdir.

Sessiz sakin, hanımefendi olarak bilinirler.

Önemli kararları asla tek başlarına almazlar.

Başkalarının işlerine çok fazla karışmazlar, "Sen nasıl istersen öyle olsun" demekte zorlanmazlar.

Boyun eğme, razı olma, pes etme, taviz verme en bariz davranış modelleridir.

Diğerleri üzerinde suçluluk ve acıma duyguları uyandırırlar.

Yumuşak, nazik ve alçak sesle, güven veren tonda konuşurlar.

Dışarı yansıtılmayan, sürekli içe atılan öfke sebebiyle kronik hastalıklara açık bir bünyeleri vardır.

Çok çalışkan da olabilirler ama sorumluluktan kaçarlar. Çok fazla yükleri varmış gibi dursalar da sorumluluk isteyen noktalarda bulunmak istemezler.

Hırsları yoktur ya da çok derinlerdedir.

Karşılarındaki kişinin ne istediğini tahmin etmeye çalışır ve davranışlarını ona göre ayarlarlar.

Daha güçlü olursak kişiliğimizi, daha uyumlu olursak da ilişkilerimizi koruyabiliriz gibi görünüyor. Oysa ne daha uyumlu olarak mutlu bir ilişkiye sahip ne de daha güçlü olmaya çalışarak kişilikli olabiliriz. Sadece öyle gibi görünürüz.

Başka insanların duygularının sorumluluğunu almak, tepkilerini kestirmeye çalışmak ve kendi davranışlarımızı ona göre yönetmek başlangıçta diğerlerinin hoşuna gidebilir. Başlangıçta diğerine çok iyi gelen bu sahte uyum zamanla diğerinin üzerinde yük oluşturmaya ve ilişkinin dengelerini bozmaya başlar.

Tülin ve eşi arasında olduğu gibi.

Tülin varlıklı bir aileden gelen, iyi eğitimli, otuzlu yaşlarını süren güzel bir kadındı.

Kocasının, "Sen beni sevmiyorsun, görevin olduğu için benimle ilgileniyorsun, samimiyetsizsin ve sahtesin" suçlamalarından kurtulamıyor, ne yaparsa yapsın kocasını onu sevdiğine inandıramıyordu.

Eşinin isteklerini tahmin etmeye çalışıyor, onu kızdıracak davranışlardan kaçınıyordu. Aralarında kavga ve huzursuzluk çıkmaması için her türlü fedakarlığı yapmaya hazırdı.

Bir gün çocuklarının ders notlarının düştüğünü gördü ve onların daha başarılı olması için eve gelecek bir özel öğretmenle anlaştı. Çünkü çocuklar ödevlerini yapmazlar ve sınavlardan iyi not almazlarsa, eşi Tülin'i suçluyordu.

Tülin kocasının "Öğretmen tutarak çok iyi düşünmüşsün" diyeceğini hayal ediyordu ama olmadı. Yine bir şey değişmedi ve eşi "Sen yetersiz bir annesin, çocuklara ödevlerini bile yaptıramıyorsun, ilkokula giden çocuğa özel hoca mı tutulur?" diyerek Tülin'e yüklendi.

Tülin hemen öğretmeni gönderdi ve özel ders işine son verdi ama eşi memnun olmadı.. Bu sefer de "İstikrarsız kadının tekisin, dengesiz hareketlerle çocukların psikolojisini bozuyorsun" diyerek karısını suçladı.

Başka bir defasında, eşi iş için şehirdışına seyahate çıkacaktı. Öncesinde Tülin'i bir kenara çekti ve "Ben iş seyahatine çıktığımda olur olmadık zamanlarda arıyorsun ve benim konsantrasyonumu bozuyorsun, önemli bir şey olmadıkça beni arama, bu önemli bir gezi, yerli yersiz arayıp da beni rahatsız etmeni istemiyorum" dedi.

Tülin aramayı çok istemesine rağmen bir haftalık seyahat boyunca eşini kızdırmamak ve rahatsız etmemek için aramadı, hep ondan telefon bekledi.

Ama sonuç yine düşündüğü gibi olmadı. Seyahatten dönen adam çok soğuktu ve bu sefer de "Sen ne biçim bir kadınsın, insan kocasını merak edip de aramaz mı? Ben burada yokken rahatın çok iyiydi herhalde" diyerek çıkıştı.

Tülin ve eşinin arasındaki iletişim döngüsü buydu. Tülin eşini memnun etme umuduyla bir şeyler yapıyor, eşi yapılanları beğenmiyor, bu kadar çok çabalamasına rağmen eşinin şifrelerini çözemeyen Tülin kendini giderek daha yetersiz, daha suçlu hissederek eşini memnun edecek yeni bir şeyler bulup denemeye devam ediyordu.

Yıllar böyle sürüp giderken bir gün bardağı taşıran son damla geldi. Kocasının hayatında başka bir kadın vardı. Tülin, eşi mutlu olsun, öfkelenmesin, evde huzursuzluk çıkmasın diye elinden gelen her şeyi yapmıştı. Tüm çabalarına rağmen eşinin suçlamalarına maruz kalmaktan kurtulamasa da, bunları sorun etmemiş ve sıkıntılara katlanmıştı. Tülin ilk defa içinde eşine karşı öfke hissetmeye başlamıştı.

"Samimiyetime inanmıyormuş, bunların hepsi birer kılıf, çünkü beni aldatıyor ve aldatmaya devam etmek istiyor. Beni suçlayarak vicdanını rahatlatmaya çalışıyor" diyordu.

Gerçekler öyle bile olsa Tülin kendine ait olan sorunu çözmek zorundaydı: "Uyumlu olmak adına giderek benliksizleşme" sorununu.

Böylece bir adım attı ve eşine karşı tavır koydu. Elinde kanıtlar vardı, eşinin diğer kadınla arasında geçen telefon mesajlarını ve elektronik postalarını yakalamıştı. Eşini karşısına alıp konuşmaya karar verdi. Eşi önce durumu inkar etti. Tülin kanıtlarını birer birer ortaya çıkarınca daha fazla direnmedi, kabul etmek zorunda kaldı.

Tülin kendisini ilk defa eşine karşı bu kadar güçlü hissediyordu. Haksızlığa uğramıştı ve çok öfkeliydi. Eşi çok üzgündü.

Özürler diliyor, yalvarıyor, yakarıyor, ilişkisinin bittiğine dair yeminler ediyor, Tülin'in affetmesini bekliyordu.

Tülin "Bu seferlik seni affediyorum ama bunları sindirmek için biraz zamana ihtiyacım var. Bazı şeylerden emin olmam lazım" dedi. Niyeti sadece bir süre uzak kalmak ve eşine ceza vermekti. İlk defa eşine ceza verecek, tavır koyacak gücü kendisinde bulmuştu.

Ama rüzgar çok kısa bir süre sonra tersten etmeye başladı. Tülin'in yaptığı atak eşinin yaptığı karşı atak karşısında son buldu. Tülin eşine karşı öyle bir kaybetme korkusu içindeydi ki hissettiği öfke yerini bir anda suçluluk duygularına bıraktı. Çünkü öfkeyle hareket eder ve tavrını sürdürürse eşiyle arasındaki ipler tamamen kopabilirdi. Bu yüzden suçluluk duyarak alttan almayı seçti ve böylece geri adım atmış oldu.

Eşi aba altından sopa gösteriyordu: "Lütfen benden uzak durma, bana sırt çevirme, benden uzak durursan benimle ilgilenmezsen kendimi kötü hissedebilirim." Tülin bunun ne anlama geldiğini anlayacak kadar kocasını iyi tanıyordu. Cümlenin dile gelip tamamlanmayan devamı şöyleydi: "Kendimi kötü hissedersem teselliyi başka kucaklarda arayabilirim ki bu da tamamen senin suçun olur."

Tülin hem aldatılıyor hem de aldatılmanın sorumluluğunu taşıyordu. Eşi kötü hissederse onu aldatabilirdi. Bu nedenle hem eşini iyi hissettirmek için elinden geleni yapmalı hem de eşinin iyi hissedip hissetmediğini sürekli kontrol etmeliydi. Tülin ihanetin acısını yaşayıp sindiremeden, öfkesinden ve ihanetle ilgili tüm duygularından uzaklaşmış ve eşinin iyi hissetmesi için çoktan çabalamaya başlamıştı.

Yine de işler istediği gibi gitmiyordu. Eşi yaptıklarından dolayı utanıp mahcup olacağına, daha da kötüleşmeye başlamıştı. Eskiden çoğu zaman vakitlice evine gelirken şimdilerde hemen hemen haftanın her günü sabaha karşı ve içkili geliyordu. Eve geldiğinde Tülin'i uyandırıyor ve kendisine soğan çorbası yapmasını istiyordu.

Bildiği tek bir şey vardı. Kocasını kaybetmek istemiyordu. Kocasının ilk günlerdeki gibi kendisini sevmesini umuyordu. Bunun için ne gerekiyorsa yapmaya devam edecekti. "Kocam yalnız ve itilmiş hissetmemeli yoksa beni aldatır" düşüncesine saplanıp kalmıştı.

Eşinin hayatındaki öteki kadın ise çalışan, baskın karakterli, sosyal ve güçlü bir kadındı. Tülin eşinin bu tür kadınlardan hoşlandığını düşündü. Zaten eşi kendisini asosyal ve pasif biri olmakla suçluyordu. Eşi böyle düşünmesin diye Tülin iş hayatına girdi, bazı derneklere üye oldu, toplantılara katıldı. Ama tüm bu yaptıkları eşinin çok da umurunda değildi.

Eşi bir gün Tülin'e şöyle dedi: "Sen hiçbir şey yapmıyorsun, sana olan duygularım köreldi, seni hissedemiyorum ve ayrılmak istiyorum."

Tülin buna da razı oldu. Eşi evden gitmesini istediği için yeni bir ev tuttu ve çocuklarıyla beraber yeni evlerine taşındılar fakat eşi haftada bir Tülin'i yeni evinde ziyaret ediyordu, hatta bu evde kaldığı zamanlar oluyordu. Tülin buna da ses çıkarmıyordu. Artık öyle bir boş vermişlik içindeydi ki ne eşini yeniden kazanmak için savaş verecek gücü ne de eşini bu yeni eve almayarak ya da dava açarak eşinin onun için savaşmasına imkan tanıyacak cesareti vardı.

Eşi evden gitmesini söylemişti ve Tülin gitmişti. Eşi dava açarsa bu evlilik bitecekti, açmazsa bu şekilde ne kadar sürecekti? Hiçbir fikri yoktu.

Artık hayat sahnesinde Tülin yoktu. Aldırmazlık en belirgin özelliği olmuştu. Dünyaya karşı aldırmazlık, umursamazlık, olan biten her şeye karşı da derin bir kayıtsızlık içine gömülmüştü. Sadece eşi değil, çocukları da dahil kimse onun hiçbir duygusunu ciddiye almıyordu. Çünkü Tülin kendisini ciddiye almıyordu.

Diğeri Bizi Neden Hissetmez?

Bazen ne yaparsak yapalım diğerinin suçlamalarından kurtulamayız, ağzımızla kuş bile tutsak diğerine yaranamayız. Tüm çabamıza rağmen diğerinin öfkesinin hedefi olmaktan kurtulamamak, saklandığımız yerden çıkmak için en doğru işarettir. Bir an önce içsel benliğimizi sobeleyip oynadığımız saklambaç oyununa bir son vermeliyiz.

Ben ne istiyorum sorusun yerini "O ne istiyor?",

Ben ne hissediyorum sorusunun yerini "O ne hissediyor?",

Durumlar böyle devam ederse ne yapmalıyım sorusunun yerini "Durumlar böyle devam ederse o bana ne yapar?" sorusu aldıysa acil olarak yardıma ihtiyacımız var demektir.

Sürekli daha fazla geri çekilmek, hep diğerini mutlu etmeye çalışmak bizi kısırdöngüden kurtarmaz. Daha güçlü bir birey olmak için dış dünyada başarılar elde etmek de çözüm olmaz. Bir ilişkide benliğimize sahip çıkmanın ve benliğimizi açık ve net bir şekilde ortaya koyabilmenin yolu ilk önce kendimizle ilgilenmekten geçer. Bu da dış dünyada daha fazla şeye sahip olarak değil, iç dünyamızda her şeyi yerli yerine koyarak olabilir.

Teslimiyetle aldırmazlık arasında ince bir çizgi vardır. Birine güvenmek, onun aldığı kararlara saygı duyarak teslim olmak, kontrolü elden bırakmak, sürekli denetleme ihtiyacı duymadan bir ilişkiyi yaşamak değerli kavramlardır. Ancak huzur adına sürekli boyun eğmek, adımıza verilen her karara sessizce razı olmak, isteklerimizi gömülü tutarak en sonunda unutmak bizi tamamen benliksiz biri haline getirir. Diğeri bizi göremiyordur ki sevgimizi görebilsin. Kayıtsızlık, sevginin zıddı bir duygudur. Kayıtsız bir razı oluş içinde kimseyi sevgimize inandıramayız ve çoktan derinlere gömdüğümüz isteklerimizi artık biz bile bulamayız.

Uyumlu olmak adına pasif ve razı olan davranışlar sergilerken, büyük miktarda yaşam enerjimizi bastırmamız gerekir. O zaman da canlılığımızı yitiririz ve etrafımıza enerji veremeyiz. Aslında bastırmaya ya da saklamaya çalıştığımız şey yaşam enerjisi değildir. Kimse yaşam enerjisini gizli tutmak istemez. Ancak biz uyumlu davranmak için öfkemizden kaçmaya çalışırken farkında olmadan yaşam enerjimizi yitiririz. Ne yaparsak yapalım hiçbir eylemimizin takdir edilmemesi, ilgi görmemesi ve hatta öfkeyle karşılanması bu yüzdendir. Diğer kişi bizi hissedemiyordur.

Öfkeli olmaktan çok korkarız. Çünkü öfke hissetmenin, uyumlu olmamıza engel olacağını ve bu nedenle kaybedeceğimizi düşünüp korkarız. Böylece öfkemizin farkına varmamak için çok fazla suçluluk duygusu üretiriz. "Ben yeterince iyi bir kadın olsaydım bunlar başıma gelmezdi" diyerek suçluluk duygularına batarız.

Canlılığımızı yitirdiğimiz içindir ki karşımızdaki ruhumuzu hissedemez. İlişkide olduğumuz kişi bizden bir şekilde enerji almak ister. Ona ilettiğimiz bu enerji iyi ya da kötü, olumlu ya da olumsuz, yapıcı ya da yıkıcı, besleyici ya da güven verici olabilir.

Enerji karşılıklı olarak aktığında insan kendini şarj olmuş hisseder. İlişki içindeki iki kişi arasındaki enerji alışverişi sağlıklı şekilde sürmüyorsa, en sonunda üçüncü kişiler ilişkilere kaçınılmaz olarak dahil olur. Çünkü evren hiçbir boşluğu affetmez. Enerji alışverişi ihtiyacı, varlığımızı sürdürebilmek için büyük önem taşır. İnsan ruhu etkileşim olmadan varlığının dengesini koruyamaz.

Sonuçları ne olursa olsun, ilişkiler iki taraf da ruhunu ilişkiye katarsa tat verir. Taraflardan biri huzuru korumak adına kendini ilişkide sürekli saklıyorsa, o ilişkinin nihai sonucu huzursuzluk olmaktan kurtulamaz. Tartışma ve kavga o anda huzurumuzu kaçırsa bile aynı zamanda kalıcı bir uzlaşma için de zemin hazırlar.

Vurgulamak istediğim nokta ihtiyacımızın her zaman pozitif enerji olmadığıdır. Zaten böyle bir şey mümkün de değildir. Önemli olan bir şekilde kişiler arasındaki enerji akışının devam etmesidir. Ancak ilişki içindeki taraflardan biri Tülin'in yaptığı gibi benliğini ruhsal olarak silerek ilişkiyi sürdürmeye çalışıyorsa ne karşısındakine enerji verip onu şarj edebilir ne de diğerinden gelen enerjiyi kabul edebilir.

İşte bu nedenle Tülin'in duyguları eşi tarafından hissedilemiyordu. Sevgisi de, ilgisi de, öfkesi de eşinin gözünde sahte görünüyordu. Tülin'in eşi de aslında çıkardığı kavgaların anlamsız ve tutarsız olduklarını fark ediyordu.

"Sanki karşımda bir gölge var ve ben çok komik duruma düştüğümün, aşağılık herifin teki gibi göründüğümün farkındayım" diyordu. Tanıdığı herkesin gözünde ne yaparsa yapsın tatmin olamayan, bulup da bunayan, gül gibi karısının kıymetini bilmeyen, huzur kaçıran bir adam olarak görülüyordu. Kimseye derdini anlatamıyordu çünkü anlatılabilecek, açıkça tanımlanabilecek bir derdi yoktu. "Yaptığı her şey bana sahte geliyor, özlediğini söylüyor ama ben inanmıyorum, hissedemiyorum" dediğinde, "Seninki şımarıklık, sen beş para etmez bir adamsın, şu kadını üzdüğün yeter artık" şeklindeki suçlamalardan kurtulamıyordu.

Uyumlu olmak, razı olmak, yetinmek, boyun eğmek bir kadını tarif ederken sayılan erdem dolu kavramlar. Benliksizleşmek bugün de, geçmişte de kadınlar için ilişkileri sürdürmenin en kolay yolu gibi görünüyor. Oysaki gerçek "beni" sakladığınızda sizden çıkan hiçbir şey gerçek gibi görünmez. Ne sevginizi ne öfkenizi ciddiye alırlar. Benliğinizi yok ederek katıldığınız bir ilişkide diğerinin sizi yük olarak algılama eğilimiyle de baş edemezsiniz. Hayatınızın geri kalanında neler başarmış olduğunuzun bir anlamı yoktur. İlişki içinde yüklendiğiniz görevler, maddi manevi katkılar asla göze görünmez, kimse size teşekkür etmez. Çünkü teşekkür edecek biri ortada yoktur. Hatırlasanıza, benliğinizi silmiştiniz.

Bazı kadınlar -Tülin gibi- uyumlu olup huzuru korumak adına, bazıları da -Gaye gibi- kararlarının sorumluluğunu taşıyıp sonuçlarına katlanamadıkları için benliksizleşirler.

Gaye

Gaye yaşadığı bölgede branşının en iyi öğretmeniydi ve özel ders almak için öğrencileri sırada bekliyordu. İyi para kazanıyordu ve aynı zamanda saygın bir ismi vardı. Bunun yanında iki çocuğuna bakıyor, ev işleriyle ilgileniyor, dengeli beslenmeye önem verdiği için her güne özel sağlıklı yemekler pişiriyordu. Okul, özel dersler, çocuklar, ev işleri derken sürekli koşturuyor, her şeye birden yetişmeye çalışıyor ama "hiçbir şeye yetişemiyorum" duygusundan kurtulamıyordu.

Eşi onu şöyle suçluyordu: "Hiçbir şeyi düşünmüyorsun. Taşın altına elini sokmuyorsun, her şeyi düşünmekten yoruldum, her şeyi ben mi düşünmek zorundayım?"

Gaye'nin bir danışman arayışına girme sebebi zaman yönetimini bilmemesi ve bu sebeple sorunlar yaşadığını düşünmesiydi. Zaman yönetimini öğrenmek amacıyla çalışmalarımıza katılmıştı.

Hayatını bir sürü gereksiz ayrıntıyla doldurmuştu ve gerçekten çok yoğundu. Evde ne kadar angarya iş varsa, mecburmuş gibi hepsini tek başına halletmeye çalışıyordu. Fakat bir karar vermesi gerektiği zaman -ki bu kararın çok basit ya da çok önemli bir karar olması bir şey değiştirmiyordu- ortalarda görünmüyordu.

İnsanı Yoran Çalışmak Değil, Düşünmektir

Eşi hafta sonlarını köyde, anne babasının yanında geçirmek istiyordu. Ama Gaye hafta içi öyle yoruluyordu ki bir de hafta sonu köyde, kalabalığın arasında olmak istemiyordu. Bir gün eşine söylendi: "Her hafta köye gitmekten bıktım, ara sıra başka bir şeyler yapalım."

Eşinin kendisine hayır diyeceğini düşünmüştü ama öyle olmadı. Eşi gayet anlayışlı bir şekilde "Tamam, planla, yapalım o zaman" diye cevap verdi.

"Adrasan'a gidelim, güzel bir butik otel buldum" dedi.

Eşi "Kış günü olmaz, çocuklar hasta olur, hasta olurlarsa çocuklara bakmam" dedi.

Adrasan'a gitmeyi, sahilde yürümeyi, küçük bir butik otelde ateşin başında oturup kahve içmeyi hayal ediyordu. Yine de eşine hak verdi, doğru söylüyordu. Çocuklar hasta olabilirdi. Vazgeçti.

"Teleferiğe çıkalım" dedi.

Eşi "Uzak" dedi.

"Afyon'a kaplıcaya gidelim."

"Yollar karlı buzlu, kaza filan olur, çocuklarla rezil olmayalım."

Gaye her seferinde eşine "Tamam" dedi.

Evet eşi doğru söylüyordu. Çocuklar böyle bir tatil planında üşütebilir ya da karlı bir hafta sonunda yolda kalabilirlerdi.

Görüldüğü gibi Gaye aldığı hiçbir kararın arkasında durmuyordu. "Çocuklar üşütüp hasta olurlarsa ben onlara bakarım, madem yardım etmek istemiyorsun ben de senden yardım istemem" ya da "Yol uzak olabilir ama ben çocukları yol boyunca oyalayabilirim" demiyordu.

"Hava durumunu takip ederim ve yol durumunun iyi olduğu bir vakti kollarım" gibi çözümler de üretmiyordu.

Bunun dışında oğlunu götürdükleri doktoru değiştirmekten bir randevuya zamanında yetişme kararına kadar tüm kararları eşine bırakıyordu. Hatta benimle yaptığı çalışmalara bile zamanında gelme sorumluluğu eşine aitti.

Benlik Sergileme Çabası Olarak İnat

Eşi, Gaye'yi aynı zamanda inatçı olmakla suçluyordu. Yine doktor randevusuna yetişmeleri gereken bir gün eşi sürekli Gaye'yi arıyor, bir yandan da Gaye telefona cevap vermediği için çıldırıyordu. Gaye ise kocasının "Senin beni arayıp hadi demen gerekiyor, bu senin randevun. Hadi olmadı ben seni arıyorum evden çık, vakit tamam diye ama sen telefonuna bakmıyorsun. Ne kadar inatçı bir insansın" şeklindeki tepkisine anlam veremiyordu.

Oysa eşinin Gaye'de inatçılık olarak gördüğü şey sadece Gaye'nin umursamazlığı ve kayıtsız oluşuydu.

Önemli kararları sürekli başkasına bıraktığımızda benliğimizin bastırdığımız tarafı bunun intikamını diğerlerinden alır. Son derece anlamsız ama diğerinin hassas olduğu ya da gıcık olacağı davranışlar sergileyebilir. Örneğin Gaye gibi telefona bakmayarak, emniyet kemerini zamanında takmayıp ötmesine sebep olarak, evden çıkarken her seferinde çocuğun emziğini ya da önemli bir eşyasını unutarak; sonuç olarak karşı tarafı rahatsız etmek suretiyle bunu yaparız.

KARİYER YOLUNDA FEDA EDİLENLER

Kariyer basamaklarını tırmanırken otuzlu yaşlarını çoktan geçmiş ve "daha çocuk doğurmam lazım" paniğiyle evlenmek isteyen kadınların durumuna bir göz atalım.

Otuz sekiz yaşındaki kadınımız üst düzey yönetici, iyi bir maaşı, evi ve arabası var. Bunların hepsini tek başına başarmış. Kendi yaşlarında biri çıkıyor karşısına. Zaten yaşı yaşına uygun bekar insan sayısı artık çok az, aynı zamanda kafa yapısı olarak da kendisine uygun birini bulması zorlaşmış durumda. Fakat karşısına çıkan adamın madden sahip olduğu hiçbir şeyi yok. Bu durumda kadının içinden şöyle bir ses yükseliyor: "Ben kadın başıma bunları başardım, bu nasıl bir adam hiçbir şeyi yok, zaten işe yarar olsaydı benden önce bir kadın çoktan onu kapardı."

Sonra çevresinde dolanan yaşça genç ve yakışıklı erkeklerde gönül gezdiriyor. Madem yaşıtlarımın parası yok, şöyle genç ve yakışıklı bir adam bulayım da en azından gözüm gönlüm hoş olsun. Ama bu ilişkiler de uzun sürmüyor. Çünkü kadınımız yirmilerinin başındaki genç kızlarla rekabet edecek gücü kendinde bulamıyor.

Esasen hayalini kurduğu ideal erkek, kendisinden birkaç gömlek üstün, yaşça kendisinden fazla büyük olmayan, kişisel bakımına özen gösteren, iyi kazanan ve kazandıklarını değerlendiren, iyi giyinen, kadın ruhundan anlayan biri. Bana göre dram tam da burada başlıyor. Böyle erkekler yok değiller, elbet varlar. Ama hemen hepsi evliler. Evli olmayanlar neden evlenmemişler? Belki özgürlüklerini kaybetmemek için, belki bağlanmaktan korktukları için ya da bir kadının, hem de sürekli yaşlanan ve gelgitleri bitmeyen bir kadının sorumluluğunu almak istemedikleri için.

Kariyer peşinde koşarken hayatı ıskalayan, yaşı ilerleyen, hırslı, işini ve mesleğini her şeyin üstünde tutan, erkeğe bir bardak kahve vermeyi kişilik kusuru sayan kadının mutlu bir yuva kurma şansı çok azalmıştır. Çünkü bu kadının ayarlarıyla oynanmıştır. Dışında ne kadar dişi, bakımlı, hoş görünse de dişilik kodları defalarca yanlış girildiğinden devreleri yanmış, düğmeleri bozulmuştur. Gerçekten kadın olmayı unutalı yıllar geçmiştir. Bu kadın, janjanlı görüntüsünün altında son derece korku doludur. Acilen içgüdüleriyle bağlantıya geçmeli, dişilik kodlarını tamire vermeli, yani bir uzmandan yardım almalıdır. Çünkü artık hayallerindeki beyaz atlı prens gelse bile ona güvenmeyi, kendini bırakmayı, teslimiyeti unutmuştur. Öyle bir yerde sıkışıp kalmıştır ki ne ileri ne geri gidebilmektedir. Kendi başına yapabildiği şeyleri ilişki içinde bulamaması panik olmasına ve kontrolü hızlıca eline alma ihtiyacı duymasına sebep olmuştur. Ben senden önce şuradan buradan alışveriş yapardım, senden önce şuyum buyum vardı, şuraya buraya giderdim ama şimdi bunları yapamıyorum diyecek ve güvenmekle hata ettiğini düşünecektir. Bu saatten sonra karşısına çıkan erkeğe şans tanıması zorlaşacak, zaman ve emekle bir şeylerin düzeleceğine inanmayacaktır.

Sosyal kimliğimiz, hayatta elde ettiğimiz başarılarla güçlenir. Örneğin iyi bir eğitim, kariyer, maddi güç, kadının daha kimlikli olmasını sağlar. Oysa kadının özbenliğinden gelen dişi gücü ayrı bir kavramdır. Bu güç bazen varlığımızın derinlerinde hapsolmuştur ve ortaya çıkmaktan korkuyordur. Çok yaralı, incinmiş, örselenmiş olabilir.

Böyle bir gücümüzün olduğunu ilerleyen yaşlarda fark ettiğimizde de yanlış yollarla dişilik gücümüzü kazanmaya çalışırız. Giderek erkekleştiğini fark eden kadınlar, daha şuh ve dekolte giyinerek, haftada bir manikür yaptırıp her gün fön çektirerek, yüksek topuklu ayakkabılar seçerek, saçlarını sarı renge boyatarak, makyaj yaparak, vücutlarına bakarak bu gücü elde edebileceklerini sanırlar. Bazen de cinselliklerini daha rahat, daha az seçici davranarak yaşarlar ve sonuçta hayal kırıklığına uğrayan yine kendileri olur. Bu sefer de kolay elde edilen basit biri gibi algılanmalarına engel olamazlar.

Bu noktada kadının kökleriyle bağlantıya geçmesini sağlayacak bir çaba içine girmesi, kendisi için yapacağı en değerli yatırımdır. Bunu yaparken izlenecek yol ilk olarak yaşadığımız toplumun değerlerinden geçer. Yaşamımızı sürdürürken izlediğimiz öğretiler toplumun değerlerinden bağımsız olamaz.

İkinci olarak kadın olmanın getirdiği içgüdülerimizi fark etmemiz gelir.

Bununla beraber kendi kişisel tarihimizi de incelemeli, travmalarımızla yüzleşip korktuğumuz şeylerle temasa geçmeliyiz.

Sonuçta unutulmaması gereken, kökleriyle bağlantıda olmayan hiçbir varlığın büyüyüp gelişemeyeceğidir. İnsan, içinde bulunduğu toplumdan ve o toplumun tarihinden bağımsız düşünülemez.

KİM KİMİ, HANGİ NEDENLE SEÇİYOR?

Dişi seçilmez, erkeğini seçer. Bu seçimi sağlıklı yapabilmesi için kendini tanımalı, ihtiyaçlarını bilmeli, ilişkiye katacağı şeyleri de karşısındakine sunmalıdır. Doğru nedenlerle ilişki kurun ve bu nedenlerin sadece şu an için değil, ilerleyen zamanlarda sürmesini istediğiniz şeyler olduğunu iyi analiz edin.

Gerçekçi beklentiler içinde olmak, bir ilişkiyi doğru nedenlerle başlatmak önemlidir. Bir kadın ilişkiye başlama kararı almadan önce karşısındaki erkeğin değerlerini sorgulamalıdır. Erkeğin sorumluluk duygusu var mı, vicdani yapısı nasıl, iyi niyetli mi, merhametli mi, dürüst mü, çalışkan mı, nasıl bir ailesi var, ailesiyle ilişkileri nasıl gibi sorular en başta sorulması gereken sorulardır. Ancak günümüz kadınlarının bir kısmı bu sorulardan önce "Evi ve arabası var mı? Maaşı ne kadar? Kendi işi mi?" gibi soruları daha öncelikli olarak sormakta.

Oysaki düzgün bir değerler sistemi olan erkek maddi hayatta bugün olmasa da yarın iyi bir yere gelecektir. Değerler sistemi olmayan bir erkek ise hanlara hamamlara sahip olsa bile gün gelip bunları eritecektir.

Bu nedenle bir ilişkiye başlamadan, eş seçmeden önce doğru soruları sormak önemlidir.

KADINDA ÇOKEŞLİLİK

Çokeşlilik kadının doğasına aykırıdır. Özünden kopmasına sebep olur. Bir erkekle yatağa girme kararı ciddi bir karardır. Doğum kontrol yöntemlerinin olmadığı dönemlerde kadınların cinsel özgürlüğünden söz edilemezdi. Kadın sadece çocuğunu doğurma, neslini sürdürme kararı aldığı bir erkekle beraber olabilirdi. Bir erkekle beraber olma kararı vermeden önce, bir an için doğum kontrolünün olmadığını düşünün, o ilişkiden iki kişi olarak ayrılma ihtimalinizi: Siz ve karnınızdaki bebeğiniz. Hâlâ sevişmek istiyor musunuz? Çok seks yapmak, çok seksi giyinmek güçlü bir kadın olduğunuz anlamına gelmez.

EŞİM EV İŞLERİNDE YARDIM ETMİYOR

Çalışan kadınlarla yaptığım çalışmalarda sıklıkla duyduğum şeylerden biri de eşlerinin ev işlerinde kendilerine yardımcı olmadığı. Eğer çalışıyor ve iyi para kazanıyorsanız bu meseleyi aile içinde bir krize dönüştürmeden, yardımcı bir kadın alarak çözmenizi öneririm.

Eğer çalışıyor ama temizlikçi kadına verecek kadar para kazanamıyorsanız ev işlerini yapabildiğiniz kadar yapın, yapamadığınız yerde eşinizden yardım isteyin, size yardım edecektir. Buradaki sorun eşinizin yardım etmesinden ziyade, onun yaptığı yardımdan memnun kalıp kalmayacağınızdır. Elinden gelenin bu olduğuna inanın.

Eğer çalışmıyorsanız, ev işlerine eşinizin yardımcı olması konusunda ısrarcı olmanızı önermem. Hastaysanız, gücünüz yoksa, kalabalık bir misafir gibi özel bir durum varsa elbet eşiniz yardım etmeli. Ama kadınların ev işlerinde erkeğe ihtiyaç duymadıkları ve erkeğin yaptığı yardımı beğenmedikleri halde "Bana yardım et" ısrarını yerinde bulmuyorum.

Sonuçta çamaşır asan, cam silen, elinde paspasla dolaşan erkek görüntüsünün sürekli tekrarlanarak kadının gözünde yer etmesi erkeği kadının gözünde çok da çekici kılmasa gerek.

Bunlar ağzımızın tadını kaçıracak kadar büyük meseleler değildir. Böyle konuları büyütüp kendinizi de, eşinizi de, çocuklarınızı da üzmeyin. Hayatta aklınızı kaçırmanıza neden olacak, eşinizin çoraplarını sağa sola atmasından daha önemli konular var.

GERÇEK ÖZGÜVEN NEDİR?

Eğitimli ve kariyer sahibi pek çok kadın aşk ilişkilerinde nasıl bir konum üstlenip bunu sürdüreceğine dair makul bir ölçü bulmakta zorlanıyor.

Ya geç gelen mutluluğu korumak için benliğini silip atıyor ya da özgüvenli ve hayranlık duyulacak biri olduğunu ispat etmek için yeteneklerini, başarılarını karşısındaki erkeğin gözüne sokuyor.

Bizi özgüvenli bir birey yapan kendi evimizi, arabamızı alıp tek başımıza bir hayat kurma becerimiz değildir. Özgüven her şeyden önce her koşulda yaşayabilmek, talep etmeyi bırakabilmektir. Hayata korkuyla değil, güvenle bakabilmektir. Kendine yetmek, olanla yetinebilmektir. Ben baş edebilirim, her koşulda ayakta kalabilirim, yaşayabilirim demektir.

Güçlü olmak mücadele etme, uyum sağlama ve hayatın karşısında esnek olabilme yeteneklerimizin toplamıdır. Şu an sahip olduklarınızı kaybedeceğiniz bir gün gelirse yine aynı huzuru, enerjiyi ve mutluluğu hayatımızda yaratabileceğimize duyduğumuz inançtır.

Kazanmakla değil, yetinmekle de olur. Olanla yetinebilmek, idare edebilmek ve muhtaç olmamaktır. Her koşulda yaşayabilme yetisidir. Tek başına bu kadar çok şeye sahip olan ve bu standardı başlayacağı ilişki içinde de düşürmek istemeyen bir kadın, erkek üzerinde baskı yaratır.

"Ben arabamı kendim aldım, evleneceğim erkeğin de arabası olmalı."

"Eve temizlikçi gelmeli ya da eşim yardım etmeli."

"Haftada bir sinemaya gitmeli."

"Ben haftada bir gün filanca restoranda balık yemek isterim."

"Senede bir kere yurtdışına gitmem lazım."

"Şu kadar maaşın altında yaşayamam, spora gitmeden yapamam."

Hayatta bu kadar çok şeye ihtiyaç duyarken gerçekten güçlü olduğunuzu karşınızdakine nasıl inandıracaksınız? O olmazsa, bu olmazsa yapamam değil, her koşulda yaparım ve yaşarım duygusunu hissetmeli ve karşınızdaki erkeğe hissettirmelisiniz. Aksi halde böyle bir kadının özgüvenli olduğu düşünülemez. Filanca şirketin başındaki, falanca okulları bitirmiş olan değildir daha güçlü olan. Her koşulda var olabileceğine, mutlu olup mutlu edebileceğine, zor koşullara dayanabileceğine inanan kadın sahip olduğu enerjiyle erkeğini peşinden sürükler. Sonuçta kadın mutlu olmadan erkek mutlu olamaz. Bir ortamda belirleyici olan kadının duygularıdır. Evdeki enerjiyi, duygusal durumu kadının ruh halleri belirler. Ev halkı kadının enerji seviyesinin üstüne çıkamaz.

Sonuçta birey olmak kadın olmamıza engel olmadığı gibi, Dostoyevski okumak da kocamızın çoraplarını kirli sepetine atmamıza engel değildir. Günümüzde pek çok ilişki ne yazık ki bu türden incir çekirdeğini doldurmayacak sorunlar yüzünden bitmekte. Kabul etmeyi, sevgiyle sarıp sarmalamayı bilmediğimizden, aynı takımda olduğumuzu unutmaktan, haklılığımızı ispat etmeye çalışmaktan, olayları kişiselleştirmekten ötürü hem biz hem de karşımızdaki kişi acı çekmektedir.

KADINLARA YÖNELİK MODERN ZAMAN TELKİNLERİ

Günümüzde kadınlara mutlu olabilmeleri için şu değerlere sahip olmaları öneriliyor :

> Kendi ayaklarının üzerinde dur, bir mesleğin olsun, erkeğin eline bakma.
>
> Mücadele et, asla kendini ezdirme.
>
> Bol bol oku, kendini geliştir, cahil olma.
>
> Spor yap, bedenine özen göster, iyi görün.
>
> İyi giyin, güzel konuş, sanatla ilgilen.
>
> Yatakta erkeğini mutlu et.
>
> Mutfakla aran iyin olsun, erkeğin kalbine giden yol midesinden geçer.

Böyle bir kadın hangi erkeğin başını döndürmez ki? Evet ilk başta bu özelliklerimizle bir erkeği kendimize çekiyoruz. Güzeliz, bakımlıyız, kafamız çalışıyor, üniversite bitirmişiz, ekmeğimizi kazanıyoruz. Bu özelliklerimizin mutlu bir ilişki için yeterli olacağını düşünüyoruz. Tüm bunlar bir ilişkiyi başlatmak için yeterli olsa da, sürdürmek için kesinlikle yeterli değildir. Dışı muhteşem ama içi bomboş ve dökülmekte olan bir ev düşünün. Herkes bu muhteşem evi merak eder, görmek ister. Ancak evin içine girince kimse iki dakikadan fazla orada durmak istemez. O halde evimizin içine de yatırım yapmaya başlamalıyız.

Kariyer yapmak kadına statü, para ve saygınlık kazandırabilir ama benlik değeri içsel bir olgudur, çalışıp çabalayarak dış dünyadan elde ettiğimiz değerlerle geliştirilmez. Çalışkanlığımız ve başarılarımıza uzaktan bakanlar hayranlık duysalar da iç dünyamıza girip bizi daha yakından tanıdıklarında umduklarını bulamayıp bizden uzaklaşabilirler.

Büyük beklentilerle başladığımız özel ilişkimizde karşı taraf kısa bir süre sonra ilgisini ve canlılığını kaybedip uzaklaşmaya başladığında biz de büyük hayal kırıklığına uğrarız. Hayal kırıklığının yarattığı acıdan kurtulmak için kalbimizi kapatır, yakın ilişkilerden kaçar ve beyaz atlı prensi mağaramızda beklemeye çekiliriz. Sorunu yanlış yerde arar, sorunun yakınlaşmak olduğunu düşünürüz. Bu noktada sürekli olarak bir kendimizi, bir diğerini suçlayarak gelgitli bir ruh hali içine gömülürüz. Gömülürüz diyorum çünkü artık hayatımızın neredeyse tamamını problemli ilişkimiz işgal etmeye başlamıştır.

> Erkeğin üzerinde kadına karşı çekim yaratan en önemli şey kadının kendine olan güvenidir. Özgüven adı üzerinde özden gelir. Kadının derinlerden gelen gücünü içerir. Kendini, kadınlığını ve kadınca içgüdülerini fark edip kabul eden kadın, kendi gücü üzerinde kontrol sahibidir. Sorun çoğu zaman bize yakınlaşıp burunlarının büyümesi, verdiğimiz değeri anlamamaları değildir. Dış dünyada bu kadar başarılı, ayakları üzerinde durabilen bir kadının, kendi içinde ondan beklenmeyecek kadar aciz oluşu çelişki yaratır.

Manevi dünyamızı ihmal edip, içsel güçlerimizi geliştirmek için çaba harcamadığımızdan kadınlık içgüdülerimizden kopmuş, karşı tarafa yönelik kendimizin bile farkına varamadığımız beklentiler içine girmişizdir. Bilinçaltı düzeyde karşımızdaki kişi bunu hisseder. Tanımlayamadığı, adını kendisinin de koyamadığı bir sebeple yanımızda huzursuz olur ve bizden uzaklaşmak ister. Çünkü içimizdeki boşluk ve uçurumlar öylesine yüksek ve derindir ki, diğeri kendisini hemen geri çekmez ise bu uçurumlara düşüp parçalanacağından korkar.

Biz fark etmesek de iç dünyamız güven ve huzur verici değildir.

* * *

"Benim gibi bir kadın varken nasıl olur da öyle bir kadını tercih etti inanamıyorum. Erkekler özgüvensiz varlıklar, benim gibi bir kadını taşıyamadığı için gitti. Ezildi tabii, gidip o tip bir kadını seçti ve sefil bir kadının yanında kendini daha güçlü hissetti."

Anlamamız gereken şey şu: Biz kadınları güzel mi, eğitimli mi, nasıl bir aileden geliyor, akıllı mı diye değerlendiriyoruz. Evet. Erkekler de ilk başta bu özelliklere bakıyor. Bu ilk adım. Eğitim, kariyer, güzellik, gençlik. Ama bunlar sadece evin dış kısmı. Bir de evin içi var. Ev temiz mi, düzenli mi, parkeleri, duvarları, dolapları iyi mi?

Modern dünya bize sadece dışımızı parlatmayı öğretti ama kadın olmaktan gelen gücümüzle iç dünyamızı toparlamayı, güçlendirmeyi bilmiyoruz. Bir ilişkinin başlamasını sağlayan dışarıdan bakıldığında ilk görülenlerdir fakat sağlıklı ve mutlu bir ilişki sürdürmek, ilişki boyunca terk edilme korkuları duymamak, kendimizi ilişki içinde güvende hissetmek sağlıklı bir benlik bilinci geliştirmekle mümkündür.

İş hayatında elde ettiğimiz başarıların özgüvenimiz üzerinde hiçbir etkisi yoktur ve bu yolla ilişkilerimizi kurtaramayız. Buradaki tuzak şudur: Hayranlığını kaybettiklerimizin yeniden hayranlığını kazanmak için daha fazla şey elde etmeye çabalarız. Oysaki daha fazla başarı elde etmek içsel gücümüz üzerinde hiçbir etki sağlayamaz.

O halde bu noktada en önemli şey, kadınca içgüdülerimizden gelen gücün dışarıda yaptığımız ya da yapmadığımız şeylerle hiçbir alakası olmadığını kavramaktır. Bu güç, geliştirilmesi ya da öğrenilmesi gereken bir güç değil, sadece fark edilip ortaya çıkarılması gereken bir enerjidir.

Dış dünyada bir erkek kadar güçlü olabiliriz, erkek işlerini yapıp erkekler kadar, hatta erkeklerden daha çok para kazanabiliriz. Ancak bu güç, bir aşk ilişkisinde erkeğin ihtiyacı olan, erkeği doyuran ve tam hissettiren güç değildir.

Maaş kartımızı eşimize verebiliriz, erkek arkadaşımız bizim satın aldığımız evde bizimle yaşayabilir, arabamızı ona ödünç verebiliriz, bizim çevremiz sayesinde onun iş hayatı zenginleşebilir ama erkek kendini yine de eksik hissediyorsa onu tatminsiz, açgözlü diye suçlamadan önce kendimize dönmeliyiz.

Buradan şöyle bir anlam çıkmasını da istemem: Başarılı olan her kadının iç dünyası fakir, kadınlık içgüdülerinden uzaktır. Hayır. Üç çocuk sahibi, iyi eğitimi olmayan bir ev hanımı da aynı durumda olabilir. Yani gerçek anlamdaki dişilik gücü, ne sahip olduklarımızla azalan ne de sahip olmadıklarımızla çoğalan bir güçtür.

Kadın gerçek gücünü dış dünyada sahip olduğu şeylerden almasa da bu yolla kadına giydirme bir benlik yaratılır. Bu sahte benlik altında yasalarla korunmaya çalışılan kadın ne yazık ki kendisine yapılan giydirme benliğin içindeki boşlukta yalnız kalır ve korkulu bir bekleyiş sürdürür.

Kadın kadının özbenliğini güçlendirmeden, toplumdaki kadın kimliğini dışlayarak, kadına sadece daha çok donanım kazandırma yoluyla verilen mücadelede yalnız kalmaya mahkumdur. Kadınları başlarına polis dikerek, şiddetten, öldürülmekten, hak etmedikleri acı veren ilişkilere razı olmaktan kurtaramayacağımızı biliyoruz. Benliğimizin dış yüzünü cilalayıp parlattıkça erkekleri giderek daha da saldırgan hale getirdiğimizi haber bültenlerinde her gün izler olduk.

Kadını dışarıdan daha güçlü gibi gösterdikçe, erkek kendini daha yetersiz hisseder ve görüntüsü güçlü ama içi son derece cılız olan kadına saldırır. İçimiz ve dışımız aynı oranda büyüyüp gelişmedikçe, bütün sosyal politikalar kadını dışarıdan desteklese de, dışımızda bir güç çemberi oluşturulsa da acı çekmekten kurtulamayız.

KRALİÇE KADIN

Her kadın, erkeğin hayatında kraliçe olmak ister ama o mertebeye geldiğinde esas istediğinin bu olmadığını fark eder. Kraliçelik yükü ağır gelir, çok istediği tahtı geri vermek ister. Olur da eğer elde ettiği tahtı sindirirse o zaman kendisine tahtın yolunu açan erkeği gereksiz ve işe yaramaz biri gibi görmeye başlar.

Bir ilişkide ilgi, sevgi ve şefkatin yanında bazı sınırlara ve kurallara ihtiyaç vardır. "Sen mutlu ol yeter, sen nasıl mutlu oluyorsan öyle yapalım" şeklindeki düşünce yapısındaki erkek, kadına taşıyamayacağı bir yük yüklemiş olur. Sürekli olarak, kadın erkeğe sınırlar çiziyorsa ve erkek kadının sınırlarını sürekli genişletiyorsa ilişkideki dengeler bozulur.

Bir erkeğin sadece ekonomik yönden güçlü olması ve karısının ayaklarının dibine dünyaları sermesi huzurlu bir ilişki için yeterli değildir. Güvenlik duygusunun olmadığı yerde huzur ve mutluluğun oluşması zordur. Güvenlik duygusu karşımızdakinin her istediğine evet diyerek de oluşturulmaz. İnsanlar kuralları, sınırları ve hayırları olmayan bir ilişkinin içinde uzun süre durmak istemezler.

Bir kavga sırasında danışanım karısını "Kendini ne zannediyorsun? Burnun Kaf Dağı'nda, ne kadar şişkin bir egon var" diyerek suçlamıştı.

Suçlamalar karşısında kadın, "Bana tanrı gibi davranıp, tüm hayatını bana adayıp, her attığın adımı bana sorup, sonra da karşıma geçip egon şişkin diye beni suçlayamazsın. Evet, egom şişkin. Çünkü bana hiç karşı çıkmadın, her sözüm emirdi, asla hayır demedin. On iki yıldan beri bana tanrıça gibi davrandın" demişti.

Sonuç olarak, tanrıçalar köleleriyle beraber yaşamak istemezler. Tahtın sahibi olduğuna inanan kadın ilk iş olarak kendisine tahtın yolunu açan adamdan kurtulup dengini aramak isteyebilir.

Erkek eşini iyi analiz etmeli, karısını tanımalı. Psikolojik yapısını, hassas dönemlerini, duygusal zamanlarını takip etmeli. Eğer bir insana taşıyabileceğinden daha fazla güç verirseniz kişi o gücü kontrol edemez. Bazı kararların sorumluluğunu almak kadına ağır gelir. Bu da kadının kendini güvende hissetmesini engeller. Bazen "Bu pazar ne yapalım?", "Akşama ne yiyelim?", "Hangi filme girelim?", "Tatilde nereye gidelim?" gibi basit kararların yükü bile zamanla birikir, ağırlaşır ve taşınmaz hale gelir.

Erkeğin "Ben her şeyin kararını ona bırakıyorum, nasıl isterse öyle yapıyoruz" demesi de işin kolayına kaçmaktır.

SINIRLARI ZORLAYAN KADIN

Her türlü ilişki bir sınır ve fetih mücadelesidir. İlişki içindeki insanlar birbirlerine yakınlaştıkça kişisel sınırları da birbirine yaklaşır, bir anlamda sınır komşusu olurlar. Ama insanlar sınırlara razı olmazlar, hep daha fazlası için şanslarını denerler.

Yirmi beş yıllık evliliğindeki sorunlar nedeniyle çalıştığımız erkek danışanım "Aslında karım hep aynıydı ama artık ben dayanamıyorum. Eskiden zor gelmezdi ama artık tahammül edemiyorum, sabır gösteremiyorum" derken bu gerçeği dile getirmeye çalışıyordu.

Mesela bazı akşamlar arkadaşlarıyla king oynamaya gitmek istiyordu. Karısı "Gitmesen olmaz mı?" dediğinde evde kalıyordu. Aklı arkadaşlarında olmasına rağmen eve geldiğinde bir karış suratla kendisini bekleyen bir kadın görmek istemediği için gitmiyordu.

Ama gördü ki evde kaldığında, içinde karısına karşı giderek artan bir öfke birikiyordu. Çünkü karısının mutluluğu için ne yaparsa yapsın, karısı surat asıyordu. Taviz vererek karısını mutlu edemediğini, bununla beraber kendisinin de çok mutsuz olduğunu gördüğünde evliliklerinin ve hayatının yirmi beş yılı çoktan geride kalmıştı.

Artık verecek toprağı kalmamış, bir köşeye sıkışıp kalmıştı. Eşi çok donanımlı biri değildi, niyeti bu kadar toprağı ele geçirmek de değildi. Bu kadar toprağı işleyecek gücü de yoktu ve şaşkındı. İstediği şey sadece güvende olduğunu hissetmekti.

Evlilik içinde taraflar ihtiyaç duyduklarının ötesinde bir alana sahiplerse ve bu alanı nasıl idare edeceklerini bilmiyorlarsa güven duyguları zedelenir. Ellerindeki güç ve alanla baş edemedikleri için kendilerini yetersiz hissederler. Bir dönüm toprağı işlemekle on dönüm toprağı işlemek için ihtiyaç duyduğumuz güç aynı değildir.

Kadın bu saatten sonra acizliğinden güç alan zorba bir diktatöre dönüşmüştür. Dışarıdan bakıldığındaysa her istediğini yapan melek gibi bir kocaya sahip olmasına rağmen mızmız, huzursuz, tatminsiz ve hasta biridir.

Sınırları ve kuralları belirsiz ya da kuralların işlemediği ilişkilerde "Henüz beni bile durduramayan, bana hayır diyemeyen biri beni nasıl koruyabilir?" düşüncesi kadın için kaygı doğurur. Kaygılanan kişi de huzursuzluğunu ve kaygısını en yakınındakilere yansıtır. Bunun için hiç kimseye baş edebileceğinden fazla özgürlük ve yetki alanı vermemek gerekir.

Bir ilişkide karşımızdakine ilgi, sevgi, şefkat; yani emek vermek zor geldiğinde, ne verdiğimizin çok da farkında olmayarak kendimizden taviz vermeye başlarız.

Bize söylenene uyarak, her daim söz dinleyerek karşımızdakini rahatlatmaya çalışırız. Ancak ilişkiyi güzel kılan ve diğerinin ihtiyaç duyduğu kendimizden verdiklerimiz değildir. Emek ve özveri birbirinden farklı kavramlardır. Emek vermek ürettiklerimizden vermektir. Bir ilişkiye emek vermek bizi tüketmez, tam tersi daha da zenginleşmemizi sağlar. Özveri ise kendinden vermek demektir. Kendimizden sürekli verdiğimizde en sonunda tükeniriz.

Sevdiklerimiz bizim bahçemizle değil, bahçemizde ürettiklerimizle ilgilenirler. Sevilmek için topraklarımızı verdiğimizde üretim yapamayız, ne kendimizi ne de sevdiklerimizi besleyebiliriz. Sevgi ve şefkat kendi bahçemizin mahsulleridir. Toprak yoksa ürün de yoktur. Hal böyle olunca, veremediğimiz için alamayız da. Elimizde ne var ne yoksa kaybetmemize neden olduğu ve şimdi bize hiçbir şey vermediği için içimizde diğerine karşı düşmanca duygular biriktirmeye başlarız.

Sınırları Zorlayan Kadın ve İlgisiz Erkek Döngüsü

Erkekler "Tamam bakarız, tamam hallederiz, zamanı gelsin düşünürüz, iyi tamam gideriz, iyi tamam alırız" gibi cümleleri söylerken ciddiler mi yoksa sadece konuyu kapatmaya mı çalışıyorlar?

Kadın kocasının eline bir alışveriş listesi veriyor ve şöyle söylüyor: "Hayatım dediğim deterjanın iki türü var, sen mavi olanını alacaksın üzerinde kuş resmi olanı. Diğerinden evde var, işe yaramıyor, o yüzden buna dikkat et."

Adam "Tamam" diyor ve evden çıkıyor.

Sonuç malum olduğu üzere adam yanlış deterjanı alıyor. Kadın "Sen beni dinlemiyorsun, hiç önemsemiyorsun" diye söylenmeye başlıyor. Erkek öfkeleniyor, "Amma da abarttın, alt tarafı deterjan, gider değiştiririz" diyor.

İşte size her ailede yaşanan sıradan bir olay. O anı kurtarmak ya da diğerini susturmak için anlayıp dinlemeden tamam diyorsunuz. Sorundan kurtulmaya çalışırken ilişkinizi daha büyük sorunlara gebe bırakıyorsunuz. Bir başka seferinde kadın, eşi alışverişe giderken daha çok konuşuyor, erkek kulaklarını daha fazla kapatıyor, kadın yine anlaşılmamış olduğunu hissederek daha fazla bastırıyor.

Konu ister eve alınacak deterjan kadar basit, isterse yeni bir ev almak gibi büyük bütçeli bir konu olsun "evet, tamam" görünümlü ama özde ilgisiz ve bıkkın davranışlar kadının en sonunda kendini değersiz ve aklını kaçırmış gibi hissetmesine neden olur.

Sınırları zorlayan kadın diğer taraftan erkekte suçluluk duygusu yaratır. Erkek, kadının hep daha fazlasını istediğini düşünür. Kadının yeterince şefkatli, anaç ve yumuşak olmadığı doğrudur.

Çünkü kadın, içinde var olan bu duyguları sadece güven ortamında ortaya çıkarabilir. Oysa ortamda güven duygusu yoktur, olsa olsa bol miktarda kaygı ve bulaşıcı bir huzursuzluk vardır.

Bu tür ilişkilerde kısırdöngü kendini çok hızlı gösterir. İlk olasılık şöyledir: Kadının hiddeti, asabiyeti karşısında erkek baş edemeyeceğini düşünüp kendini kapatır, kadını da kendi haline bırakır. Bu döngüde erkeğin kadına sınır koyma gibi bir derdi yoktur. Erkek her şeye tamam derken aslında bildiğini okur. Erkek zamanında frene basmadığı için kadının hızı giderek artar ve frenleri boşalır, artık erkek bu hızla giden bir kadına hiç yaklaşmaz ve içine kapanır, erkek kapandıkça kadın daha çok çıldırır.

Diğer olasılıkta ise kadın sınır tanımazken erkek sınır koymak istemektedir. Ancak erkeğin mevcut donanımları tam gaz gelen kadını durdurmak için yeterli olmadığından, bu kadınlar eşlerinden şiddet görürler. Erkek, şiddet dışında bir seçenek bilmediği için kadını bu yolla sindirmeye ve durdurmaya çalışır.

* * *

Eğer bir erkek, elinden gelen her şeyi yapmasına rağmen kadını yine de mutlu değilse kendini hadım edilmiş hisseder. Yetersizlik duyguları içinde kendinden şüphe ederken, diğer taraftan kadına karşı öfke biriktirmeye başlar. Bazı erkekler içlerinde biriken öfkeyi şiddet uygulayarak dışa vururlarken, bazıları ihtiyaç duydukları onayı dışarıda başka kadınların kollarında aramaya başlarlar.

Çünkü biz kendimizi tek başımıza değil, ilişkiler bağlamında görürüz. Kendimizi algılama şeklimiz ilişki içindeki bağlarımızın bizi tuttuğu konumun ötesine geçemez. İşte o zaman, ilişki içindeki konumlandırılma biçimimize razı olmadığımızda başka türlü konumlandırılacağımız yeni ilişki ağları oluşturma ihtiyacı kaçınılmazdır. Daha basitçe ifade edersek, değer görmediğimiz, onay almadığımız bir ilişkiden yorulduğumuzda ve buna dayanamaz duruma geldiğimizde değer gördüğümüz, onaylandığımız, bizi besleyen bir ilişkiye kapılmamız çok kolay olur.

Hata yaptığımızda da suçluluk duygusuyla taviz veririz. Taviz verdikçe öfkemiz artar. Bunun sonunda "Asla tekrarlamayacağım" dediğimiz hatayı bize yeniden yaptıracak olan öfke duygusu içimizde yeteri kadar birikmiş olur; Ali ve Ayşe'nin arasında olduğu gibi...

Çiftimizin ilişki döngüsünde, Ali Ayşe'yi üzecek şeyler yapıyor, bunun sonucunda her seferinde Ayşe evi terk ediyor ve boşanmaya kalkıyordu. Suçluluk duygusu içinde kıvranan ve yaptıklarından dolayı çok pişman olan Ali, Ayşe'yi geri getirmek için ne gerekiyorsa yapıyor, karısını eve dönmeye ikna ediyor, karısı eve döndükten sonra da onun yerli yersiz tüm isteklerine hiç düşünmeden tamam diyordu.

Ayşe ikna olup eve dönse de aslında yaşadıklarını unutamıyor, kocasının yaptıklarını bir türlü affedemiyordu. Ali'ye sürekli ayıbını hatırlatıyor, kocasının hatalarını ısıtıp ısıtıp önüne koyuyordu. Ayıbının altında ezilen adam, karısının kölesi oluyor, benliksizleşiyor, kimliğini kaybediyordu.

Bir taraftan karısının kalbini kazanmak, kendisini affettirmek için sürekli her şeye tamam derken, diğer taraftan bu kadar alttan alıp kendisini kişiliksiz gibi hissetmesine sebep olan Ayşe'ye karşı içten içe öfke biriktiriyordu. En sonunda kendinden o kadar çok şey kaybetmiş oluyordu ki kayıplarıyla dolan öfke bardağını yine Ayşe'ye kusarak boşaltıyordu. Yani karısına yine aynı hataları yapıyordu. Böylece aralarındaki gerilim sona eriyor, bardak boşalıyor ve yeni tavizlerle doldurulmak üzere bir kenarda bekliyordu.

YUVANIZ MI VAR, EVİNİZ Mİ?

Bir evin yuva olduğunu mutfağına bakarak anlarsınız. Evin kalbi mutfakta atar. Anne evlerinde her zaman bir kap yemek bulursunuz. Bekar evi ya da öğrenci evi en güzel eşyalarla döşense bile yuva değildir.

Evde yemek pişiriyor musunuz? Yoksa evdeki yardımcı mı yemeklerinizi pişiriyor? Belki de sık sık hazır yemek söylüyor ya da yemeğe çıkıyorsunuz.

Yiyeceğiniz ve sevdiklerinizin yiyeceği yemeği pişirmeye çalışın. Çok yoğun çalışsanız da her fırsatta bunun için çaba harcayın. Başkasının sildiği camdan bakmak, başkasının süpürdüğü halıda yürümek gibi değildir başkasının pişirdiği yemeği yemek.

Başkası o yemeği mecbur olduğu için yapar. Mecburiyetten pişirilen yemeklere özgü yavanlığı ilk lokmada anlarsınız. Çünkü yemeğe lezzetini katan en önemli malzeme sevgidir. En pahalı eti, en taze balığı satın almak ya da en iyi restoranlara gitmek en iyi yemeği yemek için yeterli değildir.

Evin hanımı tarafından pişirilen bir tencere yemek varsa, o ev yuvadır. Hele bir de fırında pişen bir tepsi kek mevcutsa, o ev huzurlu bir yuvadır.

Evin kalbi mutfakta atar. Ev halkı mutfakta rahat etmelidir. Evin erkeği de, çocukları da mutfağa girsin, bir şeyler pişirsin. Mutfaklar su içilip kahve yapılan yerler olmasın sadece.

Buzdolabını açıp sonra bir şey bulamadan kapatan ve bir paket hazır bisküviye eli mecburen uzanan çocukların acıklı hali dokunmaz belki pek çoğuna. Annesinin yaptığı bir kase sütlaç ya da pasta olsa o dolabın içinde, daha başka olur bir şeyler. İşte o zaman sıcaklıktan, samimiyetten, masumiyetten bahsedebiliriz. Ama artık reklamlarda bile anneler buzdolabından çocukları için hazır süt dilimi çıkarıyorlar ve bunun adına masumiyet diyorlar.

Sevgiden ve sıcaklıktan mahrumiyetin ilk göstergesi uzun ömürlü süt ve hazır gıdalarla dolu bir dolaptır. Anne evlerinde her zaman kap kap sulu yemek ve evde yapılmış kurabiyeler olur.

Sevgiyle yapılan yemekler hem yapanı hem de yiyeni besler. Sevgiyle pişirilen, sevdiklerimizle yenen yemek gerçekten kilo yapmaz.

Evde yemek yapacak kadar zamanın yoksa, yemek yapıp yiyemiyorsan zengin değilsindir.

Bir kadın çok yoğun çalışsa bile eviyle ama özellikle de mutfağıyla bağlantısını kesmemelidir. Evde annesi, kayınvalidesi ya da sürekli çalışan bir yardımcısı, hatta yardımcıları olsa da mutfağını tanımalı, buzdolabında ne var ne yok bilmeli, bir tencere yemeğini ocakta kaynatmalıdır.

Çalışan ve çok yorulan bir kadın olsanız da evle ilgili işleri hayatınızın öncelikleri arasına koyun. Anneniz, eşiniz ya da yardımcı bir kadın ev işlerinizi görüyor olsa da evinizin kontrolüyle ilgili ipleri elinizde tutun. Pazara kendiniz gidemeseniz bile pazardan alınacakların listesini oluşturun. Akşam ne yemek pişeceğini belirleyin. Bulaşıkları yıkamasanız bile yemeği pişiren siz olun. Yemek yapacak zamanınız da yoksa hangi yemeğin ne usulle pişirileceğine karar verin ve yardımcınıza bunu anlatın.

Buzdolabında hangi yoğurdun tarihi geçiyor, bir an önce tüketilmesi gereken malzemeler neler, buzlukta ne var ne yok mutlaka denetleyin. Çamaşırları yardımcınız asıp toplasa da makineye siz atın, hangi çamaşırın hangisiyle yıkanacağına karar verin. Ütüyü siz yapmasanız da çekmecelerinizi siz yerleştirin. Evinizin tüm sorumluluğunu ve kontrolünü yardımcınıza bırakmayın; adı üzerinde yardımcı kadın diyoruz, esas kadın sizsiniz. İşleri siz düzene koyacaksınız, yardımcınız kurduğunuz düzenin uygulayıcısı olacak.

Eğer bir ev yuva değilse, kişiler o evde hep bir şeylerin eksik olduğu düşüncesiyle huzuru bulamazlar. Eve tadilat yaparlar, mimarla anlaşırlar, eşyaları değiştirirler ama ev mobilya mağazasından farklı değildir. Evde sıcaklık yoktur. Çünkü bir evi yuva yapan, kadının o eve verdiği enerjidir. Kadın elinin değdiği ev her haliyle belli olur. Kadın, kadın olmayı öğrendiğinde o ev de yuva olmayı öğrenir.

ÇOCUK KADINLARIN PAYLAŞMAK VE SEVİLMEK İHTİYACI

Çocuk kadınların bebek gibi konuşmaları, kelebek, melek, çiçek figürlerine merakları, her an kırılmaya hazır naif bir duruşları ve ilginç merakları vardır. Öğrenmeye ve yeni şeyler denemeye hevesli, çoğunlukla sosyal ve girişkendirler. Merakları sayesinde edindikleri ilginç tecrübeleri paylaşmak isterler. Her şey yolunda giderken en ufak şey bile istedikleri gibi olmadığında, kolayca kırılıp kendilerini yetersiz ve değersiz hissederler.

Çocuk kadınlar, yumuşak görünümlü diktatörler gibidir. Çok verici ve yumuşak huylu görünseler de istedikleri şey temelde karşılarındaki kişileri yönetmek, kendi istedikleri zemine çekebilmektir. İstedikleri olmadığında çok sinirlenirler ama bunu belli etmezler, gözyaşlarına boğulurlar, kendilerini acınacak hale sokarlar.

Çocuk kadınlar evlilik yaşını geciktirmeseler bile anne olmayı ertelemeye çalışırlar. Bazen bilinçaltı korkuları anne olmalarını engeller. Sebebi belli olmayan kısırlık sorunu yaşama olasılıkları vardır. Eşlerinin ve annelerinin sevgisini paylaşmak istemezler.

Geçmişe özlem duyarlar ve kaç yaşına gelirlerse gelsinler çocukluktan kurtulamazlar.

Karşı cinsle olan ilişkilerinde en ufak beklentileri karşılanmadığında, "Acaba bu adam benim için doğru mu?" diye sorgulamaya başlarlar. Onları heyecanlandıran her konuyu paylaşmak isterler ama karşılarındaki adam her seferinde onlar kadar heyecanlanmazsa, hayatı paylaşamadıklarını düşünürler.

Oysaki yaptığımız şeyler, biz küçük bir çocukken anne babamızı heyecanlandırır. Anne babalar çocuklarının en basit faaliyetlerinde bile heyecanlanır, mutlu olurlar. Ama biz büyüdükçe bu durum değişir. Eşimiz, sevgilimiz ya da dostlarımız bizim heyecanımızı annemizin babamızın coşkusuyla paylaşmazlar. Ama bizim paylaşmaya ihtiyacımız vardır.

> Paylaşacak bir şeylerimizin olması için hayatlarımızı renklendiririz. Maceralarımızı paylaşmak isteriz, paylaşarak diğeri üzerinde yük oluşturduğumuzu fark etmeden. Diğeri en sonunda bizi seyretmekten yorgun düşer. Bazıları kendilerine bir sevgili değil de hayatlarına seyirci ararlar. Paylaşma dediğimiz şey seyirci arayışından, yaptıklarımızı izletme ihtiyacından başka bir şey değildir.

"Onun da seveceğini düşündüğüm şeyleri paylaşmak istedim" cümlesinin açılımı "O da benim gördüğümü görsün, benim hissettiğimi hissetsin, benim baktığım yerden baksın ve aynı heyecanı yaşasın"dır.

Paylaşmak sadece paylaşma amacı güdülürse güzeldir. Ama biz paylaşma sonucunda bir şeyler bekleriz. "Vay! Gerçekten süper bir film seçmişsin, bayıldım" ya da "Nereden buluyorsun böyle ilginç mekanları, ilk defa geldim harika bir yer", "Ne kadar müthiş bir şiir", "Buranın manzarası dediğin gibiymiş, iyi ki geldik" gibi sözler duymak isteriz.

Yaşadığımız anın tadını çıkarmak yerine kendimizi fotoğraf makinesine gömeriz. Daha sonra bakmak için değil, sevdiklerimize göstermek niyetiyle fotoğraflar çekeriz.

Çocukluk dönemindeki aşırı doyum ya da bir kardeşin gelmesiyle yarıda kesilen doyum, bizdeki seyredilme ihtiyacını maksimumda tutabilir. Oysa kendi zevklerimize seyirci aramanın adı paylaşmak değildir.

Paylaşacak bir şeyleri kalmadığı gerekçesiyle sevgilisiyle ayrılma noktasına gelen Melis şöyle anlatıyordu:

"Gerçekten paylaşacak hiçbir şeyimiz yok. Böyle bir adamla bir ömür nasıl geçer bilmiyorum. Edebiyatı gereksiz buluyor, şiirden nefret ediyor, bilgisayar oyunlarından ve aksiyon filmlerinden başka bir eğlencesi yok. Düşünebiliyor musunuz sadece, efektleri için Transformers filmine tam üç kez gitti. Ama festival kapsamındaki filmlere bir kere bile benimle gelmedi."

Melis'e şöyle sordum: "Anlaşılan o ki sevgilin Transformers filmini çok sevmiş. Ona bir kere de beraber gitmeyi teklif etmeyi düşündün mü? Paylaşacak bir şeylerinizin olmadığından şikayet ediyorsun. Sonuçta bir şeyler paylaşmış olursunuz."

"Şaka mı yapıyorsunuz? Öyle bir filme asla gitmem" dedikten sonra birden ne demek istediğimi anladı.

Paylaşmaya değer olan sadece bizim zevklerimiz midir? Karşımızdaki kişinin zevklerinin basit olduğuna ya da paylaşmaya değer olmadığına nasıl karar verebiliyoruz?

> Film seyretmek, müzik dinlemek, spor yapmak, kitap okumak, kendimizi mutlu etmek için ilgilendiğimiz hobilerdir. Hobiler kendimizi iyi hissetmemizi sağlar ve bu iyilik halinden çevremizdekiler de nasibini alır. Kendimizi mutlu eder ve mutluluğumuzu paylaşırız. Bizi mutlu eden her şey sadece araçtır. Her ne yapıyorsanız kendinizi mutlu etmek için yapın. Sadece kendiniz için. Amacınız izleyici toplamaksa hayal kırıklığına uğrayabilirsiniz. Her yaptığınız şeyin sevdiklerinizi hayrete düşürmesini beklemek sonuçta sizi üzer.

Sevilmek için çok çaba harcıyorsanız, sevmeye fırsatınız kalmaz. Yeteneklerinizi geliştirmek, yeni bir şeyler öğrenmek, hobiler edinmek gibi kendiniz için yaptığınızı düşündüğünüz pek çok şeyi, farkında olmasanız da sevilmek için yapıyorsunuzdur. Kendinize çok fazla yatırım yaptıysanız, odağınız kendinizde olur. Büyük emeklerle, bin bir zahmetle edindiğiniz donanımları parlatıp gösterme ihtiyacıyla verdiğiniz "Gel beraber beni sevelim" mesajını alan diğerleri sizden uzaklaşır. Eğer sevilmiyorsanız sevmeyi bilmiyorsunuzdur. Biliyorsanız da sevilme çabanız öyle çok zamanınızı alıyordur ki gerçekten sevginizi verecek fırsat bulamıyorsunuzdur.

GEL KONUŞALIM VE ÇÖZELİM

Kadınlar her şeyi konuşmak ve halletmek isterler. Ancak doğru iletişim yöntemlerini, yeri geldiğinde sessiz kalmayı, yeri geldiğinde beklemeyi bilmeden hiçbir sorun çözülemez.

Psikolog edasıyla kocamıza yaklaşıp " Gel bu konuyu konuşalım, meselemizi çözelim, uzlaşalım" derken, uzlaşmaktan ne anlıyoruz? "Benim bir bildiğim var ve sen benim bildiğime uyacaksın" demek uzlaşmak demek mi? Hadi gel şu konuyu konuşalım dediğimizde ya kavga çıkıyor ya da eşimiz ağzına fermuar çekiyorsa, uzlaşma yöntemlerimizi bir kez daha gözden geçirsek iyi olur.

Orta yol bulmaya çalışırken her seferinde şarampole yuvarlanıyorsak, yolu ortalayamıyoruz demektir. Kendimize karşı dürüst olursak, esas derdimizin uzlaşmaktan ziyade haklılığımızın görülmesi ve tarafımıza iade edilmesi olduğunu fark edebiliriz.

"Benim Haklılığımı Kabul Et, Bak Ben Ne Kadar Haklıyım. Fikrime Katıl, Beni Teyit Et."

Bir danışanım yeni evlendiği kocasıyla ilgili yakınıyordu:

"Hep kendi istediğini yapıyor, her şey kendi istediği gibi olsun istiyor, asla taviz vermiyor, çok bencil, çok inatçı, ona hiçbir şey anlatamıyorum, asla anlaşamıyoruz." Kadının eşini suçladığı sayısız olaydan bir tanesi şöyleydi:

"Mesela haftada bir iki kez arkadaşlarımızla iş çıkışı buluşup bir şeyler içiyoruz. Daha bir kere bile buluşma yerine birlikte gidemedik. Eşim bize hep sonradan katılıyor. Çünkü her seferinde önce eve gidiyor, duş alıp üstünü değiştiriyor. Ona anlatıyorum. 'Herkes senin gibi, işten çıktığı gibi geliyor, kimse eve gidip duş almıyor. Kıyafetin ne kadar kötü olabilir? Hem ne gerek var, maden işçisi değilsin sen, evimiz kadar temiz bir ofiste çalışıyorsun, duş almana ya da üstünü değişmene gerek yok' diyorum ama ne desem boş. Benim kocam inatçı, dediğim dedik."

Danışanıma, "Eşin sana 'Sen neden işten çıkıp doğrudan buluşma yerine gidiyorsun, önce eve git ve üstünü değiştir' diyor mu?" diye sordum.

Kadın, böyle bir olasılığın olduğunu hiç düşünmemişti.

"Eğer buluşma yerine birlikte girememek seni bu kadar rahatsız ediyorsa, pekala sen de işten çıkıp önce eve gidebilirsin. Üstünü değiştirebilirsin ya da bırak sadece o değiştirsin. Onu evde bekle, evi toparla ya da maillerine bak. Eğer gerçekten istediğin şey buluşma mekanına eşinle birlikte aynı anda girmekse, böyle yapmak da bir yol olabilir" dedim.

"Ama o zaman ben taviz vermiş olurum."

"Aynen öyle. Sana ait bir istek için elbette sen taviz vereceksin. Sonuçta birlikte gitmek isteyen sensin."

Kadının, kocasına yönelttiği "Hep kendi istediğini yapıyor ve her şey onun istediği gibi olsun istiyor" suçlamasının altında yatan düşünceye daha yakından baktığımızda aslında bunun "Neden her şey benim istediğim gibi olmuyor?" şeklindeki düşünce olduğunu görmemiz mümkündür.

Bazen kendi düşüncemizin doğru olduğuna öylesine inanırız ki, bir adım ötemizdeki gerçekleri göremeyiz. Kadına göre doğru olan işten çıkıp zaman kaybetmeden arkadaşlarının yanına gitmektir. Ona göre doğru olan budur ve kocası da bu doğruya uymalıdır. Kocasını ikna etmeye çalışan kadın, kocasının neden eve gitme ihtiyacı duyduğunu düşünmüyor, bunu sormuyor. Kadına göre kocası lüzumsuz bir inat içinde saçmalıyor. Kocasının bencil, gıcık biri olduğunu düşünüyor. Sesini ona duyuramadığı için son derece öfkeli ve kocasının davranışlarını, üzerinde düşünmeye değmeyecek kadar anlamsız görüyor.

Oysa gerçek sevginin olduğu yerde özen vardır. Sevdiğimizi dinler, anlar, onun varlığına özen gösteririz. Seven insan ilgilidir. Sorar ama sorgulamaz, dinler ama yargılamaz. Sadece hissetmeye çalışır, anlamasa da kabul eder, diğerinin isteklerine gerektiği zaman gerçek anlamda uyum gösterir.

Sevgi demek kendi doğrularımız doğrultusunda sevdiğimiz insanı hizaya sokmaya çalışmak, sokamadığımızda ise sinir krizleri geçirmek demek değildir. Birini suçlarken çok dikkatli olmalıyız. Kimi neyle suçluyorsanız, lütfen kendinize bir kere dönüp bakın. Göremiyorsanız bir kere daha bakın. Yine mi göremediniz? O zaman görene kadar bakın. Karşı tarafta gördüğünüz kabahatleri ya siz de işliyorsunuzdur ya da işleme potansiyeliniz çok yüksektir.

SONSÖZ NİYETİNE

Issız bir adaya düşseniz ne istersiniz?

1. Sebze tohumu, alet çantası, olta takımı.
2. Mutfağı tıka basa yiyecekle dolu, son derece ilginç mimariye sahip bir ev.

Eğer son derece basit görünen birinci şıkkı tercih ederseniz, adada kaldığınız süre boyunca ihtiyacınız olan her şeyi elde edebileceğiniz bir sistem kurabilir ve orijinal şeyler üretebilirsiniz. Elinizdeki tohumlarla istediğiniz kadar sebze yetiştirir, alet çantanızı kullanarak küçük bir kulübeden ahşap heykellere kadar her şeyi yapabilirsiniz.

Yirmi beş yaşındaki Gizem diyordu ki: "Ben orijinal bir hayat istiyorum. Sıradan bir evliliğe sahip olmaktan, mutsuz, sıkıcı bir hayattan korkuyorum. Arabalarında giden evli çiftlere bakıyorum. İki taraf da camdan farklı dünyalara bakıyorlar. Teyzemler, halamlar, tanıdığım insanların hayatlarına bakıyorum ve... Ne bileyim korkuyorum işte. Ben onlar gibi olmak istemiyorum."

Hepimiz hayatta orijinal bir şeylerin özlemini duyarız. Bunun için ilk önce basit bir sisteme ihtiyaç vardır. Sağlam zemin üzerine kurulu basit bir sistem orijinal şeyler üretmeye olanak verir. Düzen kurmak, hayat kurmak demektir.

Diğer türlü sağlam bir temelden yoksun kalmış hayatların adına "tutunamamak" diyoruz.

Psikologlar tavsiye vermez dense de sonsöz yerine birtakım tavsiyelerde bulunmak istiyorum.

- Hazır olmayı beklemeyin, gönlünüze yatan bir insanla karşılaştığınızda evlenin.
- Doğru nedenlerle eş seçin.
- Eşinize emek verin.
- Çocuk sahibi olmayı ertelemeyin, çocukları hayatınızdan çalan küçük canavarlar olarak görmeyin.
- Evinizle ilgilenin, evinizi idare etmeyi öğrenin.
- Temiz ve düzenli olun.
- Kendinize, beden ve ruh sağlığınıza özen gösterin.
- Günde en az bir saat kendinize zaman ayırın.
- Sizi ayakta tutan değerleri kendinize sık sık hatırlatın.
- Bedeninizi güçlendirin, hareket edin.
- Gece yarısından önce uyumaya özen gösterin.
- Acele etmeyin, panik yapmayın, dikkatinizi toplayamıyorsanız elinizdeki işi bırakın.
- Şikayet etmeyin.
- İyi niyetle başladığınız bir işte mutlaka başarılı olursunuz. Niyetinizi bozmayın.
- Boş vermeyin, özenli olun, çevreye karşı duyarlı olun.
- Her gün yeni bir şey öğrenin.
- Çiçekleri, bebekleri, hayvanları sevin.
- Bilgisayar ve telefonla aranıza mesafe koyun. Çalan her telefonu açmak zorunda değilsiniz. Daha uygun bir zamanda geri dönebilirsiniz.

- Hayal kurun.
- Bağımlılıklarınızı fark edin ve tedavi olun.
- Fırsat buldukça güneşin doğunu ve batışını, geceleri ayı izleyin.
- Beş çayı için.
- Her şeyin zıddıyla var olduğunu unutmayın.
- Şükran ve minnet duygularını hatırlayın. Sadaka verin. Maddi manevi iyilik yaptığınızda hissettiğiniz huzuru ve gönül rahatlığını yaşayın.
- Dua edin.
- Dizginlenemeyen arzularınızla mücadele edin, bunlara yenilmeyin.
- Dünyaya karşı kayıtsız olmayın. Çevrenizle ilgilenin. Düğünlere gidin, cenazelere katılın, doğum yapan arkadaşlarınızı hastanede ziyaret edin, ameliyat olan eş dost akrabayı arayıp hallerini sorun, onlarla ilgilenin.

Ve en önemlisi umudunuzu kaybetmeyin, "Mümkün değil, asla, katiyen, hayatta olmaz, imkansız" gibi kelimeleri sözlüğünüzden çıkarın.

Bu hayatta bir tek ölüme çare yoktur. Onun dışında her zaman bir yol daha vardır.

Yolunuz açık olsun, sevgiyle kalın.

Psikolog Tülay KÖK

2014, Antalya